Diogenes Taschenbuch 23088

Martin Suter

Small World

Roman

Liebe Trudy, lieber Ludy
Wir haben die Zeit mit Euch in Eurer wunderschönen
"ROCKY KNOB LODGE"
sehr genossen und freuen uns auf das nächste Wiedersehen – wo auch immer.

Corvallis, 2. Sept. 2001

Brigitte + Theo

Diogenes

Die Erstausgabe erschien
1997 im Diogenes Verlag
Umschlagfoto
von Fulvio Roiter
Aus ›Living Venice‹,
Magnus Edizioni,
Fagagna (UD)

Für Vater

Veröffentlicht als Diogenes Taschenbuch, 1999

www.diogenes.ch
100/01/8/9
ISBN 3 257 23088 5

1

Als Konrad Lang zurückkam, stand alles in Flammen, außer dem Holz im Kamin.

Er wohnte in der Koch-Villa auf Korfu etwa vierzig Kilometer nördlich von Kerkira. Sie bestand aus einem verschachtelten Gebäudekomplex, der in Kaskaden aus Zimmern, Gärten, Terrassen und Pools zu einer sandigen Bucht abfiel. Ihr kleiner Strand war nur vom Meer aus zugänglich oder mit einer Art Drahtseilbahn, die durch alle Ebenen der Anlage führte.

Genaugenommen wohnte Konrad Lang nicht in der Villa, sondern im Pförtnerhäuschen, einem kalten, feuchten Maueranbau im Schatten des Pinienwäldchens, das die Einfahrt säumte. Konrad Lang war kein Gast der Villa, sondern so etwas wie ihr Verwalter. Gegen Kost, Unterkunft und eine Pauschale hatte er dafür zu sorgen, daß das Haus auf Abruf für Familienmitglieder und Gäste bereit war. Er hatte die Löhne der Angestellten auszuzahlen und die Rechnungen der Handwerker, die ständig mit Unterhaltsarbeiten beschäftigt waren. Das Salz und die Feuchtigkeit setzten dem Bauwerk zu.

Um die Landwirtschaft, etwas Oliven, Mandeln, Feigen, Orangen und eine kleine Schafherde, kümmerte sich der Pächter.

Während der Wintermonate, die stürmisch, regnerisch und kühl waren, hatte Konrad praktisch nichts zu tun, außer einmal am Tag nach Kassiopi zu fahren und sich mit ein paar Leidensgenossen zu treffen, die den Winter ebenfalls auf der Insel verbrachten: einem alten englischen Antiquitätenhändler, der deutschen Besitzerin einer nicht mehr sehr aktuellen Boutique, einem betagten Maler aus Österreich und einem Westschweizer Paar, das ebenfalls auf eine Villa aufpaßte. Sie schwatzten in einem der wenigen Lokale, die außerhalb der Saison offen hatten, und tranken etwas, meistens zuviel.

Den Rest der Tage brachte er damit zu, sich vor der feuchten Kälte zu schützen, die bis auf die Knochen drang. Die Koch-Villa war, wie viele Ferienvillen auf Korfu, nicht für den Winter gebaut. Das Pförtnerhaus besaß nicht einmal einen Kamin, nur zwei Elektroheizungen, die er aber nicht gleichzeitig einschalten durfte. Sonst sprang die Sicherung heraus.

So kam es, daß er sich an besonders kalten Tagen und manchmal auch Nächten im Living des untersten Gästetrakts aufhielt. Ihm gefiel es dort, weil er sich an dessen Fensterfront wie ein Kapitän auf der Kommandobrücke eines Luxusliners vorkam: unter ihm ein türkisblauer Pool, vor ihm nichts als das gleichmütige Meer. Dazu kamen die Annehmlichkeiten des gut funktionierenden Kamins und des Telefons. Das Pförtnerhaus war ursprünglich das Personalhaus des untersten Gästetrakts gewesen, und er konnte Gespräche nach hier unten verlegen und so tun, als wäre er da, wo er hingehörte. Die Räume der Villa waren für Konrad nach Elvira Senns Weisungen tabu.

Es war Februar. Ein stürmischer Ostwind hatte den ganzen Nachmittag die Palmen gezaust und graue Wolkenfetzen vor die Sonne getrieben. Konrad beschloß, sich mit ein paar Klavierkonzerten im untersten Gästesalon zu verkriechen. Er lud etwas Holz und einen Kanister Benzin auf die Drahtseilbahn und fuhr hinunter.

Das Benzin war nötig, um das Holz in Brand zu setzen. Er hatte vor zwei Wochen eine Ladung Mandelholz bestellt, das lange und heiß brannte, wenn es trocken war. Aber das, was man ihm geliefert hatte, war feucht. Es gab keine andere Methode, es in Brand zu setzen. Nicht sehr elegant, aber sehr wirksam. Konrad hatte es schon Dutzende Male so gemacht.

Er schichtete ein paar Scheite auf, übergoß sie mit Benzin und hielt ein Streichholz dran. Dann fuhr er in der Drahtseilbahn hinauf, um sich in seiner kleinen Küche zwei Flaschen Wein, eine halbvolle Flasche Ouzo, Oliven, Brot und Käse zu holen.

Auf dem Rückweg lief er dem Pächter über den Weg, der ihm eine Stelle an der Mauer zeigen wollte, wo der Salpeter den Verputz zerfressen hatte.

Als Konrad Lang wieder nach unten fuhr, kam ihm Rauch entgegen. Er schrieb das dem Wind zu, der von einem ungewöhnlichen Winkel vom Meer her in den Kamin blies, und machte sich keine Gedanken.

Aber als die Kabine im untersten Gästetrakt hielt, stand alles in Flammen außer dem Holz im Kamin. Es war eines jener Mißgeschicke, die einem passieren, wenn man in Gedanken ist: Er hatte die Scheite in den Kamin geschichtet, aber dann den Stoß neben dem Kamin in Brand gesetzt. Die

Flammen hatten während seiner Abwesenheit auf die indonesische Rattan-Sitzgruppe und von dort auf die Ikats an den Wänden übergegriffen.

Vielleicht wäre der Brand noch zu löschen gewesen, wenn nicht genau in dem Moment, als Konrad Lang die Kabine verlassen wollte, der offene Benzinkanister explodiert wäre. Konrad tat das einzig Vernünftige: Er drückte auf den obersten Knopf.

Während die Kabine langsam nach oben glitt, füllte sich der Schacht rasch mit beißendem Rauch. Zwischen der zweitobersten und der obersten Ebene fing sie an zu bokken, ruckte ein paarmal und hing dann fest.

Konrad Lang hielt sich seinen Pullover vor den Mund und schaute in den Rauch, der rasch immer schwärzer und undurchdringlicher wurde. In Panik hebelte er an der Kabinentür, brachte sie irgendwie auf, hielt den Atem an und krabbelte die Stufen neben der Trasse hinauf. Schon nach ein paar Metern erreichte er die oberste Ebene und rettete sich hustend und keuchend ins Freie.

Die Koch-Villa auf Korfu war kurz vor dem Brand von einer holländischen Innenarchitektin völlig neu eingerichtet worden. Sie war vollgestopft mit indonesischen und marokkanischen Antiquitäten, Textilien und Ethnokitsch. Das Zeug brannte wie Zunder.

Der Wind trieb die Flammen durch den Seilbahnschacht in die Wohnräume aller Etagen und von dort in die Schlafzimmer und Nebenräume.

Als die Feuerwehr kam, hatte das Feuer bereits vom Haus abgelassen und wurde vom Sturm über die Palmen und Bougainvilleen gegen den Pinienwald gejagt. Die Männer beschränkten sich darauf, ein Übergreifen der Flammen auf die Pinien und die umliegenden Oliven zu verhindern. Es hatte wenig geregnet für die Jahreszeit.

Konrad verzog sich mit einer Flasche Ouzo ins Pförtnerhaus. Erst als die Königspinie vor dem Fenster in einem Flammenbündel explodierte, torkelte er hinaus und schaute von weitem zu, wie das Feuer das weiße Häuschen mit all seinen Habseligkeiten vernichtete.

Zwei Tage später war Schöller zur Stelle. Er ließ sich von Apostolos Ioannis, dem Leiter der griechischen Tochter von »Koch Ingeneering«, durch die Brandstätte führen und stocherte da und dort mit der Schuhspitze im verkohlten Schutt. Den Notizblock steckte er bald wieder weg. Die Villa war vollständig ausgebrannt.

Schöller war der persönliche Assistent von Elvira Senn. Ein dünner, akkurater Mann Mitte Fünfzig. Er besaß keinerlei offizielle Funktion im Unternehmen, seinen Namen suchte man vergebens im Handelsregister, aber er war Elviras verlängerter Arm und als solcher bis in die Konzernspitze gefürchtet.

Bisher hatte Konrad Lang seine Angst vor Schöller damit überspielt, daß er ihn mit der Herablassung des Höhergeborenen behandelte. Obwohl Schöller derjenige war, der die Weisungen erteilte, war es Konrad gelungen, sie entgegenzunehmen, als wären sie das Resultat vorangegangener vertraulicher Konsultationen mit Elvira. Auch wenn Schöller genau wußte, daß alle Kontakte zwischen Elvira Senn und Konrad Lang über ihn liefen, die Tatsache, daß die Grande Dame der Schweizer Hochfinanz für ihn immer wieder

Fäden zog, ihn sein Leben lang immer wieder irgendwo in ihrem weitverzweigten Imperium und ihrem internationalen Bekanntenkreis als Gesellschafter, Verwalter oder Mädchen für alles unterbrachte, nahm er dem hochnäsigen Alten persönlich übel. Nur weil dieser einen Teil seiner Jugend mit ihrem Stiefsohn Thomas Koch verbracht hatte, fühlte sie sich verpflichtet, ihn zwar auf Distanz aber doch immer irgendwie über Wasser zu halten.

Lang war eine der lästigsten Aufgaben in seinem Pflichtenheft. Schöller hoffte, der Brand würde ausreichen, um sie endlich ein für allemal abzuhaken.

Stundenlang hatte Konrad Lang starr im Widerschein der Flammen mitten im Tumult der Löschmannschaften gestanden. Nur wenn er einen Schluck aus der Flasche brauchte, bewegte er sich, oder wenn er den Kopf einzog, weil das Löschflugzeug tief über die Pinien dröhnte, um eine weitere Ladung Wasser abzuwerfen. Irgendwann kam der Pächter mit zwei Männern, die ihn zum Vorfall befragen wollten. Als sie merkten, daß Konrad Lang nicht vernehmungsfähig war, brachten sie ihn nach Kassiopi, wo er die Nacht in einer Polizeizelle verbrachte.

Am nächsten Morgen bei der Befragung konnte er sich nicht erklären, wie das Feuer entstanden war. Das war nicht einmal gelogen.

Die Erinnerungen an die Entstehung des Brandes tauchten erst im Laufe des Tages in kleinen Portionen wieder auf. Aber da hatte er schon empört jegliche Schuld von sich gewiesen und hielt diese Aussage verzweifelt aufrecht. Vielleicht wäre er damit durchgekommen, hätte der Pächter nicht ausgesagt, er habe Konrad Lang an diesem Nachmittag mit einem Kanister Benzin auf dem Weg in den untersten Gästetrakt gesehen.

Lang wurde daraufhin bis zur Abklärung des Verdachtes auf vorsätzliche Brandstiftung ins Polizeihauptquartier in Kerkira gebracht. Dort befand er sich auch noch, als Schöller in seinem Zimmer im Corfu Hilton International den Ruß abduschte, sich umzog und ein Tonic aus der Minibar nahm.

Als Konrad Lang eine Stunde später aus seiner Zelle geholt und in das kahle Büro geführt wurde, in dem ihn Elviras Assistent mit einem Beamten erwartete, hatte er über fünfzig Stunden in Polizeigewahrsam verbracht und jede Überheblichkeit abgelegt. Er, der Wert darauf legte, in jeder Situation korrekt gekleidet und sauber rasiert zu sein, trug jetzt eine rußgefleckte Kordhose, verdreckte Schuhe, ein schmutziges Hemd, eine zerknitterte Krawatte und den ehemals gelben Kaschmirpullover, den er als Atemschutz benutzt hatte. Sein kurz getrimmter Schnurrbart hob sich kaum mehr von den Bartstoppeln ab, das graue Haar fiel ihm strähnig ins Gesicht, und die Säcke unter den Augen waren dunkler und schwerer als sonst. Er war fahrig und zittrig, und das kam nicht allein von der Aufregung, sondern vor allem vom brüsken Alkoholentzug. Lang war etwas über dreiundsechzig, aber an diesem Nachmittag sah er aus wie fünfundsiebzig. Schöller übersah die Hand, die sich ihm entgegenstreckte.

Konrad Lang setzte sich und wartete, bis Schöller etwas sagen würde. Aber Schöller sagte nichts. Er schüttelte nur den Kopf. Und als Lang hilflos die Schultern hob, schüttelte er ihn weiter.

»Was nun?« fragte Konrad Lang schließlich.

Schöller schüttelte immer noch den Kopf.

»Das Mandelholz. Es brennt nicht, wenn es feucht ist. Ein Unfall.«

Schöller verschränkte die Arme und wartete.

»Sie haben keine Ahnung, wie kalt es hier im Winter werden kann.«

Schöller schaute zum Fenster. Draußen ging ein strahlender Tag zur Neige.

»Das ist nicht normal für diese Jahreszeit.«

Schöller nickte.

Lang wandte sich an den Beamten, der etwas Englisch sprach. »Sagen Sie ihm, daß ein Tag wie heute für diese Jahreszeit sehr ungewöhnlich ist.«

Der Beamte zuckte die Achseln. Schöller blickte auf die Uhr.

»Sagen Sie denen, daß ich kein Brandstifter bin. Sonst behalten die mich hier.«

Schöller stand auf.

»Sagen Sie denen, daß ich ein alter Freund des Hauses bin.«

Schöller schaute auf Konrad Lang herab und schüttelte wieder den Kopf.

»Haben Sie Elvira erklärt, daß es ein Unfall war?«

»Ich werde Frau Senn morgen unterrichten.« Schöller ging zur Tür.

»Was werden Sie ihr sagen?«

»Ich werde ihr empfehlen, Anzeige zu erstatten.«

»Ein Unfall«, stammelte Konrad Lang noch einmal, als Schöller den Raum verließ.

Schöller nahm am nächsten Tag die einzige Maschine, die außerhalb der Saison vom Ioannis-Kapodistrias-Flughafen nach Athen flog. Er hatte einen akzeptablen Anschluß und war am späten Nachmittag in Elvira Senns Arbeitszimmer im »Stöckli«. So nannten die Kochs den Bungalow aus Glas, Stahl und Sichtbeton, den Elvira sich von einem prominenten spanischen Architekten als Alterssitz in den Park der »Villa Rhododendron« hatte bauen lassen. Der Park bestand aus etwa neunzehntausend Quadratmetern leicht abfallendem Gelände mit verschlungenen Weglein durch unzählige Arten von Rhododendren und Azaleen und alten Baumbestand. Das Zimmer war, wie alle Räume, nach Südwesten ausgerichtet und bot eine prächtige Aussicht auf den See, den Hügelzug am anderen Ufer und an klaren Tagen bis hinauf zur Alpenkette.

Elvira Senn war mit neunzehn als Kindermädchen zu Wilhelm Koch gekommen, dem verwitweten Gründer der Koch-Werke. Dessen Frau war kurz nach der Geburt ihres einzigen Kindes verstorben. Elvira hatte ihn kurz darauf geheiratet und sich zwei Jahre nach seinem frühen Tod wieder verheiratet, diesmal mit dem leitenden Direktor der Koch-Werke, Edgar Senn. Er war ein tüchtiger Mann, der in den Kriegsjahren die Werke – eine nicht sehr innovative aber solide Maschinenfabrik – zum Blühen gebracht hatte. Er produzierte nicht lieferbare Ersatzteile deutscher, englischer, französischer und amerikanischer Autos, Motoren und Maschinen. Nach dem Krieg nutzte er diese Erfahrung und stellte viele der gleichen Produkte in Lizenz her. Die Gewinne der Wirtschaftswunderjahre investierte er in großem Stil in Immobilien, verkaufte rechtzeitig und verschaffte sich so die Mittel für eine breite Diversifikation. So überstanden die Koch-Werke die Rezession. Nicht ganz unbeschadet, aber gut.

Schon immer hatte man gemunkelt, seine geschickte Hand werde von der noch geschickteren seiner Frau geführt. Als Edgar Senn 1965 mit sechzig an einem Herzinfarkt starb und das Unternehmen unbeirrt weiter gedieh, fanden sich viele in diesem Verdacht bestätigt. Heute waren die Koch-Werke ein gut ausbalancierter Mischkonzern, ein wenig Maschinen, ein wenig Textil, ein wenig Elektronik, ein wenig Chemie, ein wenig Energie. Sogar ein wenig Ökotechnik.

Vor zehn Jahren, als Elvira verlauten ließ, es sei Zeit, den Jungen Platz zu machen, war sie ins »Stöckli« gezogen. Aber die Zügel, die sie laut Pressemeldung damals ihrem inzwischen dreiundfünfzigjährigen Stiefsohn Thomas übergeben hatte, hielt sie immer noch fest in der Hand. Sie blieb zwar nicht Mitglied des Verwaltungsrats, aber die Beschlüsse der Sitzungen, die regelmäßig bei ihr im »Stöckli« stattfanden, waren weitreichender und bindender als alles, was in diesem Gremium beschlossen wurde. Und das wollte sie so halten, bis Thomas' Sohn Urs so weit war, ihre Rolle zu übernehmen. Thomas selbst gedachte sie zu überspringen. Aus Gründen, die mit seinem Charakter zu tun hatten.

Sie nahm die Nachricht vom Totalschaden in Korfu mit der erwarteten Gelassenheit auf. Ein einziges Mal in ihrem Leben war sie dort gewesen – vor über zwanzig Jahren.

»Wie sieht denn das aus, wenn ich ihn ins Gefängnis bringe?«

»Sie bringen ihn nicht ins Gefängnis. Dafür ist die Justiz zuständig. Brandstiftung ist auch in Griechenland ein Offizialdelikt.«

»Konrad Lang ist kein Brandstifter. Er wird nur etwas alt.«

»Wenn Sie wollen, daß es als fahrlässige Brandstiftung gewertet wird, müssen wir zu seinen Gunsten aussagen.«

»Und was machen sie dann mit ihm?«

»Er wird zu einem Bußgeld verurteilt. Falls er es bezahlen kann, muß er nicht ins Gefängnis.«

»Ich muß Sie nicht fragen, was Sie an meiner Stelle tun würden.«

»Nein.«

Elvira überlegte. Die Vorstellung, Konrad Lang tausendfünfhundert Kilometer weiter südlich sicher verwahrt zu wissen, war ihr nicht ganz unangenehm. »Wie sind die griechischen Gefängnisse?«

»Mit ein paar Drachmen kann man es sich dort ganz erträglich einrichten, sagt Ioannis.«

Elvira Senn lächelte. Sie war eine alte Frau, obwohl man es ihr nicht ansah. Sie hatte ihr Leben lang viel Zeit, Energie und Geld darauf verwendet, nicht alt zu werden. Sie hatte mit etwas über vierzig begonnen, in regelmäßigen Abständen kleine kosmetische Korrekturen vorzunehmen, vor allem im Gesicht. Das hatte ihr eine Zeitlang zwar etwas frühzeitig Guterhaltenes verliehen, aber inzwischen war sie achtundsiebzig und sah an guten Tagen aus wie keine Sechzig. Nicht nur dank dem Geld und der Chirurgie, auch die

Natur hatte es gut mit ihr gemeint. Sie besaß ein rundes Puppengesicht und hatte sich daher nicht, wie andere Frauen, irgendwann zwischen Gesicht und Figur entscheiden müssen. Sie konnte es sich leisten, schlank zu bleiben. Sie war gesund, abgesehen von einer Diabetes (»Altersdiabetes« hatte es ihr Hausarzt ungalant genannt), wegen der sie sich seit einigen Jahren zweimal täglich aus einer Art Füllfeder ein Verzögerungsinsulin spritzen mußte. Sie hielt sich diszipliniert an ihre Diät, schwamm täglich, nahm Massagen und Lymphdrainagen, verbrachte zweimal im Jahr drei Wochen in einer Klinik auf Ischia und versuchte sich nicht zu ärgern, was ihr nicht immer leicht fiel.

Schöller blieb am Ball. »Man kann Ihnen wirklich keinen Vorwurf machen, nach allem, was Sie für ihn getan haben. Nach diesem Vorfall bringen Sie ihn nirgendwo mehr unter. Oder können Sie jetzt noch die Verantwortung für ihn übernehmen?«

»Es wird heißen, ich hätte ihn ins Gefängnis gebracht.«

»Im Gegenteil. Man wird es Ihnen hoch anrechnen, daß Sie ihn nicht auf Schadensersatz verklagen. Niemand wird von Ihnen erwarten, daß Sie jemanden, der Ihnen eine Fünfmillionenvilla in Brand gesteckt hat, aus dem Gefängnis holen.«

»Fünf Millionen?«

»Der Versicherungswert liegt bei etwa vier.«

»Wieviel hat sie uns gekostet?«

»Etwa zwei. Plus etwa anderthalb, die Herr Koch letztes Jahr investiert hat.«

»In die holländische Innenarchitektin?«

Schöller nickte. »So günstig werden wir ihn nie mehr los.«

»Was muß ich tun?«

»Das ist ja das Angenehme: nichts.«

»Dann tu ich es.«

Elvira setzte ihre Lesebrille auf und wandte sich einem Papier zu, das vor ihr auf dem Pult lag. Schöller erhob sich.

»Und Thomas«, sagte sie, ohne aufzublicken, »Thomas muß man diesen Aspekt der Geschichte ja nicht unter die Nase reiben.«

»Von mir erfährt Herr Koch nichts.«

Noch bevor Schöller die Tür erreicht hatte, klopfte es, und gleich darauf stand Thomas Koch im Zimmer.

»Koni hat Korfu niedergebrannt.« Er bemerkte den Blick nicht, den Elvira und Schöller tauschten.

»Trix van Dijk hat eben angerufen. Die Villa sehe aus wie nach einem Bombenangriff.« Dann grinste er. »Sie war mit einem Team von *The World of Interiors* dort. Die wollten eine Titelstory machen und sie groß herausbringen. Aber da gab es keine *Interiors* mehr. Sie sagt, sie bringt Koni um. So, wie sie klang, glaube ich's ihr.«

Thomas Koch war kahl bis auf einen schwarzen Haarkranz, der, wenn die Sonne kurz durch ein Wolkenloch ins Zimmer schien, etwas unnatürlich reflektierte. Sein Gesicht wirkte zu klein für seinen fleischigen Kopf. Auch wenn es so breit grinste wie in diesem Moment.

»Ich glaube, Schöller, Sie sollten in Korfu nach dem Rechten sehen. Erledigen Sie die Formalitäten, und halten Sie mir um Himmels willen die van Dijk vom Leib.« Koch ging zur Tür.

»Ach, und holen Sie Koni aus dem Gefängnis. Erklären Sie denen, daß er kein Brandstifter ist, nur ein Säufer.«

Als Thomas Koch die Tür hinter sich schloß, hörten sie ihn noch kichern: »*The World of Interiors!*«

Drei Wochen später trafen sich Konrad Lang und Schöller wieder. Apostolos Ioannis hatte im Auftrag des Schweizer Hauptsitzes eine Kaution geleistet, Konrad Lang mit provisorischen Papieren, dem Allernötigsten an Kleidung, etwas Taschengeld, Schiffs- und Bahnkarten zweiter Klasse ausgestattet.

Konrad Lang war bei unruhiger See mit der Fähre acht Stunden nach Brindisi gereist und hatte sich dort drei Stunden auf dem Bahnhof herumgedrückt. Als er am nächsten Tag pünktlich um Viertel nach fünf bei der Adresse ankam, die ihm Ioannis als Treffpunkt angegeben hatte, wurde es bereits dunkel.

Tannenstraße 134 war ein Wohnblock in einer stark befahrenen Straße ohne eine einzige Tanne. Sie befand sich in einem Arbeiterviertel der Stadt. Konrad Lang stand einen Moment unschlüssig vor dem Hauseingang. Auf seinem Zettel war kein Stockwerk erwähnt. Er studierte die Namensschilder. Sie waren alle schwarz und sauber in einen Aluminiumraster eingelassen. Neben einer Klingel im dritten Stock war der Name »Konrad Lang« eingraviert. Er drückte auf den Knopf. Kurz darauf surrte der Türöffner. Drei Treppen höher erwartete ihn Schöller in einer Wohnungstür. »Willkommen zu Hause«, grinste er.

Langs Reise hatte dreiunddreißig Stunden gedauert. Er sah fast so schlimm aus wie bei ihrer letzten Begegnung im Polizeihauptquartier von Kerkira.

Schöller führte ihn durch die kleine Zweizimmerwohnung. Sie war mit günstigen, einfachen Möbeln eingerichtet, in den Küchenschränken und Schubladen befand sich das Nötigste an Geschirr und Besteck. Es waren ein paar Pfannen da und ein paar Grundnahrungsmittel, im Schlafzimmerschrank lag Bett- und Frotteewäsche, im Wohnzimmer stand ein Fernseher. Alles war neu, die Böden waren mit Spannteppichen ausgelegt und die Zimmer frisch gestrichen. Wie eine noch nie benutzte Ferienwohnung, dachte Konrad Lang. Wenn das Quietschen der Trams und das Hupen der Autos nicht wäre. Er setzte sich auf den verstellbaren Fernsehsessel.

»Folgende Abmachung«, sagte Schöller, nahm auf dem kleinen Sofa daneben Platz und legte ein Papier vor sich auf das Clubtischchen. »Frau Senn kommt für die Wohnung auf. Falls Sie die Einrichtung ergänzen wollen, können Sie eine Wunschliste aufstellen. Ich bin bevollmächtigt, Ihnen innerhalb eines vernünftigen Rahmens entgegenzukommen. Versicherungen, Krankenkasse, Zahnarzt werden übernommen. Ebenso die Bekleidung. Eine Mitarbeiterin von mir wird sich morgen bei Ihnen melden und Sie beim Einkauf Ihrer Garderobe begleiten und beraten. Die Beratung wird vor allem finanzieller Natur sein. Der Spielraum, über den sie verfügt, ist beschränkt.«

Schöller drehte sein Papier um. »Schräg vis-à-vis befindet sich das Café Delphin, ein sehr angenehmes Tea-Room, in welchem Sie frühstücken können. Für die anderen Mahlzeiten ist das Blaue Kreuz vorgesehen, ein sehr reelles alkoholfreies Restaurant, vier Tramstationen von hier. Kennen Sie es?«

Konrad Lang schüttelte den Kopf.

»In beiden Lokalen haben Sie eine laufende Rechnung, die von Frau Senn übernommen wird. Für Ausgaben außerhalb dieses Arrangements steht Ihnen ein Taschengeld von wöchentlich dreihundert Franken zur Verfügung, die Sie jeweils am Montag beim Leiter der Filiale Rosenplatz der Kreditbank beziehen können. Er hat Anweisung, Ihnen keine Vorschüsse zu gewähren. Frau Senn hat mich gebeten, Ihnen zu sagen, daß sie für das alles keine Gegenleistung erwartet oder wünscht. Außer, daß Sie vorsichtig mit Feuer umgehen, möchte ich dem persönlich doch hinzufügen.«

Schöller schob Konrad Lang das Papier über das Tischchen hin und holte einen Kugelschreiber aus der Brusttasche. »Lesen Sie sich das genau durch, und unterschreiben Sie es in beiden Ausfertigungen.«

Lang nahm ihm den Kugelschreiber aus der Hand und unterschrieb. Er war zu müde zum Lesen. Schöller griff sich seine Kopie, stand auf und ging hinaus. Bei der Wohnungstür drehte er sich um und kam noch einmal zurück. Er konnte es nicht lassen: »Wenn es nach mir gegangen wäre, wären Sie in Korfu geblieben. Frau Senn ist viel zu großzügig.«

Er bekam keine Antwort. Konrad Lang war im Fernsehsessel eingeschlafen.

2

Hoffentlich ist Urs nicht zu Hause, dachte Konrad Lang und drückte auf die Klingel. Früher hätte er gehört, wie es weit weg in der Villa läutete, und noch früher, als der schmiedeeiserne Glockenzug noch in Betrieb war, wie es unter dem Vordach über der Haustür schepperte. Aber jetzt war er bald fünfundsechzig und sein Gehör nicht mehr so fein wie einst.

Deswegen hörte er auch die Schritte des Paares nicht, das aus einem Geländewagen gestiegen war und jetzt auf ihn zukam. Beide trugen Reitkleidung und lehmverschmierte Stiefel. Der Mann war Ende Zwanzig, groß und gutaussehend, wenn man vom Kinn absah, das etwas zum Fliehen neigte.

Die Frau war jünger, nicht viel über zwanzig, brünett und eher niedlich als schön. Sie schaute ihren Begleiter fragend an. Der hielt den Zeigefinger an die Lippen.

Sie näherten sich leise dem älteren Herrn, der am Gartentor stand und wartete. Er trug einen Burberry und einen grünen Filzhut, der ihm von weitem etwas Junkerhaftes verlieh.

Einer der vielen Freunde des Hauses, nahm die junge Frau an, und spielte mit. Auf Zehenspitzen schlichen sie sich heran.

Konrad Lang legte das Ohr ans Tor und horchte angestrengt. Sind das Schritte?

Die beiden hatten ihn erreicht, und der Mann schlug mit der flachen Hand hart auf das Torblech.

»Hallo, Koni, brauchst du Geld?« schrie er.

Konrad Lang hatte das Gefühl, in seinem Kopf sei etwas explodiert. Er drückte beide Hände an die Ohren. Sein Gesicht war verkniffen, als erwarte er einen weiteren Schlag. Jetzt erkannte er den jungen Mann.

»Urs«, sagte er leise, »du hast mich erschreckt.«

Er bemerkte die junge Frau, die konsterniert neben Urs Koch stand, nahm den Hut ab und strich sich über das graue, aus der hohen Stirn gekämmte Haar. Er wirkte, wenn auch auf eine etwas heruntergekommene Art, distinguiert.

»Konrad Lang.« Er streckte ihr die Hand hin.

Sie schüttelte sie teilnahmsvoll. »Simone Hauser.«

»Urs und ich sind alte Freunde. Er meint es nicht so.«

Urs hatte inzwischen das Tor aufgeschlossen. Es knackte in der Gegensprechanlage. »Ja?« sagte eine Frauenstimme mit Akzent. »Wer ist da?«

»Niemand, Candelaria«, antwortete Urs Koch. Er hielt Simone das Tor auf und kramte in der Tasche seiner Reithose. Als Simone sich umdrehte, sah sie gerade noch, wie Urs dem alten Herrn eine zerknitterte Note zusteckte, bevor er ihm das Tor vor der Nase zuschlug.

Der Zusammenstoß mit Urs hatte auch sein Gutes: Es waren hundert Franken dabei herausgesprungen. Vielleicht, weil Urs die rüde Attacke leid tat, oder vielleicht, weil er seine neue Freundin beeindrucken wollte, oder vielleicht einfach nur, weil er in der Eile keinen anderen Schein fand. Jedenfalls waren hundert Franken eine gute Ausbeute. Normalerweise wäre er bei Urs Koch leer ausgegangen.

Bei Tomi wohl auch. Außer, er hätte ihn in einer seiner sentimentalen Launen angetroffen. Aber die waren in letzter Zeit seltener geworden. Oder Konrads Timing schlechter. Meistens war Tomi gereizt, wenn Konrad auftauchte. Er ließ sich verleugnen oder schickte ihn zum Teufel. Über die Gegensprechanlage oder, im schlimmeren Fall, persönlich am Tor.

Normalerweise öffnete ihm jemand vom Personal. Wenn er Glück hatte, Candelaria, die ihm ab und zu zwanzig oder fünfzig Franken lieh. Seine Schulden bei ihr betrugen ein paar hundert Franken, von denen er hie und da am Wochenanfang aus seinem Taschengeld ein paar kleinere Scheine zurückzahlte. Als Geste des guten Willens und aus taktischen Gründen, für das nächste Mal.

Mit hundert Franken kam man in der Bar des Grand Hotel des Alpes zwar nicht sehr weit, aber man wurde hier wie ein Mensch behandelt, und das brauchte Konrad Lang im Moment. Die Barfrau, die am Nachmittag Dienst hatte, hieß Charlotte und nannte ihn Koni, wie eine alte Freundin. Sie hätte auch das Alter, um ihn noch aus den Zeiten zu kennen, in denen er hier manchmal die Turmsuite bewohnte. Also, Tomi und er. Also, Tomi die Turmsuite und er das Zimmer direkt darunter. Aber damals, hatte sie ihm erzählt, hatte sie es noch nicht nötig gehabt zu arbeiten. Da war sie wie er: nicht reich, aber unabhängig.

»Pröschtli, Koni«, sagte sie, als sie ihm seinen Negroni brachte.

»Ein Negroni«, behauptete er immer, »ist das ideale Nachmittagsgetränk: sieht aus wie ein Apéro, wirkt aber wie ein Cocktail.«

Der, den Charlotte ihm jetzt brachte, war erst der zweite. Für drei würde es reichen, wenn man Charlottes Champagner-Flûtes mit einrechnete, die sie sich jedesmal auf sein Zeichen hin einschenkte und hinter der Bar neben den Aschenbecher stellte, in dem ihre »Stella Filter« verrauchte.

»Yamas«, sagte Konrad und hob das Glas an die Lippen. Sein rechtes Ohr hallte noch von Urs' Schlag auf das Eisentor, und seine Hand zitterte mehr als sonst um diese Tageszeit.

Die Bar war fast leer, wie meistens am späteren Nachmittag. Charlotte verteilte versilberte Schälchen mit Salznüssen auf den Tischchen. Trübes Licht drang durch die Gardinen. Hinter der Bar neben der Kasse brannte schon eine Lampe, aus deren Lichtkegel der blaue Rauch von Charlottes vergessener Zigarette stieg. Roger Whittaker sang *Smile, though your heart is aching*, und vom Tischchen neben dem Piano klang ab und zu das Klappern der Teetassen der beiden Hurni-Schwestern, die dort, wie immer zu dieser Stunde, schweigend auf den Pianisten warteten.

Die Hurni-Schwestern waren weit über achtzig und vor einigen Jahren ins Grand Hotel des Alpes gezogen. So, wie andere Leute, die nicht zwölf Prozent einer Bierbrauerei geerbt haben, ins Altersheim ziehen. Beide waren hager und zerbrechlich, bis auf die unförmigen Beine in hautfarbenen Stützstrümpfen, die wie Bratwürste unter ihren großgeblümten Kleidern hervorschauten. Jedesmal, wenn sie feierlich die Bar betraten, fühlte sich Konrad Lang an etwas erinnert, das weit zurücklag. So weit, daß es kein Bild hervorrief, nur ein vertrautes, lange vergessenes Gefühl, das er nicht beschreiben konnte; aber es entlockte ihm immer ein freundliches Lächeln, welches von den Hurni-Schwestern jedesmal empört ignoriert wurde.

Konrad Lang nahm einen kleinen Schluck und stellte das Glas wieder auf das Tischchen. Der Negroni mußte reichen, bis der Pianist kam. Dann würde er noch einen bestellen. Und eine Flûte für Charlotte »mit einem Bier für den Mann am Klavier«. Dann müßte er sich entscheiden, ob er die übrigen zwanzig Franken in ein Taxi investieren oder das Tram nehmen und den Rest in ein paar ordinären Schnäpsen bei Barbara im Rosenhof anlegen sollte.

Es geschah nicht oft, daß eine von Urs Kochs Freundinnen Elvira Senn vorgestellt wurde. Sie waren alle vom gleichen Typ, und er wechselte sie so oft, daß Elvira sie nicht auseinanderhalten konnte. Aber in letzter Zeit hatte sie sich mehrmals nach »dieser Simone« erkundigt. Ein Zeichen dafür, daß es ihren Plänen dienen würde, wenn Urs eine festere Bindung einginge.

Als Rahmen für die Vorstellung hatte Elvira sich für den Nachmittagstee im kleinen Salon der Villa entschieden. Intim genug für einen ersten Eindruck, aber nicht so familiär wie ein Mittagessen und nicht so verbindlich wie ein Diner.

Urs und Simone, jetzt nicht mehr im Reitkostüm, saßen Hand in Hand auf einem ledernen Breuersofa. Thomas Koch schenkte Champagner in vier Gläser ein.

»Wenn es heißt ›zum Tee‹, ist damit der Rahmen gemeint, nicht das Getränk«, sagte er und lachte. Er stellte die Flasche in den Eiskübel zurück, reichte jedem ein volles Glas, nahm sich selbst eines und erhob es. »Worauf trinken wir?«

»Auf unser Wohl«, sagte Elvira, um Thomas zuvorzukommen, der wieder einmal drauf und dran war, etwas Voreiliges zu sagen. Offensichtlich war das heute nicht sein erstes Glas Alkohol, und seine Gefühle gegenüber der möglichen Schwiegertochter waren euphorisch. Wie gegenüber allen hübschen jungen Frauen.

Um der Stille, die auf das Anstoßen folgte, die Peinlichkeit zu nehmen, sagte Urs: »Als wir vom Reiten zurückkamen, stand Koni vor der Tür.«

»Was wollte er?« fragte sein Vater.

»Keine Ahnung. Wahrscheinlich den Westflügel und einen Bentley mit Chauffeur und eine nach oben offene Apanage. Gegeben habe ich ihm hundert Franken.«

»Vielleicht wollte er gar kein Geld. Vielleicht wollte er nur einen Besuch machen.«

»Er hat sich jedenfalls nicht beklagt.« Beide lachten.

Elvira schüttelte den Kopf und seufzte. »Ihr solltet ihm kein Geld geben. Ihr wißt, warum.«

»Simone hält mich sonst für einen Unmenschen«, schmunzelte Urs.

Simone fühlte sich angesprochen. »Ein bißchen leid kann er einem schon tun.«

»Koni ist ein tragischer Fall«, stellte Thomas Koch fest und schenkte Champagner nach.

»Aber Urs hat Sie über Herrn Lang aufgeklärt?« wollte Elvira wissen.

»Verstehen Sie mich nicht falsch. Ich finde es bewundernswert, was Sie für diesen Menschen getan haben. Und immer noch tun, nach dem, was vorgefallen ist.«

»Er ist das Maskottchen meiner Großmutter.«

Thomas Koch verschluckte sich beinahe. »Ich dachte, Maskottchen seien Glücksbringer.«

»Sie hält sich eben einen Pechbringer. Sie war schon immer etwas exzentrisch.« Die Art, wie ihn Elvira anschaute, veranlaßte Urs, aufzustehen und sie versöhnlich auf die Stirn zu küssen.

Thomas Koch beugte sich zu Simone. »Koni ist schon recht, er säuft einfach zuviel.«

»Es will ihm einfach nicht in den Schädel, daß er kein Mitglied der Familie ist. Das ist sein Problem«, fügte Urs hinzu. »Er weiß nicht, wo seine Grenzen sind. Er gehört nun einmal zu den Menschen, denen man nicht den kleinen Finger geben darf. Deswegen ist es besser, man hält ihn auf Distanz.«

»Was nicht immer einfach ist, wie Sie heute wohl gesehen haben, Simone.« Thomas Koch griff nach einem silbernen Glöckchen und klingelte. »Sie nehmen doch auch noch etwas Tee?«

»Ich weiß nicht«, antwortete sie und schaute unsicher zu Urs. Als der nickte, nickte sie auch.

Als Thomas Koch die zweite Flasche Champagner öffnete, sagte Simone: »Es ist traurig, wenn jemand seinen letzten Stolz verliert.«

Thomas tat, als verstünde er sie falsch. »Keine Angst, nach drei Gläsern Champagner verliere ich meinen Stolz noch nicht.«

Vater und Sohn lachten. Simone wurde rot. Eine Frau wie geschaffen für den egozentrischen Urs, dachte Elvira Senn. Vielleicht etwas zu stark geschminkt mitten am Nachmittag, aber lieb, unkapriziös und nachgiebig.

Die Bar des Grand Hotel des Alpes hatte sich etwas gefüllt. Die Lampen über den Tischchen brannten jetzt, Charlotte nahm Bestellungen auf, und der Pianist spielte sein Cocktail-Repertoire. Die Hurni-Schwestern waren in Gedanken weit weg in einer anderen Zeit mit den gleichen Melodien. Konrad Lang stellte sich vor, er sei es, der spielte.

Im Sommer 1946 hatte er sich vorgenommen, ein berühmter Pianist zu werden. Elvira hatte ihren Stiefsohn in jenem Frühling aus dem Privatgymnasium genommen, nachdem ihr die Schulleitung schonend beigebracht hatte, daß dieser in der Sekundarschule besser aufgehoben wäre. Sie hatte ihn in ein teures Internat am Genfer See gesteckt, und Thomas hatte darauf bestanden, daß Konrad ihn begleite. Konrad, dem das Gymnasium keine Mühe bereitete, ging widerwillig mit.

Im »St. Pierre« war damals ein schöner Teil des Nachwuchses jener Schicht versammelt, die der Krieg reich oder nicht arm gemacht hatte. Das neue und das alte Geld aus dem, was von Europa übriggeblieben war, schickte seine Söhne in das Manoir aus dem 17. Jahrhundert, um sie auf ihre Aufgabe als zukünftige Elite vorzubereiten. Konrad wohnte dort mit Jungen zusammen, deren Namen er bisher nur als Motoren, Banken, Konzerne, Suppenwürfel und Dynastien gekannt hatte.

Im »St. Pierre« teilten sich jeweils vier Jungen ein Zimmer. Thomas' und Konrads Zimmergenossen waren Jean Luc de Rivière, Sproß einer alten Bankierdynastie, und Peter Court, ein Engländer. Sein Vater hatte in den Dreißigerjahren die Court-Gasmaske patentieren lassen, die praktisch von allen Alliierten in Lizenz übernommen worden war.

»Von den Koch-Werken?« fragte Jean Luc Thomas, als sie zwischen ihren Koffern im Zimmer standen und sich die Hand gaben.

Thomas nickte und fragte zurück: »Von der Bank?«

Jean Luc nickte. Dann streckte er Konrad die Hand hin und schaute zuerst ihn und, als dieser zögerte, Thomas fragend an.

Thomas war ein loyaler Freund, solange er mit Konrad allein war. Aber sobald jemand auftauchte, den er beeindrucken wollte, wechselte er mit wehenden Fahnen die Seiten.

»Er ist der Sohn einer ehemaligen Hausangestellten«, erklärte Thomas. »Meine Mutter hilft ihm.«

Damit war auch die Frage geklärt, wer das Bett an der Tür erhielt.

Von da an wurde Konrad von allen Schülern mit gönnerhafter Höflichkeit behandelt. Nie – in seiner ganzen Zeit im »St. Pierre« – war er in eine ihrer vielen Intrigen verwickelt, und nie war er das Opfer ihrer grausamen Streiche. Sie hätten es ihm nicht deutlicher zu verstehen geben können, daß sie ihn nicht als ihresgleichen betrachteten.

Konrad versuchte alles. Er übertraf die Blasiertesten an Blasiertheit, die Coolsten an Coolness, die Unverfrorensten an Unverfrorenheit. Er machte sich lächerlich, nur um sie zum Lachen zu bringen, und er provozierte Strafen, nur um sie zu beeindrucken. Er kletterte über die Mauer und kaufte Wein im Dorf. Er besorgte Zigaretten und Sexmagazine. Er stand Schmiere bei den Rendezvous seiner Mitschüler mit Geneviève, der Tochter des Hauptgärtners.

Aber Konrad blieb in dieser Schule für das Leben als reicher Mann immer derjenige, der die wichtigste Voraussetzung dazu nicht mitbrachte: das Geld.

Bei der Abschiedsparty vor den Sommerferien 1946 – das »St. Pierre« begann als internationales Institut das Schuljahr im Herbst – beschloß Konrad Lang, Pianist zu werden.

Es war ein schwüler Junitag. Die Tore vom »St. Pierre«, das von einer Mauer umgeben war, standen weit offen, und auf dem großen Kiesplatz vor dem Hauptgebäude standen dicht an dicht die Limousinen. Auf dem Rasen zur Seeseite war eine kleine Bühne mit Flügel und Konzertbestuhlung aufgebaut, daneben, unter einem Baldachin, ein kaltes Büfett. Eltern, Geschwister, Ehemalige, Lehrer und Schüler standen in Grüppchen, hielten Gläser und Teller in der Hand, plauderten und blickten immer wieder besorgt zum Himmel, an dem sich schwere Wolken türmten.

Konrad stand bei Thomas Koch und Elvira Senn, die sich mit der Mutter von Jean Luc de Rivière auf französisch unterhielt. Er trug, wie alle Schüler, den Schulblazer mit dem gestickten Goldemblem aus Kreuz, Anker und Bischofsstab und die grün-blau-gold-gestreifte Schulkrawatte. Die Mütter hatten ihr Haar hochgesteckt und geblümte, seidene Sommerkleidchen an, die paar Väter, die sich die Zeit genommen hatten, ihre Söhne abzuholen, dunkle Anzüge aus weichen, leichten Stoffen, weiße Hemden und Krawatten, hie und da in den Farben des »St. Pierre«.

Mitten in dieser eleganten, selbstsicheren Gesellschaft, unbeachtet von den lächelnden Grüppchen, die sich ungezwungen auflösten und wieder neu formierten, stand ein gebückter, kleinwüchsiger, bleicher Mann in einem schlecht sitzenden Stresemann und nippte an seinem leeren Glas. Als Konrad ihn musterte, trafen sich ihre Blicke, und der Mann lächelte ihm zu.

Beinahe hätte Konrad zurückgelächelt, er besann sich aber darauf, wie konsequent alle anderen das Männchen geschnitten hatten, und ließ, um keinen Fehler zu machen, seinen Blick gleichgültig weiterwandern.

Erste Donner grollten über den See, und schwere Regentropfen begannen die sommerliche Garderobe der Gäste zu tüpfeln. Im Nu waren der Rasen leer, der Flügel zugedeckt und die Gesellschaft lachend und prustend in der Turnhalle versammelt, wo die Schulleitung einen zweiten Flügel und alles für das Schlechtwetterszenario vorbereitet hatte.

Während der Ansprache des Direktors und der feierlichen Verabschiedung der Maturanden suchte Konrad vergeblich die Reihen ab nach dem unscheinbaren Männchen, dessen wehmütiges Lächeln er nicht erwidert hatte. Erst als der Direktor den musikalischen Teil der Feier ankündigte, einen Klaviervortrag des Pianisten Jósef Wojciechowski, sah er es wieder. Es stand plötzlich auf der Bühne, verneigte sich, setzte sich an den Flügel und wartete mit seinem Lächeln, bis sich die Unruhe gelegt hatte im Publikum, das eigentlich lieber wieder zum gemütlichen Teil der Feier übergegangen wäre.

Als es still geworden war, ließ Wojciechowski die Hände auf die Tasten sinken.

Vier stille Nocturnes von Chopin entlockte er dem Flügel. Kein Hüsteln, kein Schneuzen, nur manchmal das träge Grollen des längst besänftigten Gewitters. Nach zwanzig Minuten stand er auf, verbeugte sich und wäre gegangen, hätte ihn nicht der tosende Applaus zu zwei Zugaben gezwungen.

Später, beim Farewell Drink im großen Speisesaal, sah Konrad das Männchen wieder. Umringt, bedrängt und gefeiert von den gleichen Leuten, für die er vor einer Stunde noch Luft gewesen war. Ein polnischer Emigrant, hieß es, ein Internierter, den ein Lehrer des »St. Pierre« im Krieg als Bewacher in einem Lager in der Ostschweiz kennengelernt hatte. Niemand also.

Konrad Lang hatte sich für das Taxi entschieden. Er saß im Fond und ließ sich die kurvige Straße hinunter in die Stadt fahren, die sich langsam in der Dämmerung verkroch. Er hätte das Tram nehmen und mit den knapp zwanzig Franken bei Barbara im Rosenhof hereinschauen können. Aber er war zu deprimiert. Klaviermusik in der falschen Stimmung konnte ihn genauso deprimieren, wie sie ihn in der richtigen glücklich machen konnte. Heute hatte sie ihn deprimiert, weil er sie nach einer Demütigung gehört hatte. Sie ließ alte, schlimmere, längst verdrängte Demütigungen wieder hochkommen. Demütigungen, die er sich – da war er ganz sicher – hätte ersparen können, wenn er hätte Klavier spielen können.

Während der Sommerferien 1946, die sie in der Koch-Villa in St. Tropez verbrachten, hatte er Thomas von den Vorteilen überzeugt, Klavier spielen zu können. Die Mädchen, die in dieser Zeit interessant zu werden begannen, himmelten Pianisten an, behauptete er. Thomas hatte daraufhin seine Stiefmutter mit der Mitteilung überrascht, daß er im nächsten Schuljahr Klavierstunden nehmen wolle. Was automatisch auch für Konrad galt.

Konrad war ein eifriger Schüler, ganz im Gegensatz zu Thomas. Sein Lehrer, Jacques Latour, war hingerissen von soviel Begeisterung und, das merkte er bald, Talent. Konrad konnte eine Melodie, die er nur einmal gehört hatte, nachspielen. Jacques Latour gab ihm Privatunterricht im Notenlesen. Nach kurzer Zeit konnte er vom Blatt spielen. Von Anfang an besaß er eine tadellose Arm- und Handhaltung und rasch einen vielversprechenden Anschlag. Es dauerte keine zwei Monate, bis Konrad Thomas mit flüssigen Läufen entmutigte.

Wann immer er Zeit hatte, übte Konrad im Musikzimmer, zu dem er schon bald freien Zutritt hatte, Thema und Gegenbewegung der Linken und der Rechten allein, dann zusammen, dann parallel zur Rechten, dann parallel zur Linken. Immer seltener korrigierte ihn Monsieur Latour, immer öfter hörte er ihm einfach zu, ergriffen von der Gewißheit, ein großes Talent, vielleicht sogar ein kleines Genie vor sich zu haben.

Bis zur »Mückenhochzeit«.

Bei der »Mückenhochzeit« machten sich die Hände selbständig. Die Rechte spielte ihre Melodie, die Linke begleitete sie. Und zwar nicht einfach wie ein Schatten. Sie blieb ein bißchen stehen, verschnaufte ein paar Takte, holte die Rechte wieder ein, nahm ihr gar die Melodie ab, führte sie alleine weiter, warf sie ihr wieder zu, kurz: benahm sich wie ein selbständiges Lebewesen mit einem eigenen Willen.

Bis zur »Mückenhochzeit« waren Konrad seine Hände vorgekommen wie zwei perfekt aufeinander abgestimmte Zirkuspferde, die trabten, wenn das andere trabte, sich aufbäumten, wenn das andere sich aufbäumte, und die Mähne schüttelten, wenn das andere die Mähne schüttelte. Konrads Hände erhielten von seinem Kopf identische Befehle und führten sie identisch aus. Manchmal parallel und manchmal gegeneinander, aber immer im gleichen Schritt und Tritt.

»Das kommt schon noch«, sagte Monsieur Latour, »das geht allen so am Anfang.« Aber so verbissen Konrad auch übte, seine Hände blieben zwei Marionetten, die an gemeinsamen Fäden hingen. Die »Mückenhochzeit, Scherzlied aus Böhmen«, war das Ende seiner Pianistenkarriere.

Ein halbes Jahr nach der ersten Unterrichtsstunde gab Latour seinen besten Schüler auf. Eine Zeitlang hatte er noch versucht, ihn zu einem anderen Instrument zu überreden. Aber das Piano, und nur das Piano, war Konrads Instrument. Er übte noch einige Monate heimlich auf einer Tastatur, die er sich auf eine Rolle Stoff gezeichnet hatte. Er konnte die schwierigsten Läufe im Schlaf rauf- und runterspielen. Aber sobald er einer Hand befahl, aus der Reihe zu tanzen, folgte ihr die andere wie ein Hündchen.

Konrad Lang kannte die Partituren aller Walzer und Nocturnes von Chopin auswendig und die Klavierstimmen aller bedeutenden Klavierkonzerte. Er erkannte nach wenigen Takten die berühmten Pianisten am Anschlag. Wenn er auch nicht die große Anerkennung der Kreise gewann, in denen er sich bewegte, so konnte er sie doch immer wieder einmal beeindrucken mit ein paar virtuosen einhändigen oder parallelen Läufen, spät nachts in einer Pianobar, wo ihn der Pianist noch nicht kannte.

Thomas Koch hingegen entwickelte sich zu einem uninspirierten, leidlichen Klavierspieler.

Das Taxi hielt vor dem Rosenhof. Konrad hatte beschlossen, daß er nicht in der Verfassung war, allein in seiner Wohnung auf dem trockenen zu sitzen. Er bezahlte und gab dem Fahrer seine letzten Münzen als Trinkgeld. Fr. 1.20, ein Betrag, für den er sich etwas schämte. Wie alle, die auf die Großzügigkeit anderer Leute angewiesen sind, haßte er Knauserigkeit.

Er ging die drei Stufen zum Eingang des Rosenhofs hinauf. Als er die schweren, plastikgesäumten Decken des Windfangs teilte, schlugen ihm der Geruch aus Rauch, Bierdunst und Fritieröl entgegen und das bedächtige Stimmengewirr der Männer, die sich zwischen Arbeit und Freizeit eine halbe Stunde Freiheit stahlen. Er hängte seinen Mantel an die überladene Garderobe, legte seinen Hut auf die leere Hutablage und ging zum Stammtisch.

Die Männer rückten zusammen. Einer stand auf und holte ihm einen Stuhl. Konrad Lang war eine Respektsperson im Rosenhof. Der einzige, der immer eine Krawatte trug, der einzige, der fünf Sprachen sprach (plus Griechischkenntnisse), der einzige, der aufstand, wenn eine Frau an den Tisch kam, was nicht oft vorkam. Koni war elegant, gebildet, besaß perfekte Manieren und machte trotzdem keinen steifen Hals, wie man im Rosenhof sagte. Es fiel ihm kein Zacken aus der Krone, wenn er mit Drehern, Rangierarbeitern, Straßenfegern, Lageristen und Arbeitslosen Bier trank und kalte Fleischküchlein aß.

Die ersten paar Mal, als Konrad Lang im Rosenhof auftauchte, wurde er von den Gästen geschnitten. Aber je mehr von seiner Lebensgeschichte durchsickerte, desto mehr behandelten sie ihn als ihresgleichen. Viele, die hier verkehrten, waren Arbeiter der nahen Montagehalle 3 der Koch-Werke oder von der Schließung des Gasturbinenbereichs betroffen.

Dabei war es nicht so, daß Koni sich beklagte. Wenn er halbwegs nüchtern war, ließ er sich kein böses Wort über die Kochs entlocken. Und wenn er betrunken war, brach er jeden Satz ab und legte den Finger auf die Lippen – psst! Ob aus Diskretion oder weil er nicht mehr sprechen konnte, war nicht genau zu sagen. Zwischen diesen beiden Stadien gab es jedoch auch Phasen, in denen er auspackte.

Konrad Lang war das uneheliche Kind eines Dienstmädchens der Kochs. Als der alte Koch starb, kümmerte sie sich um seine junge Witwe, die Stiefmutter von Thomas Koch. Die beiden wurden Freundinnen. Sie reisten in der Welt herum, London, Kairo, New York, Nizza, Lissabon, bis kurz vor Kriegsbeginn. Thomas' Stiefmutter fuhr in die Schweiz zurück, Konis Mutter blieb in London; sie hatte sich in einen deutschen Diplomaten verliebt, dem sie Koni verschwieg.

»Wie verschwieg?« hatte einer am Stammtisch gefragt, als Koni die Geschichte zum ersten Mal erzählte.

»Die ist mit mir in die Schweiz gereist, hat mich im Emmental bei einem Bauern deponiert und ward nie mehr gesehen.«

»Wie alt warst du da?«

»Sechs!«

»Sauerei.«

»Fünf Jahre mußte ich bei dem Bauern arbeiten. Hart. Ihr wißt ja, wie die sind im Emmental.«

Ein paar nickten.

»Und als kein Geld mehr kam aus Deutschland, hat der Bauer den Namen von Elvira aus mir rausgeholt. Er ist mit mir zu ihr gereist, um bei ihr abzukassieren. Die wußte von nichts und nahm mich auf.«

»Das war doch anständig.«

»Von da an bin ich praktisch als Bruder von Thomas Koch aufgewachsen.«

»Und warum sitzt du jetzt hier und läßt bei Barbara anschreiben?«

»Das frage ich mich auch.«

Konrad Lang war für die Stammgäste des Rosenhofs der einzige direkte Zugang zur Welt der oberen Zehntausend. Was er aus dieser zu berichten hatte, bestätigte ihre Meinung.

Es gab noch einen anderen Grund für Konrad Langs besonderen Status im Rosenhof: seine Beziehung zu Barbara, der Serviertochter. Er war der einzige Gast, der bei ihr anschreiben lassen durfte. Offiziell stand er bei ihr mit etwas über tausendsechshundert Franken in der Kreide. Wenn sie abzog, was sie nicht getippt hatte, waren es immer noch fast siebenhundert Franken. Montags, wenn er sein Taschengeld bekommen hatte, gab er ihr manchmal fünfzig oder hundert Franken zurück. Aber in letzter Zeit trank er mehr, und die Rückzahlungen wurden seltener.

Barbara wunderte sich selbst über ihre Großzügigkeit. Sie war nicht der Typ, der etwas verschenkte. Sie war dieses Jahr vierzig geworden, und ihr hatte man auch nie etwas geschenkt. Wenn sie in den Spiegel schaute, etwas zu schlank für ihren Körperbau und etwas zu schmale Lippen für ihr Alter, hatte sie auch wenig Hoffnung, daß sich daran noch groß etwas ändern würde.

Aber Konrad Lang berührte eine Stelle in ihr. Er besaß etwas Vornehmes, sie konnte es nicht anders sagen. Wie er sich anzog, wie er sich benahm, auch wenn er sturzbesoffen war, wie er sprach und vor allem, wie er sie behandelte. *Milord* war ihr in den Sinn gekommen, von Édith Piaf (die sie nie hatte ausstehen können), als Konrad Lang bei seinem dritten Besuch im Rosenhof plötzlich feuchte Augen gehabt hatte. »Mais vous pleurez, Milord«, hatte sie gedacht und sich später, als es ruhiger geworden war, zu ihm gesetzt.

Barbara war eine große Anwältin seiner Sache. Wenn jemand im Rosenhof der Meinung war, es gebe traurigere Schicksale als seines, konnte sie sich ereifern. »Ein Leben lang den Tscholi von Thomasli spielen? Wenn der aus dem Gymnasium flog, mußte Koni mit ihm ins Internat. Wenn der aus dem Internat flog, flog Koni mit. Wenn der die Matur nicht bestand, durfte Koni sie auch nicht machen. Wenn der keinen Beruf lernen mochte, durfte Koni auch keinen lernen. Und als Thomas Koch dreißig wurde, hat er geheiratet und wurde in der Firma untergebracht. Und Koni stand da und guckte blöd.«

Als ihre einzige Freundin Doris Maag, die Politesse, bemerkte: »Mit dreißig kann man immer noch etwas lernen«, hatte Barbara ihn verteidigt:

»Er hat's versucht. Er hatte zwar nichts gelernt, aber er besaß Manieren. Und viele Beziehungen aus der Zeit mit Thomas. In einer Privatbank war er und im Immobiliengeschäft. Aber immer, wenn es anfing zu laufen, stand Tomi vor der Tür. Ehekrise, Sommerskifahren, Scheidung, Fahrausweisentzug, Segeltörn auf dem Mittelmeer.«

»Und wovon lebte er die restliche Zeit?«

»Zuerst von Schulden bei Tomis Kumpanen. Und als denen zu blöd wurde, daß er sie nie zurückzahlte, von Jobs, die er für sie machte. Auf die Jacht aufpassen außerhalb der Saison, der senilen Mutter Gesellschaft leisten, die Ferienvilla verwalten, so Sachen.«

Auch auf die Frage, warum er sich das alles habe gefallen lassen, hatte sie eine Antwort parat: aus Dankbarkeit. Weil Thomas Koch seine Stiefmutter überredet hatte, Konrad aufzunehmen. Weil er ohne Thomas Koch heute nichts wäre.

Als Doris Maag sie fragte: »Und was ist er heute?«, hatte Barbara einen Moment überlegt und geantwortet: »Du solltest ihn Klavier spielen hören.«

Jetzt stand Barbara mitten im Trubel, brachte volle Biergläser und räumte leere weg, nahm Bestellungen zur Kenntnis und wischte abgezählte Beträge in ihr großes Portemonnaie unter der Servierschürze. Als sie Konrad sah, brachte sie ihm eine Stange Bier, in die sie vorher etwas Durchsichtiges aus einer Flasche geschüttet hatte.

Gegen sieben Uhr war der Rosenhof leer bis auf ein paar entschlossene Trinker und Konrad Lang vor seiner dritten verstärkten Stange.

Barbara nahm eine Flasche Weißwein aus der Kühlschublade, schenkte sich ein Glas ein und setzte sich damit zu Konrad.

»Erfolg gehabt?« fragte sie.

Konrad schüttelte den Kopf. »Urs.«

»Dann schreib ich dir das auf?«

»Geht das?«

Barbara zuckte die Achseln.

Am Abend nach dem Zusammenstoß mit Urs Koch nahm Barbara Konrad mit nach Hause. Nicht zum ersten Mal, sie hatte ihn auch schon früher manchmal mitgenommen, wenn er ihr zu leid tat oder wenn sie sich allein fühlte oder wenn sie Kurt, ihren verheirateten sporadischen Liebhaber, eifersüchtig machen wollte.

Das erste Mal machte Konrad, mehr aus Pflichtbewußtsein als aus Begierde – und weil der Gentleman ab und zu etwas haben muß, worüber er dann schweigt –, einen Annäherungsversuch, als sie dabei war, das Bett abzudecken. Sie lachte und schüttelte den Kopf, das war alles, was es brauchte, um ihn abzuwimmeln. Sie legten sich ins Bett, sie in einem ausgebeulten, verwaschenen Baumwollpyjama, er in der Unterwäsche, und Konrad erzählte ihr aus seinem Leben. Geschichten und Anekdoten aus der großen Welt der Schönen und Reichen, mit denen er seine Umgebung sein Leben lang unterhalten, amüsiert und mit der Zeit mehr und mehr gelangweilt hatte.

»Gloria von Thurn und Taxis hat dem Fürsten zum Sechzigsten einen Geburtstagskuchen mit sechzig Penissen aus Marzipan machen lassen«, erzählte er an diesem Abend, nachdem er wieder zu Atem gekommen war. Barbara wohnte im vierten Stock, in einem Haus ohne Lift.

»Ich weiß«, antwortete Barbara und half ihm aus dem Mantel.

»Der Fürst war nämlich schwul.«

»Ich weiß«, antwortete Barbara und ging in die Küche.

»Das wußten aber nur Eingeweihte«, rief er ihr nach.

»Ich weiß«, sagte Barbara und kam mit einem Glas Mineralwasser aus der Küche.

»Habe ich dir das schon erzählt?«

»Schon oft.«

Barbara hätte sich ohrfeigen können, denn Konrads Augen füllten sich sofort mit Tränen. Sie wußte, wie wehleidig er in diesem Zustand war. Aber sie war müde und sauer. Über ihn, daß er so mit sich umspringen ließ, und über sich, daß sie ihn mitgenommen hatte.

»Entschuldige«, sagte Konrad. Sie wußte nicht, ob er die Wiederholung meinte oder die Tränen.

»Entschuldige dich nicht ständig. Wehr dich«, schnappte sie und hielt ihm das Glas hin. Konrad nahm es.

»Was ist das?«

»Trink.«

Konrad trank gehorsam das Glas leer. Barbara schaute ihm zu und schüttelte den Kopf.

»Warum machst du alles, was man dir befiehlt? Sag doch, nein, ich will kein Mineralwasser, ich will ein Bier mit Chrüter, sauf dein Mineralwasser selbst. Wehr dich doch, Herrgott!«

Konrad zuckte die Schultern und versuchte zu lächeln. Barbara fuhr ihm übers Haar.

»Entschuldige.«

»Du hast ja recht.«

»Ich weiß nicht. Komm ins Bett.«

»Ich will aber nicht ins Bett, ich will ein Bier mit Chrüter, geh doch selbst ins Bett«, antwortete Konrad.

»Vergiß es«, sagte Barbara.

In dieser Nacht hatte Konrad Lang einen Traum. Er spielte Krocket im Park der Villa Rhododendron. Tomi war dabei und Elvira und seine Mutter, Anna Lang. Es war ein schöner, lauer Sommertag. Die Frauen trugen weiße Kleider. Tomi hatte kurze Hosen an und war sehr klein. Erst jetzt merkte Koni, daß er selbst auch nicht größer war.

Sie waren ausgelassen und lachten viel. Tomi hatte die Kugel mit dem blauen Streifen, er die mit dem roten. Er war an der Reihe. Er traf die Kugel, sie rollte durchs Tor und immer weiter und weiter. Koni rannte ihr nach, bis sie eine Böschung erreichte und verschwand. Er folgte ihr ins Dickicht. Als er sie gefunden hatte, hatte er sich verlaufen. Immer tiefer verirrte er sich im Gebüsch, immer dichter wurde das Unterholz. Endlich öffnete es sich, und er trat ins Freie. Die Villa war verschwunden. Weit und breit keine Spur von den anderen. Er begann zu weinen und schluchzte laut. Jemand nahm ihn in die Arme und sagte: »Du mußt dein Leben ändern, sonst gehst du drauf.« Es war Barbara. Draußen wurde es schon hell.

Nach dem Frühstück im Café Delphin ging er in seine Wohnung und schrieb Elvira Senn einen Brief.

Liebe Elvira,

gestern hatte ich einen Traum. Du und Anna und Tomi und ich spielten Krocket auf dem Rasen vor der Veranda, den der Gärtner (hieß er Herr Buchli?) immer extra vorher mähen mußte. Wir waren so glücklich und unbeschwert, Tomi hatte die blaue Kugel wie immer, und ich die rote. Du trugst das weiße Leinenkleid, das Dir Tomi beim Kirschenpflücken ruiniert hatte, aber in meinem Traum war es noch blütenweiß. Als ich erwachte, waren plötzlich alle Erinnerungen wieder da. Es kommt mir vor, als ob das alles erst gestern gewesen wäre, und ich frage mich: »Warum ist das alles so gekommen? Warum hast Du mich verstoßen? Wir waren doch einmal wie eine Familie. Warum kann es nicht wieder so werden? Warum muß ich auf meine alten Tage allein sein mit meinen Erinnerungen? Warum muß ich sie teilen mit wildfremden Menschen, die nicht wissen, wovon ich spreche?

Versteh mich nicht falsch, ich will nicht undankbar erscheinen. Ich weiß Deine Großzügigkeit zu schätzen. Aber dieses Leben halte ich nicht länger aus. Ich bitte Dich, Elvira: Verstoß mich ganz, oder verzeih mir und nimm mich wieder bei Euch auf.

Dein verzweifelter Koni Lang

Er las den Brief ein paarmal durch und konnte sich nicht entschließen, ihn abzuschicken. Er schob ihn in einen adressierten Umschlag, den er, ohne ihn zuzukleben, in die Brusttasche steckte. Beim Kaffee im Blauen Kreuz las er ihn wieder und beschloß, ihn nicht wegzuschicken. Viel zu weinerlich. Er steckte ihn wieder ein und vergaß ihn bis zum Apéro im Rosenhof. Dort begrüßte ihn Barbara mit der Frage: »Und? Was hast du vor, um dein Leben zu ändern?«

»Ich hab Elvira Senn einen Brief geschrieben.« Er faßte ins Jackett und zeigte ihr das Kuvert.

»Und warum nicht abgeschickt?«

»Keine Marken.«

»Soll ich ihn abschicken?«

Konrad Lang fiel keine Antwort ein, und so ließ er sich den Umschlag abnehmen. Als der Feierabendandrang abflaute, klebte Barbara eine Marke drauf, warf sich den Mantel über und ging die paar Schritte zum Briefkasten um die Ecke. Was du heute kannst besorgen...

Konrad hatte davon nichts mitbekommen. Bei ein paar Glas Bier dachte er über den Brief nach und kam zum Schluß: Der Brief war nicht weinerlich, er war pathetisch. Und es war eigentlich kein Brief, es war ein Appell. Appelle müssen pathetisch sein, sonst wirken sie nicht.

Der Postbote hatte den Briefkasten längst geleert, als Konrad sich entschloß, Barbara nicht daran zu hindern, den Brief einzuwerfen. Am nächsten Morgen, als er auf seinen Entschluß hätte zurückkommen können, hatte er die ganze Sache vergessen.

Elvira Senn saß in ihrem Frühstückszimmer im »Stöckli«. Es war noch früh am Tag, und die Stofflamellen, die das grelle Morgenlicht schmeichelhaft milchig machten, waren noch halb geschlossen. Frau Senn trank frischgepreßten Orangensaft und versuchte, den Brief, der geöffnet zuoberst auf dem Stapel Post neben dem Telefon lag, zu vergessen.

Sie trank ihr Glas aus. Daß der Brief eine Frechheit war, beschäftigte sie nicht weiter. Es war nicht die erste Frechheit, die sich Konrad Lang leistete. Was sie beunruhigte, waren die detaillierten Erinnerungen: Der Gärtner hatte tatsächlich Buchli geheißen, und – was viel schlimmer war – er war gestorben, als Koni noch keine sechs Jahre alt war. Tomi hatte wirklich immer auf der blauen Kugel bestanden, und Koni, dessen Lieblingsfarbe ebenfalls Blau gewesen war, hatte sich immer klaglos mit der roten abgefunden. Was sie am meisten irritierte, waren die Flecken auf dem weißen Leinenkleid. Als sie mit Anna, Tomi und Koni Krocket spielte, besaß sie es bereits nicht mehr. Sie hatte es weggeben müssen, weil es tatsächlich voller Kirschenflecken war. Aber es war nicht Tomi gewesen, der sie gemacht hatte. Die Vorstellung, daß das Gedächtnis des alten Säufers so weit zurückreichte, machte ihr angst.

Es gab nicht viel im Leben von Elvira Senn, was sie bereute. Aber daß sie damals, an jenem warmen Sonntag im Mai 1943, einem gewissen Bauern nicht eine Abfindung bezahlt und Konrad mit ihm ins Emmental zurückgeschickt hatte, das konnte sie sich bis heute nicht verzeihen.

Es war der erste Tag gewesen, an dem man draußen essen konnte. Die ganz frühen Rhododendren blühten. Sie saß mit Thomas unter der gestreiften Markise der großen Sonnenterrasse, die auch vom Park her zugänglich war, und trank Kaffee, selbst für Elvira Senn in diesen Kriegsjahren keine Alltäglichkeit.

Eines der Dienstmädchen meldete Besuch an, einen Mann mit einem Jungen – ein Freund, habe er gesagt, eine Überraschung. Elvira wurde neugierig und ließ bitten.

Sie beobachtete die beiden, wie sie näher kamen. Ein bäurischer Mann mit einem Jungen, der ein kleines Köfferchen trug. Plötzlich stand Thomas vom Tisch auf und rannte den beiden entgegen. Da ahnte sie, daß sie einen Fehler gemacht hatte.

»Koni! Koni!« rief Thomas.

Der Junge antwortete: »Sali, Tomi.«

Elvira wußte nicht, daß Konrad in der Schweiz war. Sie hatte ihn zum letzten Mal vor fünf Jahren in Dover gesehen, kurz vor Kriegsausbruch, am Tag, als sie mit Thomas zurückgereist und Anna mit Konrad in London geblieben war, wegen ihrem deutschen Diplomaten. Sie hatten sich noch ab und zu geschrieben, es war eine Hochzeitsanzeige aus London und eine Postkarte aus Paris gekommen. Dann hatte sie nichts mehr gehört.

Jetzt erzählte ihr dieser Bauer in seinem schwer verständlichen Dialekt, daß Anna Lang mit Konrad kurz nach ihr ebenfalls in die Schweiz gereist war und den damals Sechsjährigen bei ihm untergebracht hatte. Jeden Monat seien von einer Schweizer Bank hundertfünfzig Franken überwiesen worden, bis vor drei Monaten. Dann sei nichts mehr gekommen. *Nümmi.*

Er könne den Buben nicht durchfüttern, sagte er. Er heiße Zellweger, nicht Pestalozzi. Jetzt habe er gedacht, vielleicht könne sie helfen. Sie sei ja scheint's eine Tante vom Koni. Geld, fügte er hinzu und schaute sich um, sei offenbar vorhanden.

Wenn Thomas sie nicht so bedrängt hätte: »Bitte, Mama, darf Koni bleiben, bitte, bitte?« – sie hätte zumindest auf etwas Bedenkzeit bestanden. Aber Thomas war so glücklich und Konrad so gottergeben und der Bauer so unangenehm, daß sie, was selten vorkam, etwas Unüberlegtes tat und nickte.

Sie gab Zellweger vierhundertfünfzig Franken für die ausstehenden drei Monate und zwölf Franken für die Fahrt, *Resespese.* Dann stand sie da mit dem ungelenken Buben und hatte das dunkle Gefühl, daß sie ihn ihr Lebtag nicht mehr loswerden würde.

Am Anfang gab es keine Probleme. Konrad war ein unaufdringlicher, anspruchsloser Junge und ein guter Gefährte für Thomas. Sie schickte beide in dieselben Schulen, sie spielten zusammen und machten gemeinsam ihre Schulaufgaben. Konrad übte einen wohltuenden Einfluß auf Thomas aus, der nicht gut allein sein konnte, aber auch dazu neigte, seine Umgebung zu dominieren. Konrad war geduldig und akzeptierte Thomas von Anfang an als die Nummer eins.

Die Probleme kamen erst später. Thomas entwickelte sich zu einem launischen jungen Mann, der es nirgendwo lange aushielt. Elvira hatte in jener Zeit andere Interessen und duldete es aus Bequemlichkeit, daß er das Leben eines Playboys führte. Sie sah ihm seine Kapriolen nicht nur nach, sie finanzierte sie auch noch generös. Und zu seinen Kapriolen gehörte Koni, den er verstieß und aufnahm, je nach Stimmungslage. Als Thomas dreißig wurde, beschloß sie, seinem süßen Leben ein Ende zu bereiten. Auf dem internationalen Parkett blieben ein paar finanzielle Verpflichtungen zurück – und Konrad Lang.

Und nun, weitere fünfunddreißig Jahre später, war er immer noch nicht aus ihrem Leben verschwunden. Und wurde auch noch frech.

Als Konrad Lang zum ersten Mal im Blauen Kreuz war, dachte er, der Geruch käme von all den alten Frauen. Erst als man ihm den Teller brachte, merkte er, daß es das Tagesmenü war, das so roch. Blumenkohl, Spinat, Karotten, Bratkartoffeln.

»Ist das hier auch vegetarisch?« fragte er. Er erhielt die spitze Antwort: »Sie haben den Gärtnerteller bestellt, ist es nicht recht?«

Inzwischen hatte er sich an das Blaue Kreuz gewöhnt. Er hatte sein eigenes Tischchen und die ältlichen Serviertöchter behandelten ihn wie ein Familienmitglied. »Herr Lang, das ›Cordon Bleu‹ ist gut, aber der gedämpfte Brüsseler ist bitter. Ich gebe Ihnen Kohlräbli anstatt.«

Konrad Lang saß vor einer »Schale Gold« und las die Zeitung, die in einer Holzklemme steckte und ihm automatisch mit dem Kaffee gebracht wurde. Er war etwas unruhig, gestern abend hatte ihn Barbara gefragt, ob er schon Antwort auf den Brief bekommen habe.

»Welchen Brief?« hatte er gefragt.

»Den Brief an Elvira Senn, den ich für dich eingeworfen habe. Der Brief, der dein Leben verändern soll.«

»Ach so, dieser Brief. Nein, noch keine Antwort«, hatte er gestammelt. Seither zerbrach er sich den Kopf darüber, was er wohl geschrieben hatte. Aber mehr als eine verschwommene Erinnerung an einen etwas eindringlichen Ton brachte er nicht zustande.

»Ist hier noch frei?«

Konrad blickte auf. Vor ihm stand eine Frau um die Fünfzig, guter Kopf, rostrotes Kaschmir-Set, Perlendoppelstrang, Flanellhose. Eine von uns, dachte er. Er stand auf.

»Ist hier noch frei?« fragte sie noch einmal.

»Selbstverständlich«, antwortete Konrad und zog den zweiten Stuhl unter dem Tisch hervor. Etwas verwundert. Das Lokal war praktisch leer.

Als sie sich setzte, ging die Tür auf. Ein jüngerer Mann kam herein, schaute sich um, sah sie und näherte sich dem Tisch. Als er ihn fast erreicht hatte, griff die Frau nach Konrads Hand, zog sie zu sich herüber und fragte: »Hast du lange warten müssen, Schatz?«

Konrad Lang spürte, daß der Mann jetzt am Tischrand stand. Er blickte der Frau tief in die Augen, legte seine Linke über ihre Rechte und antwortete: »Fast ein ganzes Leben, Schatz.«

Der Mann stand am Tisch und wartete. Aber als weder Konrad noch die Fremde aufschauten, wandte er sich ab und ging rasch aus dem Lokal.

»Danke«, sagte die Frau. Dann seufzte sie erleichtert. »Sie haben mir das Leben gerettet.«

»Das nenne ich eine gute Tat«, gab Konrad Lang zur Antwort. »Darf ich Sie zu einer Tasse Kaffee einladen?«

Die Frau hieß Rosemarie Haug, ihr Mädchenname, den sie nach ihrer Scheidung vor vier Jahren wieder angenommen hatte. Sie akzeptierte die Einladung, und es gefiel ihr, daß Konrad Lang keine Silbe über den Vorfall verlor. Ein Kavalier der alten Schule, dachte sie.

Dr. Peter Stäubli war Allgemeinmediziner und hatte vor kurzem seine Praxis ganz in der Nähe der Villa Rhododendron aufgegeben. Nun betreute er nur noch eine Handvoll seiner langjährigen Patienten. Unter anderem war er der

Haus- und Vertrauensarzt von Elvira Senn. Er besuchte sie zweimal wöchentlich nach dem Frühstück, um ihren Blutzucker zu kontrollieren. Sie konnte sich zwar ohne weiteres das Insulin injizieren, aber sich selbst einen Tropfen Blut abzuzapfen, brachte sie nicht fertig. Elvira Senn konnte kein Blut sehen.

An diesem Morgen, während sie darauf warteten, daß der Blutstropfen vom Teststreifen gewischt werden konnte, fragte Elvira Senn: »Wie alt sind Sie jetzt, Doktor?«

»Sechsundsechzig.«

»Wie weit können Sie sich zurückerinnern?«

Stäubli wischte den Teststreifen ab und schob ihn in den Reflektometer. »Ich erinnere mich daran, wie unser Dackel Fritz eines Morgens mausetot auf dem Gartenweg lag. Damals muß ich etwa sechs gewesen sein.«

»Ist es möglich, daß man sich auch weiter zurückerinnern kann?«

»Das zentrale Nervensystem ist bei der Geburt noch nicht voll ausgebildet. Das Gedächtnis kleiner Kinder kann in den ersten beiden Lebensjahren noch gar nichts speichern. Es muß erst allmählich lernen zu lernen und das Gelernte abzurufen.«

»Das heißt, theoretisch kann es sein, daß man sich an Erlebnisse erinnert, die man mit drei hatte?«

»Mein jüngster Enkel ist jetzt zehn. Als er vier war, nahm ich ihn mit in ein Restaurant, das russische Woche hatte. Wer nach dem Essen einen Wodka trank, durfte nachher das Glas an eine eigens dafür vorgesehene Wand werfen. Ich mußte etwa fünf Wodkas trinken, damit der Kleine die Gläser an die Wand werfen konnte. Das hat ihm einen so großen

Eindruck gemacht, daß er jedesmal davon erzählte, wenn er zu Besuch kam. So hat er diese Erinnerung über die Jahre hinübergerettet. Jetzt ist er zehn und erinnert sich noch. Und die Chancen, daß er sich noch mit achtzig daran erinnern kann, stehen gut.«

Während er sprach, hatte Dr. Stäubli die Blutzuckerwerte notiert. Jetzt legte er ihr die Manschette des Blutdruckapparates an.

»Und alle anderen Erinnerungen sind weg?«

»Nicht weg. Der Zugang zu ihnen ist nicht mehr da.«

Stäubli steckte sich die Stethoskop-Oliven in die Ohren und maß den Blutdruck. »Sie werden hundert«, sagte er und notierte sich die beiden Werte.

»Und daß man diesen Zugang wieder findet, ist völlig ausgeschlossen?«

»Völlig ausgeschlossen nicht. Es gibt eine Form der Hypnose, die Erinnerungen aus der frühen Kindheit wiederherstellt. ›Recovered Memories‹. In den Vereinigten Staaten werden damit unbescholtene Familienväter von ihren erwachsenen Töchtern beschuldigt, sie hätten sie als Kinder mißbraucht.«

Dr. Stäubli packte seinen Arztkoffer. »Und manchmal kommt es auch vor, daß Menschen mit Altersdemenz, weil sie die Fähigkeit verlieren, neue Dinge zu lernen, tief in ihr Altgedächtnis dringen und an der Schwelle zu ihren frühen Kindheitserinnerungen die eine oder andere herüberlocken können.« Er gab seiner Patientin die Hand. »Je älter man wird, desto näher rückt die Vergangenheit, nicht wahr, Frau Senn? Am Freitag um die gleiche Zeit?«

Elvira Senn nickte.

Sie trafen sich schon am nächsten Tag zum Abendessen. Es war der Tag, an dem Konrad Lang sein Taschengeld bezogen hatte. Er konnte sich ein Restaurant leisten, das zwar nicht gerade ein In-Lokal war, aber auch nicht so verschwiegen, daß eine Einladung dorthin anzüglich gewirkt hätte.

Konrad kam ziemlich nüchtern und hielt sich auch während des ganzen Abends gut. Rosemarie erzählte, was sie sonst nie tat, von ihrem Leben vor der Scheidung. Sie war in zweiter Ehe mit einem Chirurgen verheiratet gewesen, der beinahe zehn Jahre jünger war. Sie hatte sein Studium aus dem Vermögen ihres ersten, früh verstorbenen Mannes finanziert. Der hatte ihr die Hälfte eines Textilunternehmens hinterlassen, die sie rechtzeitig ihrem Schwager verkaufte, bevor das Unternehmen in den Siebzigerjahren Konkurs ging.

»Röbi Fries war Ihr erster Mann?« fragte Konrad überrascht. »Wissen Sie, daß ich mit ihm aufs ›St. Pierre‹ gegangen bin?«

»Ach, Sie sind aufs ›St. Pierre‹ gegangen? Röbi hat viel vom ›St. Pierre‹ erzählt.«

Sie tauschten den ganzen Abend Namen aus von gemeinsamen Bekannten und von Orten, an denen sie sich schon getroffen haben mußten.

Im Taxi sagte Rosemarie: »Wollen Sie nicht wissen, wer der Mann war, vor dem Sie mich im Blauen Kreuz gerettet haben?«

»Ist er wichtig für Sie?«

Rosemarie schüttelte den Kopf.

»Dann vergessen wir ihn.«

Rosemarie besaß ein Penthouse in einem vierstöckigen

Gebäude, das direkt am See in einem kleinen Park lag. Konrad ließ das Taxi warten, begleitete sie bis zur Haustür und verabschiedete sich. Er wollte sich schon umdrehen, als sie die Tür noch einmal öffnete und sagte:

»Haben Sie Zeit am Samstagabend? Ich würde etwas kochen.«

Das Restaurant des Grand Hotel des Alpes hieß Carême, nach dem großen französischen Küchenchef des 19. Jahrhunderts. Es war stolz auf seine »ancienne cuisine«. Elvira Senn liebte das Lokal aus anderen Gründen: Es war nahe der Villa, prominente Gäste wurden nicht angegafft, sie hatte ihren festen Tisch, außer Hörweite der anderen Gäste, und die Brigade beherrschte ihre bevorzugten Diätmenüs.

Sie aß jeden Donnerstag im Carême und benutzte das Abendessen meistens für informelle, aber um so entscheidendere geschäftliche Besprechungen.

An diesem Abend hatte sie ihren Enkel Urs Koch gebeten, sie zu begleiten. Während des Essens eröffnete sie ihm, daß sie sehr ernsthaft in Erwägung ziehe, ihm die Leitung der »Koch-Electronics« zu übergeben. Beim Dessert (für sie ein Apfel, für ihn »crème brûlée«) brachte sie das Gespräch auf Simone, und als sie sicher war, daß er verstanden hatte, daß die beiden Themen für sie in einer gewissen Abhängigkeit zueinander standen, kam sie auf Konrad Lang zu sprechen.

»Er macht mir Sorgen«, vertraute sie ihm an.

»Du machst dir Sorgen um Koni?«

»Nicht um Koni. Wegen Koni. Ich will nicht, daß er uns schadet.«

»Wie kann jemand wie Koni uns schaden?«

»Mit Geschwätz. Alten Geschichten.«

»Gibt es denn alte Geschichten?«

»Er kann welche erfinden.«

Urs zuckte die Schultern. »Die Karawane zieht weiter.«

Elvira lächelte. »Mit Urs an der Spitze.« Sie hob ihr Glas Mineralwasser. Urs schenkte sich den Rest Burgunder ein. Sie stießen an.

»Abgesehen davon wird er sich sowieso bald zu Tode gesoffen haben.«

»Dazu reicht sein Taschengeld nicht aus«, antwortete Elvira Senn.

Am nächsten Morgen wies sie Schöller an, Konrad Langs Wochenlimit zu erhöhen. Von dreihundert auf zweitausend.

Am ersten Abend hatten sich Konrad und Rosemarie, wie das an ihrem ersten Abend alle tun, ein bißchen was vorgemacht. Sie hatten sich von ihrer besten Seite gezeigt, von ihren Erfolgen geredet und die Mißerfolge weggelassen.

Jetzt, am zweiten Abend, war es anders. Rosemarie empfing ihn ganz locker, spannte ihn sofort zum Tischdecken ein und staunte, wieviel Kunst und Routine er dabei an den Tag legte. Sie schenkte zwei Glas Meursault ein, und sie gingen damit auf die Terrasse. Es war ein milder Abend, Frühling in der Luft, die Lichter der gegenüberliegenden Ortschaft schaukelten auf dem See, und aus dem Fenster unter ihnen wehte Klaviermusik.

»Chopin, Nocturne Opus 9, Nummer 1, b-Moll«, sagte Konrad. Rosemarie schaute ihn von der Seite an.

Sie aßen wilden Reis, der etwas zu weich, und Lachs, der

etwas zu trocken geraten war. Konrad vergaß seine Zurückhaltung beim Weißwein. Er erzählte ihr immer ungeschminkter aus seinem Leben.

Sie wußte einigermaßen, wovon er sprach. Auch sie war in den Kreisen ihres ersten Mannes nur als Anhängsel geduldet worden.

Kurz vor Mitternacht enthüllte Konrad Rosemarie eines seiner bestgehüteten Geheimnisse. Er setzte sich an das Klavier in ihrem Wohnzimmer und spielte die rechte Hand der Nocturne, die sie vor ein paar Stunden auf der Terrasse gehört hatten. Dann spielte er die linke.

»Und jetzt zusammen«, lächelte Rosemarie.

Da erzählte ihr Konrad von seinem Scheitern als Pianist.

Um ein Uhr setzte sie sich neben ihn und begleitete ihn mit der linken Hand zu »Für Elise«. Nicht ganz fehlerfrei, aber es genügte, um Konrad dazu zu verleiten, ihr auch sein letztes Geheimnis zu verraten: die Wahrheit über seine Situation. Die Abhängigkeit von den Kochs. Die ganze Scheiße.

Am nächsten Morgen erwachte Konrad Lang im Bett von Rosemarie Haug und konnte sich an nichts erinnern.

Konrad hätte Rosemarie gern gefragt, was in der letzten Nacht vorgefallen war. Aber er wollte nicht, daß er klang wie ein Gymnasiast, der nach dem ersten Mal fragt: »Wie war ich?«

So verließ er sie mit einem unguten Gefühl, aber einigermaßen beruhigt durch den Umstand, daß sie ihn für den kommenden Abend wieder zu sich eingeladen hatte.

Er verbrachte den Tag in seiner Wohnung und zermarterte sich vergeblich das Hirn nach irgendeinem Fetzen Erinnerung an die Nacht.

Pünktlich und mit einer langstieligen Rose traf er am Abend bei ihr ein. Sie begrüßte ihn mit einem Kuß, nahm ihm die Blume ab, ging damit in die Küche und füllte eine kleine Vase mit Wasser.

»Im Kühlschrank hat es Weißen, oder möchtest du lieber Roten?« rief sie über die Schulter.

»Hast du auch Wasser?« fragte Konrad aus einer Eingebung heraus.

»Im Kühlschrank.« Rosemarie trocknete die Vase ab und brachte sie ins Wohnzimmer. »Wenn du Wasser nimmst, nehme ich auch welches«, sagte sie im Vorbeigehen. Sie stellte die Rose auf den gedeckten Tisch. Konrad kam mit einer Flasche Mineralwasser und schenkte zwei Gläser voll.

»Gesundheit«, sagte er und hielt ihr ein Glas hin.

»Deshalb Wasser?«

Beide tranken.

»Nein, Gedächtnis. Eher Gedächtnis.« Er gab sich einen Ruck. »Ich kann mich nicht an gestern nacht erinnern.«

Rosemarie schaute ihm in die Augen und lächelte.

»Schade.«

Am nächsten Morgen spazierte Konrad Lang das Seeufer entlang in die Stadt zurück. Ein frischer Morgen. Hellgrüne Triebe an den Kastanien. Um ihre Stämme versammelten sich schon die Krokusse.

Konrad hatte den ganzen Abend keinen Tropfen getrunken, und sein Erinnerungsvermögen an die letzten Stunden war, soweit er es beurteilen konnte, völlig intakt. Selten hatte er sich so phantastisch gefühlt. Vielleicht ein einziges Mal, 1960, auf Capri. Aber damals war er jung und verliebt gewesen.

Sie waren mit der »Tesoro«, der altmodischen Motorjacht der Piedrinis, auf dem Mittelmeer unterwegs. Eine internationale Clique junger, reicher Leute, die sich dekadent fühlten und es wohl auch waren. Im gleichen Jahr war Fellinis »La Dolce Vita« herausgekommen und hatte eine nachhaltige, nicht gerade abschreckende Wirkung auf sie alle ausgeübt.

Sie legten in Capri an, weil sie an der gleichen Stelle ein Fest feiern wollten, an der Tiberius während seiner Orgien Knaben über die Klippen gestoßen hatte. Und ein Picknick veranstalten im Garten der schwindelerregenden Villa Lysys, die der schwedische Graf Fersen der Jugend der Liebe gewidmet hatte.

Thomas wohnte während des Landaufenthaltes mit den anderen im Quisisana. Konrad hatte er nahegelegt, auf die Jacht aufzupassen. Eine absolut überflüssige Maßnahme angesichts der zwölfköpfigen Besatzung der »Tesoro«. Aber Thomas war im Moment absorbiert von der atemberaubenden Blasiertheit der Piedrinis. Konrad war ihm wieder einmal im Weg.

Dieser wußte nicht recht, ob er beleidigt oder eher froh sein sollte, die lärmende Gesellschaft für eine Weile los zu sein. Er aß auf Deck, aufmerksam bedient von einem weiß livrierten, schweigsamen Steward, und schaute zum Hafen hinüber. Bunte Lichter glitzerten in den Hafenkneipen, und das Meer trug traurige neapolitanische Melodien herüber. Plötzlich überkam ihn das vertraute Gefühl, wieder einmal am falschen Ort zu sein. Dort drüben drehten sich die Paare, klangen die Gläser, spielte sich das Leben ab. Und er saß hier.

Er ließ sich zum Hafen übersetzen und betrat erwartungsvoll die kurze Promenade. Die Hafenkneipen waren voller deutscher Touristen, die Musik kam aus Grammophonen, und die bunten Glitzerlichter waren schludrig bemalte Glühbirnen. Er ging weiter, vorbei an den Kneipen, bis ans Ende des Piers. Dort saß eine junge Frau, die Arme über den Knien verschränkt, und schaute aufs Meer. Als sie ihn kommen hörte, blickte sie auf.

»Mi scusi«, sagte er.

»Niente Italiano«, antwortete sie. »Tedesco.«

»Entschuldigen Sie, ich wollte Sie nicht stören.«

»Ach, Schweizer?«

»Und Sie?«

»Wien.«

Konrad setzte sich neben sie. Sie schauten eine Weile schweigend aufs Meer.

»Sehen Sie die Jacht da draußen?«

Konrad nickte.

»All die Lichter.«

»Ja.«

»Manchmal trägt der Wind ein Gelächter herüber.«

»Ach.«

»Und wir sitzen hier.«

»Und wir sitzen hier«, wiederholte Konrad.

Wie wenn sie sich in dieser Sekunde, jeder für sich, entschlossen hätten, das Leben nicht mehr ohne sie stattfinden zu lassen, küßten sie sich.

Elisabeth hieß sie.

Sie verbrachten drei Tage in ihrer Pension. Daß er zur Jacht gehörte, erwähnte er nicht. Aus Angst, damit den Zauber zu zerstören.

Am vierten Tag ging er zu Thomas ins Quisisana und eröffnete ihm, daß er auf eigene Faust weiterreisen werde.

»Wegen der Blonden?« fragte der.

»Welcher Blonden?«

»Ich habe euch vor dem Grotto gesehen. Du hattest nur Augen für sie. Verständlich, übrigens.«

Thomas wünschte ihm alles Gute, und sie verabschiedeten sich.

Am nächsten Tag kam Elisabeth ganz aufgeregt ins Zimmer. »Erinnerst du dich an die Jacht? Die von unserem ersten Abend?«

Konrad nickte.

»Du glaubst es nicht, wir sind darauf eingeladen.«

Elisabeth wurde Thomas' erste Frau. Sie schenkte ihm einen Sohn, Urs. Nicht lange darauf folgte sie ihrem unsteten Herzen nach Rom. Ein kleiner Trost für Konrad und ein harter Schlag für Thomas, der nie treu, aber immer eitel gewesen war und sich jetzt seines alten Freundes erinnerte als stets verfügbaren Trösters und Gesellschafters.

Seit damals, jenen drei Tagen auf Capri, hatte Konrad Lang sich nie mehr so gefühlt wie heute. Vielleicht war er wieder verliebt. Alt und verliebt.

Er beschloß, mit dem Trinken aufzuhören. Wenigstens für eine Weile.

Zu Hause fand Konrad Lang einen Brief der Bank vor, in dem ihm mitgeteilt wurde, sein Wochenlimit betrage ab sofort zweitausend Franken und könne neuerdings an jedem beliebigen Wochentag abgehoben werden.

Er schrieb einen euphorischen Dankesbrief an Elvira Senn und reservierte einen Tisch im Chez Stavros. Er ging auf die Bank und hob tausendzweihundert Franken ab. Dann kaufte er etwas Wildlachs, eine Zwiebel, Toast, Zitrone und Kapern und vier Flaschen »San Pellegrino« und nahm am offenen Wohnzimmerfenster einen gepflegten kleinen Imbiß zu sich, mit viel Mineralwasser über Eis und Zitrone.

Nach dem Essen spülte er das Geschirr und setzte sich zur Feier des Tages an sein Keyboard.

Vor etwa zwei Jahren hatte er in einem Lokal in Korfu einem Pianisten über die Schulter geschaut, der auf seinem Klavier ein kleines Keyboard stehen hatte, und begriffen, daß das Instrument die linke Hand von allein spielte. Das klang zwar etwas roboterhaft, aber eindeutig besser als ohne.

Gleich am nächsten Tag schaffte er sich ein billiges Keyboard an, das dann aber wie alle seine Habseligkeiten dem Brand zum Opfer fiel. Dafür setzte er ein etwas teureres Modell mit mehr Möglichkeiten auf die Liste der Lebensnotwendigkeiten, die er zu Händen der Kochs für seine Wohnung aufstellen durfte. Seither spielte er ab und zu für sich und manchmal für seine seltenen Gäste, meistens für Barbara.

Aber als er sich jetzt an das Keyboard setzte, fand er den Schalter nicht. Das ist ja lächerlich, dachte er, ich habe das

Ding schon tausendmal ein- und ausgeschaltet. Er mußte das Instrument systematisch absuchen, bis er nach zwei, drei Minuten den Schalter fand.

»Liebe macht eben doch blind«, murmelte er.

Doris Maag, die Politesse, sah müde aus, als sie direkt vom Dienst in Uniform in den Rosenhof kam und sich an Barbaras Tischchen beim Buffet setzte.

»Also, wo brennt's?«

»Koni ist verschwunden.«

»Wie verschwunden?«

»Seit Tagen ist er hier nicht mehr aufgetaucht. Gestern habe ich bei ihm angerufen: niemand. Heute wieder: niemand.«

»Vielleicht hat er das Lokal gewechselt«, schlug Doris vor.

»Das glaub ich nicht, pleite, wie er ist.«

»Vielleicht hat er eine andere Dumme gefunden, die ihm Kredit gibt.«

Barbara stand auf. »Weißwein?«

»Campari.«

Barbara ging ans Buffet und kam mit einem Glas Campari mit Eis und Zitrone und einer Flasche Mineralwasser zurück. »Sag ›Halt‹.«

»Ganz voll.«

Barbara füllte das Glas bis oben mit Mineralwasser. »Pröschtli«, sagte sie gewohnheitsmäßig.

Doris nahm einen Schluck. »Orange, nicht Zitrone. In den Campari gehört ein Schnitz Orange, nicht Zitrone. Das machen alle falsch.«

»Wenn es alle falsch machen, ist es nicht mehr falsch.« Barbara setzte sich wieder. »Tagsüber nimmt er auch nicht ab. Und im Blauen Kreuz war er auch nicht.«

Doris Maag wurde dienstlich. »Die meisten Vermißten tauchen wieder auf. Fast immer gibt es eine ganz banale Erklärung für ihr Verschwinden.«

»Das paßt irgendwie nicht zu ihm.«

»Das sagen sie immer.«

»Und er schuldet mir 1645.«

»In gewissen Kreisen reicht das bereits zum Verschwinden.«

»Nicht in seinen.«

Barbara stand auf und ging zu einem Gast, dessen Winken sie ein paarmal übersehen hatte und der jetzt energisch mit einem Fünfliber auf den Tisch klopfte. Als sie zurückkam, sagte sie: »In letzter Zeit war er oft deprimiert. Wegen nichts kamen ihm die Tränen.«

»Das trunkene Elend.«

»Auch das ist ein Elend. Die meisten Leute, die sich umbringen, sind besoffen.«

»Der bringt sich nicht um.«

»Manchmal hört man von Leuten, die liegen wochenlang tot in ihrer Wohnung, und kein Schwein merkt es.«

»Kürzlich hatte einer ein Schlägli in der Badewanne und konnte nicht raus und nicht ans Telefon, und niemand hörte ihn. Er konnte nur warten und ab und zu heißes Wasser nachfüllen und hoffen, daß ihn jemand vermißt. Dann hatte er die Idee, den Überlauf mit dem Waschlappen zu verstopfen und das Bad so lange überlaufen zu lassen, bis die unten den Hauswart alarmieren. Das hat dann funktioniert. Aber die Versicherung will jetzt den Wasserschaden nicht bezahlen. Weil er vorsätzlich verursacht wurde.«

»Konis Wohnung hat nur Dusche.«

»Siehst du.«

Die Tannenstraße 134 lag nur fünf Minuten zu Fuß vom Rosenhof. Barbara hatte Doris bearbeitet mitzukommen. Falls sie den Hauswart bitten mußten, die Tür aufzuschließen, wirke das offizieller mit der Uniform.

»Ich bin im Verkehrsdienst, nicht bei der Kripo«, hatte Doris protestiert, aber dann war sie doch mitgekommen.

Als sie vor fünf Minuten aus dem Rosenhof noch einmal angerufen hatten, hatte sich niemand gemeldet. Konrads Wohnung im dritten Stock war dunkel. Nur hinter einem kleinen milchverglasten Fenster brannte Licht.

»Das Badezimmer!« Barbara drückte auf die Klingel mit dem Namen »O. Bruhin, Hauswart«.

Dreimal mußte sie läuten, bis im Treppenhaus Licht anging. »Du redest«, zischte Barbara Doris zu, als ein mißmutiger, zerzauster Mann mit verquollenem Gesicht aufmachte.

»Unsereins muß morgens um halb sechs raus«, brummte er. Als er Doris' Uniform sah, wurde er etwas umgänglicher. Er hörte sie an und willigte ein nachzuschauen. Er führte sie in den dritten Stock und ließ sie dort warten. Nach einer Weile kam er mit dem Passepartout zurück und steckte ihn ins Schloß.

»Geht nicht, Schlüssel steckt von innen.«

»Dann müssen wir die Tür aufbrechen«, verlangte Barbara.

Der Hauswart wandte sich an die Politesse. »Dazu muß ich Ihren Ausweis sehen.«

Während Doris Maag ihren Dienstausweis herausfingerte, drehte sich in der Wohnung der Schlüssel im Schloß. Die Tür öffnete sich einen Spalt, und Konrad Langs erstauntes Gesicht erschien.

»Koni, bist du in Ordnung?« fragte Barbara.

»Und wie«, antwortete er.

Konrad Lang hatte gerade die erste Woche ohne Alkohol hinter sich gebracht. Das Jucken und Kribbeln war am Abklingen. Die Phase der Nächte, in denen er ohne Schweißausbrüche durchschlafen konnte, begann. Er stand ausgeruht und voller Tatendrang auf, und die Momente, in denen er an Alkohol dachte, das »Reißen«, wie er es nannte, begannen seltener zu werden.

Er besaß viel Übung im Aufhören. Er kannte jedes Stadium bis zum zweiten Monat. Er erinnerte sich an die Euphorie, die jeweils ab dem dritten Tag von ihm Besitz genommen hatte. Aber diesen unbeschreiblichen Taumel, in dem er sich diesmal befand, hatte er noch nie gespürt. Der konnte nicht nur von den paar fehlenden Gläschen stammen. Und auch nicht nur von seiner unerwarteten finanziellen Verbesserung. Der hatte noch einen anderen Grund: Rosemarie Haug.

Sie hatten seit der »Nacht des Vergessens«, wie sie sie jetzt nannten, jeden Tag und jede Nacht zusammen verbracht.

Sie fuhren mit dem einzigen Linienschiff, das in dieser Jahreszeit verkehrte, als einzige Passagiere bis ans Ende des nebligen Sees und wieder zurück.

Sie gingen in den Zoo und schauten den Affen zu, in Gesellschaft einer alten Frau, die ihren Schimpansen mit Namen anredete und von ihm erkannt wurde.

Sie spazierten den Weg mit den alten Gaslaternen bis zum Aussichtsturm hinauf, aßen im altmodischen Ausflugslokal inmitten von Rentnern Apfelkuchen und tranken Kaffee.

»Wie alte Leute«, hatte Rosemarie gesagt.

»Ich bin ja auch ein alter Mann.«

»Kommt mir nicht so vor«, hatte sie gelächelt.

Auch Konrad Lang kam es nicht so vor.

Am vorigen Abend waren sie ins Konzert gegangen. Ein Schumann-Abend. Als Rosemarie Konrad einmal von der Seite ansah, hatte er nasse Augen. Sie nahm seine Hand und drückte sie fest.

Als Konrad an diesem Tag in den Spiegel blickte, stellte er bereits eine Veränderung fest. Es kam ihm vor, als hätten sich die Gefäße durch den Alkoholentzug schon etwas verengt, seien die Wangen etwas weniger gerötet, die geplatzten Äderchen etwas weniger sichtbar. Auch die Tränensäcke waren nicht mehr so gedunsen, das ganze Gesicht wirkte straffer, der ganze Mann unternehmungslustiger. Und, wie er fand, jünger.

Vielleicht, dachte Konrad Lang, hat jetzt endlich meine Glückssträhne begonnen.

In dieser Stimmung war er, als Barbara mit der Politesse und dem Hauswart seine Wohnung aufbrechen wollte. Er war seit zwei Tagen nicht mehr in der Wohnung gewesen und wollte sich frische Wäsche, ein paar Kleider und sonst ein paar Sachen holen, als er die Stimmen vor der Wohnungstür hörte.

Der Hauswart und die Politesse verabschiedeten sich schnell. Barbara blieb. Sie fand, er sei ihr eine Erklärung schuldig.

Konrad gab sie ihr gern. Voller Enthusiasmus erzählte er der immer stiller werdenden Barbara von der großen glücklichen Wende in seinem Leben. Als er geendet hatte, fragte er beiläufig: »Wieviel bin ich dir schuldig?«

»Tausendsechshundertfünfundvierzig«, gab sie zur Antwort.

Konrad Lang zückte seine Brieftasche und zählte ihr tausendachthundert Franken auf den Tisch.

»Ich nehme keine Zinsen«, sagte sie und gab ihm aus ihrem großen Kellnerportemonnaie heraus.

»Freust du dich nicht für mich?« fragte Konrad.

»Doch«, antwortete Barbara. Es stimmte ja auch. Sie war nicht eifersüchtig. Aber sie verlor nicht gern den einzigen Menschen, bei dem es sie nicht störte, daß er sie ausnützte.

Konrad Lang bestellte ein Taxi, nahm sein Köfferchen und setzte Barbara vor ihrer Wohnung ab.

An der Haustür gab er ihr einen väterlichen Kuß. »Mach's gut. Und: danke für alles.«

»Mach's auch gut«, erwiderte Barbara.

3

Auf beiden Seiten der Straße vor der »Villa Rhododendron« parkten frischgewaschene Autos, keines unter hunderttausend Franken. Die Stadtpolizei wies die ankommenden Gäste ein und lotste den Durchgangsverkehr durch die schmale Gasse zwischen dem Wagenpark. »Wie wenn wir nichts Gescheiteres zu tun hätten, als Parkwächter für Multimillionäre zu spielen«, hatte der diensthabende Offizier gemault, als er den Auftrag von seinem Vorgesetzten erhalten hatte. Dieser hatte eine hilflose Bewegung gemacht und nach oben gezeigt.

Vor dem Eisentor verglichen zwei Uniformierte eines privaten Wachdienstes die Einladungen mit der Gästeliste und behielten die Fotografen im Auge, die auf eine Gelegenheit lauerten, um hineinzuschlüpfen.

»Wenn solche Leute Hochzeit feiern, spielt sogar das Wetter mit«, sagte der Reporter des Boulevardblattes zum Reporter des Lokalblattes. »Bei uns hat es geschifft.«

Es war wirklich ein unverschämt schöner Sommertag. Ein paar saubere Schönwetterwölkchen schwebten am tiefblauen Himmel, ein Lüftchen sorgte dafür, daß die strahlende Junisonne nicht zu heiß wurde, es duftete schon nach Lindenblüten und den Heckenröschen an den Grundstücksmauern.

Der Park der Villa sah aus wie das Hauptquartier eines Heerlagers während der Napoleonischen Kriege. Überall Zelte, beflaggt mit Wimpeln und Fahnen von Nationen, die nur in der Phantasie des Eventdesigners existierten.

Die Gäste saßen auf Fauteuils an weißgedeckten, blumenübersäten Tafeln in den nach allen vier Seiten offenen Zelten. Oder unter den alten Bäumen auf langen Bänken vor hölzernen Festtischen. Oder sie lagerten in malerischen Grüppchen auf Picknickdecken im gepflegten Rasen.

An verschiedenen Punkten des Parks wechselten sich Streichquartette, Country Bands, Tanzorchester und Ländlerkapellen ab.

Ein angemessenes Hochzeitsfest für den Erben der Koch-Werke.

Urs Koch machte die Honneurs bei den Gästen. Überall, wo er mit seiner süßen Braut auftauchte, klatschte man, küßte das Paar und gratulierte den beiden zueinander und zum gelungenen Anlaß und zum herrlichen Wetter.

An der Brüstung der Veranda stand Thomas Kochs dritte Frau Elli und schaute dem Treiben zu.

Als Thomas sie Anfang der Siebzigerjahre kennengelernt hatte, hatte Karl Lagerfeld vor kurzem die Leitung von Chanel übernommen. Elli Friedrichsen war eines seiner Lieblingsmannequins gewesen. Ein Jahr später hatte sie Thomas Koch geheiratet. Zehn Jahre später lebte sie ihr eigenes Leben, so weit weg von Thomas wie möglich.

Neben ihr lehnte Inga Bauer, eine Schwedin, die viele Jahre jünger war als Elli und mit fünfundzwanzig einen Industriellen aus Thomas Kochs Bekanntenkreis geheiratet hatte.

Die beiden Frauen hatten sich rasch angefreundet. Elli war für Inga der einzige Halt in dieser seltsamen Mischung aus Biederkeit und Dekadenz geworden, die in den Kreisen der Schweizer Hochfinanz herrscht. Elli gefiel an Inga, daß sie sich auch von zehn Jahren Bauer-Clan nicht hatte desillusionieren lassen. Sie hatte sich, so gut es ging, ihre Ideale bewahrt und besaß eine erfrischende Art, ihre Meinung über falsch und richtig kundzutun.

»Wenn ich gewußt hätte, daß Koni nicht eingeladen ist, wäre ich nicht gekommen.«

»Ein großes Opfer für einen alten Langweiler.«

Inga deutete auf die Hochzeitsgäste. »Findest du die hier amüsanter?«

Elli schenkte einem Paar, das Arm in Arm an der Terrasse vorbeischlenderte, ihr Chanel-Lächeln.

»Nein, amüsanter sind die nicht. Aber wichtiger. Man muß schon genug bedeutende Langweiler ertragen. Warum soll man sich auch noch mit den unbedeutenden herumschlagen?«

»So denkst du?«

»So denkt Thomas.«

»Und du?«

Elli nahm einen Schluck aus dem Champagnerglas. »Ich? Ich lasse mich scheiden.«

Das kam überraschend. Inga hatte die Ehe von Elli nicht als etwas betrachtet, was den Aufwand einer Scheidung lohnte.

»Das bist du doch praktisch schon lange.«

»In Zukunft möchte ich es auch theoretisch sein.«

»Warum denn?«

Elli lächelte. »Es gibt jemanden, der das möchte.«

Inga strahlte sie an. »Hört das denn nie auf?«

»Das mußt du Elvira fragen. Ich bin erst sechsundvierzig.«

Die Ländlerkapelle bei der Fichtengruppe spielte *Hoch soll'n sie leben*, und die Gäste dort stimmten ein. Sie standen auf und prosteten Urs und seiner Braut zu.

»Armes Mädchen.«

»Wenn das die Frau ist«, wunderte sich Inga, »die er die ganze Zeit gesucht hat, dann hätte er all die andern vor ihr auch heiraten können.«

Elli warf ihr einen spöttischen Blick zu. »Simone war einfach gerade aktuell, als Elvira beschloß, daß die Zeit für Urs gekommen sei. So wie damals Urs' Mutter gerade aktuell war, als Elvira beschloß, daß für Thomas die Zeit gekommen sei.«

»Das klingt wie im letzten Jahrhundert«, lachte Inga.

»Schau dich doch um«, erwiderte Elli. »Das *ist* das letzte Jahrhundert.«

Elvira Senn hielt Hof im Brautzelt und wirkte nicht, als ob es ein Höchstalter für die Liebe gäbe. Sie strahlte vor Zufriedenheit und funkelte vor Juwelen, war schlagfertig und charmant und wahrte stets eine Handbreit Luft zwischen der Lehne des gepolsterten Stuhls und ihrem geraden Rücken.

Thomas saß ihr gegenüber und war weniger gelöst. Ellis Verhalten irritierte ihn. Normalerweise mimten sie bei gesellschaftlichen Anlässen das glückliche Paar, dessen Erfolgsrezept für die perfekte Ehe lautete: jedem seinen Freiraum. Aber heute hielt sie ihn auf Distanz. Sie hatte sich geweigert, mit ihm als quasi Bräutigamsmutter die Runde durch die Gäste zu machen, sie hatte mit den Brauteltern (einem Paar, zugegebenermaßen etwas overdressed, das die Begeisterung darüber, daß ihre Tochter so weit über ihre Verhältnisse geheiratet hatte, schlecht verbergen konnte) nicht mehr als zwei Sätze gewechselt. Und sie ging ihm ganz unverhohlen aus dem Weg.

Auch mit seiner Rolle als Nummer zwei konnte er sich nicht anfreunden. Bisher war bei solchen Anlässen immer er das Zentrum der Aufmerksamkeit gewesen. Oder sollte es seine Frau oder Urs gewesen sein, dann immer, weil er es so gewollt hatte. Diesmal war es anders. Urs wurde gefeiert als der kommende Mann. So weit war Thomas noch nicht.

Was ihn aber am meisten aus dem Konzept brachte, war Koni Lang. Früher wäre er hier aufgetaucht, mit oder ohne Einladung. Koni wäre zwar an der Türkontrolle hängengeblieben, aber er besaß für solche Situationen immer noch ein Auftreten, das zumindest bewirkt hätte, daß jemand vom Sicherheitsdienst gekommen wäre, um Thomas zu holen. »Draußen steht ein Herr, der sagt, er sei Ihr ältester Freund und hätte die Einladung zu Hause liegenlassen.«

Aber diesmal würde er nicht aufkreuzen. Er war in Italien. Er hatte Urs und Simone eine sehr formelle Glückwunschkarte und einen schönen Strauß von »Blossoms«, dem aufsehenerregendsten Blumengeschäft der Stadt, schikken lassen. Thomas hatte er einen persönlichen Brief geschickt.

Lieber Tomi

In ein paar Tagen beginnt für Dich eine neue Phase Deines Lebens: Dein Sohn wird eine Familie gründen, und damit ist der letzte Schritt zur Stabübergabe gemacht. Bald wirst Du in die Ränge zurücktreten mit dem beruhigenden Gefühl, daß Dein und Elviras Werk in guten Händen ist.

Auch mein Leben hat eine entscheidende Wende genommen. Stell Dir vor, ich habe auf meine alten Tage die Frau meines Lebens kennengelernt. Ich bin verliebt wie ein Gymnasiast, habe aufgehört zu trinken, und das Leben, das mir (und damit ja auch Euch) in letzter Zeit so manchen Streich gespielt hat, scheint es plötzlich gut mit mir zu meinen.

Ist es nicht seltsam, wie wir wieder einmal zur gleichen Zeit an ganz verschiedenen Orten an einen Wendepunkt in unserem Leben gekommen sind? Hast Du nicht auch manchmal das Gefühl, unsere Schicksale seien ganz eng verbunden, ob wir das nun wollen oder nicht?

Wir sind hier auf einer kleinen, sentimentalen Reise durch Italien. Als wir unter den Arkaden am Markusplatz zu Mittag aßen, sah ich uns plötzlich wieder als kleine Buben, wie uns Elvira und Anna abwechselnd fotografiert hatten. Erinnerst Du Dich? Du wolltest eine Taube fangen und bist gestürzt und hast Dir das Knie blutig geschlagen. Anna hat es Dir in dem Restaurant, in dem wir heute aßen, ausgewaschen und mit einer Damastserviette verbunden. Elvira wurde schlecht, wegen dem Blut.

Wie lange ist das her? Sechzig Jahre oder sechs Tage?

Nächste Woche sind wir wieder in der Schweiz. Du wirst überrascht sein, wenn Du Rosemarie kennenlernst.

Ich wünsche Dir von Herzen alles Gute.

In alter Freundschaft

Dein Koni

Thomas Koch konnte sich nicht daran erinnern, mit Koni als Kind in Venedig gewesen zu sein.

»Gehen wir ein paar Schritte?« fragte Elvira. Die Herren am Tisch erhoben sich. Thomas reichte ihr den Arm. Sie schlenderten durch den festlichen Park.

»Was bedrückt dich?«

»Nichts, warum?«

»Du grübelst.«

»Wenn das einzige Kind heiratet.«

Elvira lächelte. »Das schmerzt nur beim ersten Mal.«

Jetzt lächelte auch Thomas. Sie setzten sich auf eine Bank, abseits vom Geschehen.

»Waren wir einmal als Kinder in Venedig, Koni, ich, du und Anna?«

Elvira horchte auf. »Warum fragst du?«

»Koni hat aus Venedig geschrieben. Er erinnert sich, wie ich auf dem Markusplatz eine Taube gejagt und mir das Knie aufgeschlagen habe. Anna habe die Wunde mit einer Serviette verbunden und dir sei schlecht geworden.«

»Dummes Zeug«, antwortete Elvira.

Das Hochzeitsfest dauerte bis spät in die Nacht. Als es dunkel wurde, zündete man im Garten Lampions und Fackeln an. Das »Pasadena Roof Orchestra« spielte English Waltz und Foxtrott, und die Paare tanzten auf der großen Terrasse. Beim kleinen Pavillon in den Rhododendren sang einer zur Gitarre, der wie Donovan klang und auch Donovan war, und im großen Zelt saß George Baile am Flügel und spielte aus dem *American Songbook*.

Um elf Uhr stieg ein großes Feuerwerk, das die Menschen in den Boulevard-Cafés in der Stadt unten verwundert beklatschten. Ab da gingen die ersten Gäste.

Urs drehte bis nach Mitternacht seine Runden und wurde zusehends betrunkener. Simone versuchte ihre Enttäuschung zu verbergen, und es bedurfte des diskreten, aber energischen Eingreifens Elviras, bis das Brautpaar endlich in die wartende Limousine stieg. »Just married!«

Kurz vor zwei setzte sich Thomas Koch mit schwerer Schlagseite zu George Baile an den Flügel und begann *Oh when the Saints* zu spielen, gutmütig sekundiert vom Pianisten (dessen Honorar von achtzehntausend Franken solche Eskapaden seiner Auftraggeber gerade noch rechtfertigte) und begeistert applaudiert vom harten Kern der Gäste.

Um drei Uhr gingen die letzten. Das erschöpfte Personal löschte die Lampions und die Fackeln, die noch schmauchten.

Thomas Koch nahm sich ein Bier mit ins Zimmer. Als er sich damit auf den Bettrand setzte, fiel sein Blick auf eine Notiz in der Handschrift seiner Frau.

»Kann ich Dich morgen sprechen? Schlage vor: nach dem Mittagessen in der Bibliothek. Elli«

Am Nachmittag des folgenden Tages hielt es Elvira Senn nicht mehr aus. Sie mußte Konrad Langs Brief sehen. Sie spazierte den Weg vom »Stöckli« zur Villa hoch. Die Zelte waren abgebrochen, die Spuren des Festes verschwunden.

Thomas bewohnte einen Trakt der Villa, Elli einen anderen, Urs den Turm. Die großen Gesellschaftsräume wurden nach Bedarf von allen genutzt.

Als Elvira die Halle betrat, kam Elli gerade aus der Bibliothek, winkte ihr zu und ging die breite Freitreppe zum ersten Stock hinauf.

Thomas erschien in der Bibliothekstür. »Elli!« Er bemerkte seine Stiefmutter. »Sie will sich scheiden lassen. Verstehst du das?«

Elvira zuckte die Schultern. Sie verstand nicht, wie man sich scheiden lassen konnte, aber es überraschte sie nicht. Sie wußte, daß es schwer war, mit Thomas zu leben, und daß eine Frau, wenn sie sich einmal zur Scheidung von ihm entschlossen hatte, vor Gericht auf jeden Fall recht bekommen würde. Dann ging es nur noch um Schadensbegrenzung. Elvira verfügte über die richtigen Anwälte für solche Angelegenheiten. Sie kannte Elli als vernünftige und realistische Frau, mit der sich reden ließ. Die Scheidung an sich war einfach zu handhaben. Mühsam war nur Thomas mit seinem verletzten Stolz.

Sie ging mit ihm in sein »Herrenzimmer«, hörte sich sein Gejammer an, teilte seine Empörung und bestärkte ihn in seiner Meinung über Elli, solange ihre rasch erschöpfte Geduld das zuließ. Dann kam sie auf Konrad Langs Brief zu sprechen. Thomas konnte sich nicht erinnern, was er damit gemacht hatte, wußte nur, daß er ihn vor dem Mittagessen noch hatte. Es war Elvira, die ihn schließlich zusammengeknüllt in der Tasche seines Morgenrocks fand.

Sie strich ihn glatt und las ihn sorgfältig durch. Dann knüllte sie ihn wieder zusammen. »Er phantasiert.«

»Er hat aber aufgehört zu saufen, schreibt er.«

»Und das glaubst du?«

»Aber mit dem Wendepunkt hat er leider recht.«

Elvira legte den zusammengeknüllten Brief in den großen Kristallaschenbecher, der auf dem Beistelltischchen neben ihrem Sessel stand. »Warum fährst du nicht irgendwohin mit ihm. Das bringt dich auf andere Gedanken.«

»Ich kann ihn doch jetzt nicht von seiner Liebsten trennen.«

»Ein paar Wochen werden es die beiden wohl ohne einander aushalten.«

»Ich weiß nicht. Es scheint ihm so gut zu gehen.«

»Und dir geht es nicht gut. Ich finde, das ist er dir schuldig.«

»Meinst du?«

»Schon allein wegen Korfu.«

Elvira nahm das Feuerzeug vom Tisch und steckte Konis Brief in Brand.

Das Auftauchen von Thomas Koch in der Tannenstraße erregte Aufsehen. Sein Chauffeur fuhr den mitternachtsblauen Mercedes 600 SEL mit zwei Rädern auf das Trottoir und half Thomas aus dem Fond. Die Hilfe war nicht nur ein Ritual, der Chef war heute nicht ganz sicher auf den Beinen. Dabei war es noch früh am Nachmittag.

Ein paar türkische Kinder mit farbigen Schultaschen auf

dem Rücken blieben stehen und schauten sich das Auto an. Das Tram fuhr etwas langsamer, und die Gesichter an den Fenstern drehten sich zur Limousine, die so gar nicht in diese Gegend paßte. »Wahrscheinlich einer von diesen Immobilienhaien, die ihre Abbruchbuden zu Wucherpreisen an die Nutten vermieten«, erklärte ein junger Mann seiner Freundin.

An einem Fenster im ersten Stock lehnte eine alte Frau. Sie hatte ein Kissen aufs Sims gelegt und stützte ihre schweren Unterarme darauf.

»Zu wem wollen Sie?« rief sie Thomas Koch zu, als sie sah, daß er zum zweiten Mal klingelte.

»Lang.«

»Den sieht man hier kaum mehr. Holt nur noch ab und zu die Post.«

»Wissen Sie, wo ich ihn finden kann?«

»Vielleicht weiß es der Hauswart.«

Thomas Koch drückte auf die Klingel und wartete.

»Sie müssen lange klingeln. Der hat Nachtschicht.«

Nach einer Weile bewegte sich im zweiten Stock ein Vorhang. Kurz darauf surrte der Türöffner. Thomas Koch ging hinein.

Othmar Bruhin, der Stapelfahrer in einer Montagehalle der Koch-Werke war und Hauswart in dieser Liegenschaft, die der Pensionskasse der Koch-Werke gehörte, sollte die Geschichte immer und immer wieder erzählen: Wie er direkt aus dem Bett, unrasiert und im Trainingsanzug die Tür öffnet, und da steht – »ich verreck, der Koch höchstpersönlich« – und will die Adresse von einem Mieter. »Und, wenn ihr mich fragt, eine Fahne hatte der auch.«

Als sich Thomas Koch vom Chauffeur wieder in den Wagen helfen ließ, nannte er ihm die Adresse von Rosemarie Haug.

Konrad saß mit Rosemarie auf der Terrasse und spielte Backgammon, als es klingelte. Er hatte ihr das Spiel auf ihrer Italienreise beigebracht, und sie spielten es seither leidenschaftlich. Teils wegen Rosemaries Ehrgeiz, denn sie hatte ihn noch nie schlagen können, teils aus Sentimentalität, denn es hielt die Erinnerungen an ihre erste gemeinsame Reise wach.

Rosemarie stand auf und ging an die Gegensprechanlage. Als sie zurückkam, war sie verwundert.

»Thomas Koch. Ob du hier seist.«

»Was hast du gesagt?«

»Ja. Er kommt rauf.«

Fast sein ganzes Leben lang war Thomas die wichtigste Figur in Konrads Leben gewesen. Aber in letzter Zeit war er mehr und mehr in den Hintergrund getreten. In Venedig hatte er sich zwar an ihn erinnert. Aber die Berichterstattung über Urs' Hochzeit hatte er mit überraschend wenig Interesse verfolgt. Doch jetzt, wo Thomas jeden Moment durch die Tür treten würde, war er nervös. Er fühlte sich, wie er sich immer gefühlt hatte, wenn Thomas in der Nähe war: wie ein Rekrut vor der Inspektion durch den Schulkommandanten.

Rosemarie bemerkte die Veränderung. »Hätte ich sagen sollen, du seist nicht hier?« erkundigte sie sich, nur halb amüsiert.

»Nein, natürlich nicht.«

Sie gingen zur Wohnungstür. Draußen hörte man den Lift. Dann Schritte auf dem Gang.

»Was will der wohl?« murmelte Konrad. Mehr zu sich als zu Rosemarie.

Als es klingelte, zuckte er zusammen. Rosemarie öffnete.

Thomas Kochs Nase war zart und fein geschnitten und wirkte ein wenig deplaziert in dem fleischigen Gesicht. Er trug einen Blazer und einen Rollkragenpullover aus weinrotem Kaschmir, der seinen kurzen Hals noch dicker erscheinen ließ. Er hatte glänzende, eng beieinanderliegende Augen und roch nach Alkohol. Er nickte ihr knapp zu und wandte sich direkt an Konrad.

»Kann ich dich sprechen?«

»Natürlich. Komm herein.«

»Unter vier Augen.«

Konrad schaute Rosemarie an.

»Ihr könnt ins Wohnzimmer.«

»Mir wär's lieber, wir gingen irgendwohin.« Thomas ließ keinen Zweifel daran, daß das nicht als Wunsch zu verstehen war.

Konrad warf Rosemarie einen hilfesuchenden Blick zu. Sie runzelte irritiert die Stirn. Thomas wartete.

»Ich zieh mir nur schnell die Jacke an.«

Konrad verschwand im Schlafzimmer. Rosemarie gab Thomas die Hand. »Ich heiße Rosemarie Haug.«

»Thomas Koch, freut mich.«

Dann warteten sie stumm, bis Konrad wieder aus dem Schlafzimmer kam. Er hatte sich eine Krawatte umgebunden und trug eine zur Hose passende Leinenjacke.

»Gehen wir«, sagte er und folgte Thomas zum Lift.

»Ciao«, rief ihm Rosemarie nach. Vielleicht etwas spitz.

»Ach ja, ciao!« Konrad blieb stehen, schien noch einmal zurückkommen zu wollen, um sich richtig zu verabschieden, bemerkte, daß Thomas schon beim Lift stand, und folgte ihm.

Rosemarie sah, wie er Thomas die Lifttür öffnete, ihm den Vortritt ließ und beflissen den Knopf drückte. Die Lifttür schloß sich, ohne daß Konrad noch einmal zu ihr zurückgeschaut hätte.

Thomas hob belustigt die Augenbrauen, als Konrad ein »Perrier« mit Eis und Zitrone bestellte. Er selbst bestellte einen doppelten »Tullamore Dew«, ohne Eis und ohne Wasser, seinen Depressionsdrink.

Charlotte hatte Konrad empfangen mit einem leicht vorwurfsvollen »auch mal wieder im Land«, aber sofort begriffen, als er etwas Alkoholfreies bestellte. Sie hatte schon viele aufhören gesehen. Das ging vorbei.

Die Bar des Des Alpes (den alten Zeiten zuliebe und weil sie, jedenfalls für Thomas, günstig lag) war leer bis auf die Hurni-Schwestern. Roger Whittaker sang *Don't cry, young lovers, whatever you do*. An einem Tischchen in einer Nische hielt Tomi seinen Monolog, Koni hörte zu.

»Du weißt ja, wenn sie einen andern haben, sehen sie plötzlich besser aus.«

Koni nickte.

»Ich habe gar nichts dagegen, wenn sie sich ab und zu einen anlacht. Du weißt, ich bin ja auch nicht gerade...«

Koni nickte.

»Behandelt mich wie das letzte Arschloch. Zitiert mich

in die Bibliothek. Teilt mir mit, sie will sich scheiden lassen.«

Koni nickte.

»Nicht: teilt mir mit – setzt mich davon in Kenntnis.«

Koni nickte.

»Nicht: sie will sich scheiden lassen. Sie läßt sich scheiden. Punkt.«

Thomas Koch trank das Glas leer und hielt es in die Höhe. »Wie heißt sie?« fragte er.

»Charlotte«, flüsterte Koni.

»Charlotte!« rief Tomi.

»Damit ich es nicht vom Anwalt erfahre. – Charlotte!«

Die Barfrau kam mit einem neuen Glas. Ohne aufzublicken hielt ihr Tomi das leere hin.

»Würdest du dir das gefallen lassen?«

Koni schüttelte den Kopf.

»Weißt du, was die im Monat für Kleider ausgibt? Nur für Kleider?«

Koni schüttelte den Kopf.

Tomi nahm einen Schluck. »Ich auch nicht, aber das sag ich dir: verdammt viel. Du mußt sie dir nur anschauen.«

Koni nickte.

»Besonders jetzt. Wenn sie einen andern haben, sehen sie immer besser aus. Absichtlich. Um dich fertigzumachen.«

Koni nickte.

»Die mache ich auch fertig. Die wird sich noch wundern, was das Leben kostet.«

Konrad Lang, der einzige der Beteiligten, der wußte, was das Leben kostet, nickte.

»Die mach ich fertig.« Tomi machte ein Zeichen mit dem leeren Glas in Richtung Bar.

Als Charlotte den Whisky gebracht hatte, fragte er: »Fährst du noch Ski?«

»Eigentlich nein, nach Aspen habe ich aufgehört.«

1971, in der Krise seiner zweiten Scheidung, hatte Thomas Konrad aus dem Fundus geholt, war mit ihm nach Aspen gejettet und hatte ihn dort neu eingekleidet und ausgerüstet. Die beiden hatten früher beim selben Skilehrer Unterricht, und Konrad hatte sich in den vielen Wintersaisons in St. Moritz zu einem leidlichen Skifahrer (und ängstlichen Skeletonfahrer) entwickelt. Er hatte damals schon nach ein paar Tagen wieder eine ganz gute Figur gemacht. Aber das war jetzt auch schon wieder ein Vierteljahrhundert her.

»Das verlernt man nie, das ist wie Radfahren. Und das Material hat sich so entwickelt, da fährst du besser als damals.«

Tomi kippte seinen Whisky. »Wir fahren nach Bariloche«, bestimmte er. »Das bringt uns auf andere Gedanken.«

Koni nickte nicht.

»Was du brauchst, besorgen wir dir dort. Sieh zu, daß dein Paß noch gültig ist. Wir fliegen am Sonntag.«

Koni nickte nicht.

Tomi hielt sein leeres Glas hoch. Als Charlotte kam, sagte er: »Bring ihm auch einen.«

»Lieber nicht«, sagte Koni. Aber nicht laut genug für Charlotte, die schon wieder unterwegs zum Buffet war.

»Die kommt mir irgendwie bekannt vor.«

»Charlotte?«

»Nein, die, bei der du wohnst. Sollte ich sie kennen?«

»Sie ist die Witwe vom Röbi Fries.«

»Ach, die Witwe vom Röbi Fries? Die hat doch bestimmt auch ihre Fünfzig auf dem Buckel. Mindestens.«

»Ich habe sie nicht gefragt.«

»Aber noch ganz knackig.«

Koni nickte.

»Säufst du deshalb nichts?«

»Auch.«

Charlotte brachte die zwei Whiskys. Tomi hob sein Glas.

»Auf Bariloche.«

Koni nickte.

Als Konrad Lang kurz vor Mitternacht noch immer nicht aufgetaucht war, vergaß Rosemarie Haug ihren Stolz und wählte seine Nummer. Besetzt.

Kurz nach Mitternacht versuchte sie es wieder. Immer noch besetzt.

Als um ein Uhr immer noch besetzt war, rief sie den Störungsdienst an und erhielt die Auskunft, der Teilnehmer habe nicht richtig aufgelegt.

Wenn er nicht wollte, daß ich ihn anrufe, hätte er den Stecker rausgezogen, sagte sich Rosemarie und bestellte ein Taxi.

Es war das dritte Mal, daß Othmar Bruhin wegen Konrad Lang aus dem Schlaf gerissen wurde. Er hatte diesmal Frühschicht, und der Wecker hätte in anderthalb Stunden geklingelt. Als er auf die Uhr schaute, wußte er, daß es zu früh war, um aufzustehen, und zu spät, um noch einmal einzuschlafen.

Entsprechend war seine Laune, als er unten die Tür öffnete.

Die Frau, die vor ihm stand, war das, was sein Vater »eine Dame« zu nennen pflegte, das sah er auch im schwachen Licht des Treppenhauses. Sie war etwas verlegen, aber nicht so, wie es der Situation angemessen gewesen wäre. Ziemlich bestimmt verlangte sie, von ihm zu Langs Wohnungstür gebracht zu werden. Sie hätte schon ein paarmal geklingelt, aber er mache nicht auf.

»Vielleicht ist er nicht zu Hause«, brummte Bruhin.

»Es brennt aber Licht.«

»Vielleicht hat er es brennen lassen. Vielleicht schläft er.«

»Der Hörer ist nicht richtig aufgelegt.«

»Vielleicht will er nicht gestört werden. Soll ja vorkommen«, schlug Bruhin vor. Irgend etwas provozierte ihn an der Frau.

»Hören Sie, ich mache mir Sorgen, daß etwas passiert ist. Wenn Sie mir nicht aufmachen und es ist etwas passiert, werde ich Sie dafür verantwortlich machen.«

Da ließ Bruhin sie herein und führte sie in den dritten Stock.

Sie klingelten und klopften, polterten und riefen, bis das halbe Haus zusammengelaufen war. Konrad Lang reagierte nicht. Bruhin hätte alle wieder ins Bett geschickt, wenn die Klaviermusik nicht gewesen wäre. Wegen ihr ließ er sich schließlich überreden, den Passepartout zu holen.

Es steckte kein Schlüssel von innen. Bruhin und die Frau gingen hinein und erschraken: Konrad Lang lag halb entkleidet auf dem Boden des Wohnzimmers, ein Bein auf einem Fauteuil, Mund und Augen halb geöffnet. Auf dem Tisch stand eine halbleere Flasche Whisky neben einem Keyboard, aus dem die immer gleichen Begleittakte eines Walzers erklangen. Mtätä, mtätä, mtätä, mtätä... Das Zimmer stank nach Alkohol und Erbrochenem.

Rosemarie kniete neben ihm nieder. »Koni«, flüsterte sie, »Koni«, und fühlte seinen Puls.

Konrad Lang stöhnte. Dann hielt er den Zeigefinger an die Lippen. Psst.

»Wenn Sie mich fragen, der ist besoffen«, konstatierte Bruhin und ging.

Die Hausbewohner, die gespannt vor der Wohnungstür warteten, beruhigte er: »Alles in Ordnung. Besoffen.«

Als Konrad Lang erwachte, lag er in seinem eigenen Bett, das wußte er, auch ohne die Augen zu öffnen. Er erkannte den Verkehrslärm wieder: die Autos, die an der Ampel hielten, warteten, wieder anfuhren; die Trams, die an der Haltestelle klingelten.

Sein Kopf tat weh, seine Augenlider schmerzten, sein Mund war trocken, und sein Arm fühlte sich an, als ob er dumm drauf gelegen hätte. Er hatte ein ungutes Gefühl, wie wenn er etwas zu bereuen hätte, an das er sich noch nicht erinnern konnte.

Langsam öffnete er die Augen. Das Fenster war offen, aber die Vorhänge waren zugezogen. Es war Tag. Er hatte einen Kater. Was noch?

Ich trinke ja gar nicht!, durchfuhr es ihn. Er schloß die Augen wieder. Was noch?

Tomi! Was noch?

Aus der Küche drang ein Geräusch. Dann hörte er Schritte. Und dann eine Stimme.

»Hilft dir Alka Seltzer?«

Rosemarie!

Er öffnete die Augen. Rosemarie stand neben dem Bett mit einem Glas, in dem es schäumte.

Konrad räusperte sich. »Drei. Drei helfen ein wenig.«

»Das sind drei.« Rosemarie hielt ihm das Glas hin. Er stützte sich auf den Ellbogen und trank es in einem Zug leer.

Bariloche!

»Ich fahre jetzt nach Hause. Wenn du willst, kannst du kommen, wenn es dir bessergeht.« An der Tür blieb sie stehen. »Nein: Bitte komm, sobald es dir bessergeht.«

Als Konrad Lang am Nachmittag aus dem Haus ging, kam Bruhin gerade von seiner Frühschicht zurück. »Was die Frauen an Ihnen finden«, sagte er im Treppenhaus.

»Wie meinen Sie das?«

»So besoffen und vollgekotzt, und die stehen immer noch auf Sie.«

»Vollgekotzt?« Konrad hatte keine Spuren davon vorgefunden.

»Von oben bis unten. Kein schöner Anblick.«

Konrad ließ das Taxi vor einem Blumenladen halten und kaufte einen großen Strauß bunter Freilandrosen, die ihm fast zu stark dufteten für seinen immer noch etwas labilen Magen.

Rosemarie lächelte, als er mit den Rosen an der Tür stand. »Wir beide lassen kein Klischee aus.«

Dann machte sie ihm eine Bouillon mit Ei, setzte sich zu ihm an den Tisch und schaute zu, wie er sie vorsichtig mit zittriger Hand löffelte. Als er fertig war, trug sie die Tasse hinaus und kam mit einer Flasche Bordeaux und zwei Gläsern zurück. »Oder brauchst du ein Bier?«

Konrad schüttelte den Kopf. Rosemarie schenkte die Gläser voll, und sie stießen an.

»Scheiße«, sagte er.

»Scheiße«, antwortete sie. Dann nahmen beide einen Schluck.

Danach erzählte ihr Konrad das mit Bariloche.

Jetzt saßen sie beim dritten Glas.

»Nur für zehn Tage«, sagte er.

»Und wenn er anschließend nach Acapulco will, sagst du dann nein?«

»Klar.«

»Das tust du nicht. Ich habe dich gesehen, als er kam. Du sagst dem nicht nein. Nie und nimmer.«

Konrad erwiderte nichts.

»Du mußt es wissen.«

Konrad drehte am Stiel seines Glases.

»Es ist dein Leben.«

Jetzt schaute er auf. »Eine Weile hatte ich gedacht, es sei unser Leben.«

Rosemarie schlug mit der flachen Hand auf den Tisch. Er zuckte zusammen. »Ja, glaubst du denn, ich nicht?« schrie sie ihn an.

Konrads Augen füllten sich mit seinen raschen Tränen. Rosemarie legte ihren Arm um ihn. Er lehnte den Kopf an ihre Schulter und weinte hemmungslos.

»Entschuldige«, schluchzte er immer wieder, »ein alter Mann, und heult wie ein Kind.«

Als er sich beruhigt hatte, meinte sie: »Sag ihm nein.«

»Ich lebe von ihm.«

Rosemarie schenkte ihm nach. »Dann leb von mir.«

Konrad antwortete nicht.

»Geld ist da.«

Er trank einen Schluck.

»Das muß dir nicht peinlich sein.«

»Das war mir noch nie peinlich. Leider.«

»Dann ist ja alles in Ordnung.«

»Ja. Aber was sage ich ihm?«

»Leck mich.«

Thomas Koch saß in seinem Schlafzimmer zwischen halbgepackten Koffern und Taschen und stürzte ein kaltes Bier runter. Auf dem Telefontischchen stand ein Tablett mit zwei vollen Bierflaschen. Er hatte eine Stinkwut. Koni hatte vorhin angerufen und ihm mitgeteilt, er komme nicht mit nach Argentinien.

»Was heißt, du kommst nicht mit?« hatte er amüsiert gefragt.

Konrad Lang antwortete nicht gleich. Thomas hörte, wie er Luft holte. »Ich habe keine Lust mitzukommen. Rechne nicht mit mir.«

»Du bist eingeladen.«

Wieder eine Pause. »Ich weiß. Ich schlage die Einladung aus. Herzlichen Dank.«

Thomas wurde langsam sauer. »Sag mal, spinnst du?«

»Ich bin ein freier Mensch. Ich habe das Recht, eine Einladung auszuschlagen«, sagte Koni. Aber es klang schon nicht mehr so überzeugt.

Tomi lachte. »War ein guter Witz. Morgen um neun. Ich schicke den Chauffeur. Wir fahren von hier aus gemeinsam zum Flughafen.«

Eine Weile blieb es still. Dann sagte Koni: »Leck mich!« und legte auf.

Thomas rief sofort zurück. Die Witwe von Röbi Fries antwortete.

»Geben Sie mir Koni«, befahl er.

»Lang«, meldete sich Koni.

»Mir legt man nicht den Hörer auf«, brüllte Thomas.

»Leck mich«, antwortete Konrad und legte auf.

Thomas Koch schenkte sich ein neues Bier ein und stürzte es runter. Dann wählte er die interne Nummer von Elvira.

»Er hat abgesagt.«

Elvira wußte sofort, wen er meinte. »Das kann er sich doch gar nicht leisten.«

»Er nicht, aber die Witwe von Röbi Fries. Er läßt sich jetzt von ihr aushalten.«

»Weißt du das bestimmt?«

»Ich war in ihrer Wohnung. Er wohnt auch bei ihr.«

»Und daß er nicht mehr trinkt, stimmt das?«

»Bevor ich kam, schon.« Thomas lachte. »Aber als ich ging, war er so besoffen wie immer.«

»Und trotzdem hat er dir abgesagt.«

»Da steckt die Frau dahinter.«

»Und was machst du jetzt?«

»Ich fliege allein.«

»Daß er dich jetzt hängenläßt, nach allem, was wir für ihn getan haben. Und immer noch tun.«

»Wieviel ist das?«

»Schöller hat die Zahlen, soll er sie dir geben?«

»Lieber nicht. Ich ärgere mich nur.«

Zehn Minuten später meldete sich Schöller. »Wollen Sie es detailliert oder pauschal?«

»Pauschal.«

»Rund hundertfünfzigtausendsechshundert im Jahr.«

»Wie bitte?«

»Wollen Sie doch die Monatsdetails?«

»In dem Fall schon.«

»Essen: tausendachthundert, Wohnen: tausendeinhundertfünfzig, Versicherung und Krankenkasse: sechshundert, Kleider: fünfhundert, Diverses: fünfhundert, Taschengeld: achttausend. Aufgerundet und im Schnitt.«

»Achttausend Taschengeld?« rief Thomas aus.

»Wurde im März von Frau Senn erhöht. Vorher waren es zwölfhundert.«

»Hat sie erwähnt, warum?«

»Nein, hat sie nicht.«

Thomas legte auf und schenkte sich Bier nach. Es klopfte.

»Ja«, rief er ärgerlich. Urs trat ein.

»Ich höre, du verreist.«

»Kannst du dir vorstellen, warum Elvira das Taschengeld von Koni im März von dreihundert auf zweitausend die Woche erhöht hat?«

»Hat sie das?«

»Eben hat Schöller es mir gesagt.«

»Zweitausend! Das gibt eine ganze Menge Schnaps.«

»Damit kann sich einer totsaufen.«

Urs fiel etwas ein. Er lächelte in sich hinein.

»Was gibt es zu grinsen?«

»Deswegen hat sie es ihm vielleicht erhöht.«

Thomas brauchte einen Moment. »Du glaubst, damit... nein, das traust du ihr zu?«

»Du nicht?«

Thomas überlegte. Dann lächelte er. »Doch, schon.«

Kopfschüttelnd saßen Vater und Sohn zwischen den Kleidern und Gepäckstücken und grinsten.

Zwei Stunden später stand Thomas Koch in der Tür des Penthouse von Rosemarie Haug.

»Kann ich dich unter vier Augen sprechen?« fragte er Konrad, ohne Rosemarie eines Blickes zu würdigen.

»Ich habe keine Geheimnisse vor Frau Haug.«

»Bist du da sicher?«

»Absolut.«

»Kann ich reinkommen?«

Konrad schaute zu Rosemarie. »Darf er reinkommen?«

»Wenn er sich benimmt.«

Konrad führte Thomas Koch ins Wohnzimmer. »Kann ich Ihnen etwas anbieten, Herr Koch?« fragte Rosemarie.

»Ein Bier.«

Sie brachte ein Bier für Koch und Mineralwasser für sie beide. Dann setzte sie sich neben Konrad aufs Sofa.

Thomas warf ihr einen irritierten Blick zu. Dann entschloß er sich, sie zu ignorieren.

»Ich finde, du bist es mir schuldig mitzukommen.«

»Warum?«

»Korfu, zum Beispiel.«

»Das mit Korfu tut mir leid. Aber ich bin dir nichts schuldig.«

»Und hundertfünfzigtausend im Jahr? Hundertfünfzigtausend nennst du nichts?«

»Für euch ist es nichts. Und für mich ist es nicht Verpflichtung genug, um alles liegenzulassen, wenn du pfeifst.«

»Du wirst noch erleben, was nichts heißt.«

»Ich kann dich nicht daran hindern.«

»Und dann lebst du von ihr? Glaubst du, ihr macht es Spaß, einen alten Säufer durchzufüttern?«

Konrad Lang schaute Rosemarie an. Sie nahm seine Hand. »Konrad und ich werden heiraten.«

Für einen Moment verschlug es Thomas Koch die Sprache. »Röbi Fries wird sich im Grab umdrehen«, fiel ihm schließlich als Antwort ein.

Rosemarie stand auf. »Ich glaube, es ist besser, Sie gehen jetzt.«

Er schaute sie ungläubig an. »Sie schmeißen mich raus?«

»Ich bitte Sie zu gehen.«

»Und wenn ich nicht gehe?«

»Rufe ich die Polizei.«

Thomas Koch griff nach seinem Bier. »Sie ruft die Polizei«, lachte er. »Hast du das gehört, Koni? Deine Zukünftige will deinen ältesten Freund von der Polizei aus der Wohnung schmeißen lassen. Hörst du das?«

Konrad stand wortlos auf und ging zu Rosemarie, die an der offenen Wohnungstür wartete.

Tomi knallte das Bierglas auf das Clubtischchen, sprang auf, stürmte zur Tür und baute sich vor Konrad auf.

»Du kommst also nicht mit, ist das dein letztes Wort?« schrie er ihn an.

»Ja.«

»Wegen der?«

»Ja.«

»Ohne mich wärst du ein Bauernknecht, hast du das vergessen?«

Plötzlich überkam Konrad eine große Ruhe. Er schaute Thomas in die Augen. »Leck mich.«

Thomas Koch versetzte ihm eine schallende Ohrfeige.

Konrad Lang schlug zurück.

Dann ging er auf die Dachterrasse und wartete. Er sah, wie Koch unten aus der Haustür kam. Er hatte ein Taschentuch in der Hand und schneuzte sich.

»Tomi!« rief Konrad.

Thomas blieb stehen und sah hinauf. Konrad hob hilflos die Schultern. Thomas wartete. Konrad schüttelte den Kopf. Thomas wandte sich ab und ging.

Konrad spürte Rosemaries Hand auf seiner Schulter. Er lächelte sie an und legte den Arm um sie. »Ein trauriger Abschied.«

»Ist es nicht auch eine Befreiung?«

Er überlegte. »Wenn der Lebenslängliche das Gefängnis verläßt, ist auch das ein Abschied.«

Den ganzen Tag war Konrad Lang stiller als sonst. Am Abend pickte er ohne Appetit in der kalten Platte, die Rosemarie auftischte. Danach legte er Chopin auf und versuchte zu lesen. Aber es gelang ihm nicht, seine Gedanken beisammenzuhalten. Immer wieder wanderten sie zu Thomas

Koch und der häßlichen Szene, die ihrer wechselhaften, einseitigen Freundschaft ein Ende bereitet hatte. Gegen zehn Uhr küßte ihn Rosemarie auf die Stirn und überließ ihn seiner Grübelei. »Ich komme auch gleich«, sagte er.

Aber er wanderte unruhig durch die Wohnung, ging auf die Terrasse und schaute auf den glatten See hinab und hinauf zum dünnen Mond über der stillen Stadt. Ein paarmal war er nahe daran, sich ein Glas einzuschenken mit etwas Starkem aus Rosemaries Hausbar.

Es war beinahe zwei Uhr früh, als Konrad ins Bett schlüpfte. Rosemarie tat, als schliefe sie.

Als Konrad Lang am nächsten Morgen die Augen aufschlug, war Rosemarie schon aufgestanden. Er zog die Vorhänge auf. Draußen stand die Sonne hoch an einem tiefblauen Mittagshimmel. Es war beinahe ein Uhr. Ihm war leicht ums Herz, und er wußte nicht, warum.

Unter der Dusche fiel ihm die Szene mit Thomas wieder ein. Aber der Schmerz, den er gestern noch empfunden hatte, war verschwunden. Er spürte nichts als eine unbeschreibliche Erleichterung.

Er kleidete sich besonders sorgfältig, brach am Strauß, der auf Rosemaries Schminktisch stand, eine Rose ab und steckte sie ins Knopfloch seines Sommerjacketts.

Rosemarie saß auf der Terrasse und las Zeitung. Das rosa Licht der Markise schmeichelte ihrem Teint. Sie schaute besorgt auf, als sie Konrad hörte. Aber als sie sah, wie glücklich und unternehmungslustig er war, lächelte sie. »Du hast geschlafen wie ein Säugling.«

»So fühle ich mich auch.«

Er aß ein leichtes Frühstück, und sie verloren kein Wort über Thomas Koch. Erst als Konrad sagte: »Heute koche ich uns mein legendäres Stroganoff«, fügte er hinzu: »Zur Feier des Tages.«

Konrad ging ins Einkaufszentrum, das zehn Minuten zu Fuß im Dorfkern lag, und kaufte ein, wie immer zuviel.

Auf dem Rückweg verlief er sich. Als er einen Passanten nach dem Weg fragen wollte, hatte er Rosemaries Adresse vergessen.

Bepackt mit Einkaufstaschen stand er ratlos auf dem Trottoir einer ihm völlig unbekannten Gegend. Da nahm ihm jemand zwei Taschen ab. Eine Männerstimme sagte: »Mein Gott, sind Sie beladen, Herr Lang. Warten Sie, ich trage Ihnen das bis zum Haus.«

Der Mann war Sven Koller, der Anwalt, der die Wohnung unter Rosemarie Haug bewohnte.

Bis zum Haus waren es keine hundert Meter.

4

Konrad Lang hörte wieder auf zu trinken.

Für einen Alkoholiker ist das eine Beschäftigung, die den ganzen Tag ausfüllt. Unter anderem fing er wieder an, Tennis zu spielen. Tennis hatte zu Tomis Erziehung gehört, also hatte es auch Konrad gelernt.

Rosemarie war Mitglied eines Klubs, in den sie ihn jeden zweiten Tag als Gast mitnahm. »Tennis ist ein Life-time-Sport«, sagte der Klubtrainer, »und wenn man älter wird, ist das Zählen auch ein gutes Training fürs Gedächtnis.«

Es war als Witz gemeint. Er wußte nicht, wie nötig Konrads Gedächtnis Training hatte.

Seit jenem Zwischenfall, als er Rosemaries Haus nicht mehr finden konnte, obwohl er praktisch davor gestanden hatte, waren ihm ähnliche Dinge passiert. Das Dümmste: Er hatte im Lift den Knopf für den Keller gedrückt, war ausgestiegen und hatte den Weg zurück in den Lift nur durch Zufall wieder gefunden.

Das Gefährlichste: Er hatte Teewasser aufgesetzt (bei seiner rastlosen Suche nach Ersatzgetränken war er auf Tee, alle Sorten von Tee gestoßen) und die falsche Herdplatte angeschaltet. Dummerweise die, auf der eine hölzerne Salatschüssel stand. Als er eine halbe Stunde später in die Küche ging (um Teewasser aufzusetzen), brannte die Salatschüssel und die Rolle Haushaltspapier neben dem Herd ebenfalls.

Er hatte die Flammen gelöscht und die Beweisstücke verschwinden lassen. Rosemarie hatte er bis jetzt noch nichts von seinen Ausfällen gesagt. Er wollte sie nicht unnötig beunruhigen, er glaubte nicht, daß es sich um etwas Ernstes handelte. Das Blackout damals in Korfu führte er auf seinen Alkoholkonsum zurück. Und die Gedächtnisaussetzer und kleinen Schusseligkeiten der letzten Wochen waren wohl eine Art Entzugserscheinung. Davon abgesehen ging es ihm nämlich hervorragend.

Rosemarie war das Beste, was ihm in fünfundsechzig Jahren passiert war. Sie unterstützte ihn bei seiner selbstverordneten Entziehungskur, ohne die Krankenschwester zu spielen. Sie war eine gute Zuhörerin und eine unterhaltsame Erzählerin. Sie konnte zärtlich sein und, wenn sie in Stimmung waren, auch sehr aufregend.

Konrad Lang und Rosemarie Haug waren ein attraktives Paar: ein distinguierter reifer Herr mit seiner gepflegten, eleganten Frau. Sie gingen in den Tennisklub, ab und zu ins Konzert und gelegentlich in ihr Lieblingsrestaurant. Sonst lebten sie zurückgezogen. Konrad, der sich rasch als der bessere Koch erwiesen hatte, kochte oft aufwendige Abendessen, zu denen sie sich hin und wieder aus Übermut in Abendgarderobe warfen. Gelegentlich setzten sie sich zusammen ans Klavier, und fast jeden Abend spielten sie ein paar Partien Backgammon.

Konrad Lang verbrachte seinen wohl glücklichsten Sommer. Als der Herbst kam, fühlte er sich weder einsam noch traurig. Vielleicht zum ersten Mal in seinem Leben.

Elvira Senn war die Sache nicht geheuer. Als Thomas unverrichteter Dinge von Konrad zurückgekommen war, hatte er nur gesagt: »Ab sofort keinen Rappen mehr.« Mehr war nicht aus ihm herauszuholen gewesen. Dann war er nach Argentinien geflogen.

Sie hatte Schöller gleich die nötigen Anweisungen geben wollen, aber dann doch gezögert. Solange sie nicht wußte, was bei der letzten Begegnung der beiden vorgefallen war, mochte sie kein Risiko eingehen. Sie wollte Konrad nicht unnötig in die Enge treiben. Wer weiß, wie er reagieren würde.

Statt dessen gab sie Schöller den Auftrag, über Langs momentane Situation Informationen einzuholen. Schöller engagierte ein Büro, mit dem er ab und zu für solche Aufträge zusammenarbeitete.

Noch bevor er seinen Bericht an Elvira Senn weiterleiten konnte, erhielt sie einen Brief von Konrad Lang, in welchem er sich sehr bedankte für ihre Unterstützung und sie bat, diese in Zukunft einzustellen. »Mein Leben hat eine entscheidende Wende genommen«, schrieb er. »Ich bin nicht mehr auf Deine materielle Unterstützung angewiesen, und ich hoffe, daß dieser Umstand unsere Beziehung und alte Freundschaft auf eine neue, unbelastetere Ebene bringt.«

Wie sie kurz darauf von Schöller erfuhr, stimmte das mit der Wende. Er lebte mit Rosemarie Haug ein zurückgezogenes, bürgerliches Leben. Er schien tatsächlich mit dem Trinken aufgehört zu haben. Auf den Observationsfotos, die ihr Schöller zeigte, sah er besser aus denn je.

Sie wies Schöller an, ein Auge auf Koni zu haben und die Unterstützung einzustellen. Dann spendete sie von einem Konto, von dem nicht einmal Schöller wußte, 100 000 Franken an ein Kinderhilfswerk. Als Spender gab sie Konrad Lang an. Sie schrieb ihm einen herzlichen Brief, wünschte ihm für seinen neuen Lebensabschnitt alles Gute und legte den Spendenbeleg bei.

Konrad Lang schrieb ihr einen gerührten Brief, in welchem er beteuerte, daß er ihr diese noble Geste nie vergessen werde.

Genau das hatte sie damit beabsichtigt.

Aber mit dem Nie-Vergessen war es bei Konrad so eine Sache.

An einem unfreundlichen Novembertag beschloß er, Rosemarie mit einem Fondue zu überraschen. Er fuhr mit dem Taxi in die Stadt zum einzigen Käseladen, der seiner Meinung nach eine anständige Fonduemischung führte, kaufte dort eine rezente für drei Personen (er haßte es, wenn zu wenig Essen auf dem Tisch stand), suchte in der nahen Bäckerei ein passendes Halbweißbrot aus und besorgte Knoblauch, Maizena, Kirsch und Weißwein.

Zu Hause sah er, daß Rosemarie dieselbe Idee gehabt hatte: Im Kühlschrank stand eine Tüte Fonduemischung vom selben Geschäft neben einer Flasche Weißwein vom selben Rebberg. Auf dem Küchenbüffet lag ein Halbweißbrot vom selben Bäcker neben einer Schachtel Maizena und einer Flasche Kirsch derselben Marke.

»Gedankenübertragung«, lachte er, als er zu Rosemarie ins Wohnzimmer kam.

»Was?«

»Ich habe auch gefunden, es sei Fonduewetter.«

»Wieso ›auch‹?«

Langs Gedächtnis mochte nicht mehr auf der Höhe sein. Aber seine Reflexe, die Reflexe eines Mannes, der sein Leben lang gezwungen war, sich anzupassen, funktionierten noch einwandfrei.

»Sag bloß, du hast keine Lust auf Fondue, ich habe nämlich eingekauft für drei.«

»Natürlich habe ich Lust auf Fondue«, lächelte Rosemarie.

»Eben, wenn das keine Gedankenübertragung ist.«

Er ging zurück in die Küche und ließ eine Tüte Fonduemischung, eine Flasche Kirsch, ein Halbweißbrot und eine Schachtel Maizena im Abfall verschwinden.

Obwohl es noch nie einen Menschen gegeben hatte, zu dem Konrad so uneingeschränktes Vertrauen besaß wie zu Rosemarie Haug, brachte er es nicht fertig, sie einzuweihen. Erstens wollte er sie nicht beunruhigen mit etwas, von dem er annahm, daß es wieder vorbeigehen würde. Und zweitens glichen die Symptome Anzeichen von Senilität. Ein Fünfundsechzigjähriger gesteht der dreizehn Jahre jüngeren Frau, die er bald heiraten will, nicht gerne ein, daß er unter beginnender Senilität leidet.

Konrad Lang entwickelte Techniken, sein Problem zu kaschieren. Er skizzierte einen Lageplan des Hauses und der Geschäfte, in denen er normalerweise einkaufte. Er stellte eine Liste zusammen mit Namen, die er oft brauchte und die ihm eigentlich geläufig sein sollten. Er bewahrte in seinem Portemonnaie, seiner Brieftasche und seinem Schlüsseletui ihre gemeinsame Adresse auf. Und für den Fall, daß er sich im weiteren Umkreis verirrte, trug er einen Stadtplan bei sich, mit dessen Hilfe er sich als verirrter Tourist ausgeben konnte.

Aber Ende November passierte etwas, mit dem Konrad nicht gerechnet hatte: Er fand nicht mehr aus dem Supermarkt hinaus. Er irrte durch die Regalreihen wie durch ein Labyrinth und konnte den Ausgang nicht finden. Es gab nichts, woran er sich orientieren konnte, nie kam er an eine Stelle, die aussah, als wäre er hier schon einmal gewesen. Dabei war es ein kleiner Supermarkt.

Schließlich heftete er sich einer jungen Frau an die Fersen, deren Einkaufswagen beladen war mit Einkäufen und einem quengelnden Kind. Sie bemerkte bald, daß der ältere Herr ihr folgte – ging, wenn sie ging, und stehenblieb, wenn sie stehenblieb. Jedesmal, wenn sie einen mißtrauischen Blick über die Schulter warf, nahm Lang wahllos etwas aus einem Regal und legte es in seinen Wagen. Als er endlich glücklich an der Kasse angekommen war, räumte er erleichtert einer durch nichts zu erschütternden Kassiererin neben unverfänglichen Gemüsen und Fleischwaren eine Reihe seltsamer Produkte auf das Rollband. Das kompromittierendste: Kondome mit Himbeergeschmack.

Manchmal litt Konrad Lang unter den Aussetzern. Vor allem darunter, daß er ihnen so hilflos ausgeliefert war. Manchmal hätte er sein Gehirn packen und ihm nachhelfen wollen, wie seinem Knie, das manchmal lotterte, oder seinem Kreuz, das manchmal schmerzte. Aber ein Leben, wie er es geführt hatte, war nur auszuhalten, wenn man von klein auf zu verdrängen gelernt hat.

Deshalb ergriff er auch jetzt keine ernsteren Maßnahmen als den Kauf eines Ginkgo-Präparates, von dem er einmal gehört hatte, es verbessere die Gedächtnisleistung. »Gut für ältere Herren mit jüngeren Frauen«, scherzte er Rosemarie gegenüber, als sie ihn auf das Fläschchen ansprach, das sie bei seinen Klaviernoten fand, wo er es versteckt und vergessen hatte.

Rosemarie lächelte etwas nachdenklich.

Rosemarie Haug besaß aus ihrer ersten Ehe mit Robert Fries in Pontresina ein schönes altes Engadinerhaus. Sie hatte es, seit sie herausfand, daß es ihrem zweiten Mann als Liebesnest diente, nicht mehr benutzt und nach ihrer Scheidung vor sechs Jahren oft mit dem Gedanken gespielt, es zu verkaufen. Aber jetzt, mit Konrad Lang, hatte sie plötzlich wieder Lust, die Festtage dort zu verbringen. Es schien ihr, die Zeit und der Mann dafür seien gekommen.

Sie reisten per Bahn, weil Konrad der Meinung war, daß so die Ferien schon auf der Reise anfingen. Rosemarie, die eigentlich lieber den Audi Quattro genommen hätte, der kaum benutzt in der Garage stand, bereute es bald, daß sie sich hatte überreden lassen. Konrad zeigte sich auf der Reise nämlich von einer Seite, die sie noch nie an ihm bemerkt hatte. Er war so nervös vor der Abreise, daß sie fast eine Dreiviertelstunde zu früh am Bahnhof waren. Er suchte immer wieder nach den Fahrkarten, zählte pausenlos die Gepäckstücke und war während der ganzen Fahrt im bequemen Erster-Klasse-Abteil und im nostalgischen Speisewagen so angespannt und unkonzentriert, daß sie ganz erschöpft war, als sie schließlich ankamen.

Frau Candrian, die Frau, die sich um das Haus kümmerte, hatte sich große Mühe gegeben. Die Zimmer waren gelüftet und geputzt, die Betten bezogen, der Kühlschrank gefüllt. Auf dem Büffet im Entrée stand ein Adventskranz, und auf dem warmen Kachelofen in der Arvenstube dufteten getrocknete Apfelschalen.

Rosemarie hatte es kaum erwarten können, Konrad den Ort zu zeigen, der ihr einmal so viel bedeutet hatte und, mit ihm, wieder bedeuten würde. Aber als sie ihn durch das alte Haus führte, war er auf eine Art zerstreut und unaufmerksam, die an Unhöflichkeit grenzte.

Sie gingen früh zu Bett. Zum ersten Mal, seit sie sich kannten, lag beim Einschlafen etwas Unausgesprochenes zwischen ihnen.

Am nächsten Tag fand Rosemarie Konrads Gedächtnisstützen.

Konrad schlief, wie er es neuerdings öfter tat, bis in den späten Vormittag hinein. Rosemarie machte Frühstück. Dabei fand sie im Kühlschrank Konrads Brieftasche.

Als sie die auf den Küchentisch legte, fiel ein Zettel heraus. Er war beidseitig beschrieben. Auf der einen Seite eine Wegskizze mit der Lage des Metzgers, der Bäckerei, des Kiosks und des Einkaufszentrums und ihrer Wohnung, neben der »Wir« stand. Auf der anderen Seite Namen von guten Bekannten, Nachbarn, der Putzfrau. Zuunterst, dick unterstrichen, stand: »Sie: Rosemarie!«

Rosemarie steckte den Zettel zurück in die Brieftasche. Als Konrad aufgestanden war, schlug sie ihm einen Spaziergang zum Stazersee vor.

Der Weihnachtsrummel hatte noch nicht angefangen. Auf den frisch geräumten Wegen durch den tiefverschneiten Wald begegneten sie nur wenigen Spaziergängern. Die meisten waren wie sie: gutsituierte Paare, die keine Rücksicht mehr auf Schulferien und offizielle Feiertage zu nehmen brauchten. Wenn sie sich näherten, verstummten sie, wenn sich ihre Wege kreuzten, sagten sie »Grüezi« oder »Grüß Gott«, dann hörte man in der Stille das Knarzen von vier Paar teuren Schneestiefeln im festgestampften Neuschnee, und dann von weitem die Stimmen, die das unterbrochene Gespräch wieder aufnahmen.

»Das kennst du doch auch: Du gehst in die Küche, weil du den Schöpflöffel vergessen hast, und dann stehst du in der Küche und weißt nicht mehr, was du hier wolltest.«

Rosemarie hatte sich bei Konrad eingehängt. Sie nickte.

»So ist es«, fuhr Konrad fort, »nur extremer. Du stehst mit dem Schöpflöffel in der Hand im Schlafzimmer und weißt nicht, was du hier willst. Du gehst damit ins Wohnzimmer, ins Bad, in die Küche, ins Eßzimmer, und es fällt dir nicht ein, was du mit dem Schöpflöffel vorhattest.«

»Und schließlich versteckst du ihn im Wäscheschrank«, ergänzte Rosemarie.

»Kennst du das auch?«

»Dort habe ich ihn gefunden.«

Schweigend gingen sie weiter. Rosemarie hatte vor einer halben Stunde das Thema angeschnitten. Nach längerem Zögern – sie hatte sich einen schonenden Einstieg zurechtgelegt, der ihr zunehmend blöder vorgekommen war. Schließlich entschied sie sich für den direkten Weg. »Mir ist der Zettel in die Hände gekommen, mit dem du unsere Wohnung findest und dich an meinen Namen erinnerst.«

»Wo?« hatte er gefragt.

»Im Kühlschrank.«

Er lachte. Damit schien das Eis gebrochen. Er erzählte ihr alles. Alles, woran er sich erinnern konnte.

Ein Paar kam ihnen entgegen, verstummte, grüßte und verschwand aus ihrem Blickfeld. Nach einer Weile sagte Rosemarie sachte:

»Das war nicht das erste Mal, daß ich Dinge an seltsamen Orten fand.«

»Zum Beispiel?«

»Socken im Backofen.«

»Im Backofen? Warum hast du nichts gesagt?«

»Ich hielt es nicht für wichtig. Eine kleine Zerstreutheit.«

»Was noch?«

»Ach, nichts.«

»Du hast gesagt ›Dinge‹.«

Rosemarie drückte seinen Arm. »Kondome im Tiefkühlfach.«

»Kondome?« Konrad lachte verlegen.

»Himbeeraroma.«

Er blieb stehen. »Bist du sicher?«

»Es stand drauf.«

»Ich meine, bist du sicher mit dem Tiefkühlfach.« Konrad klang jetzt etwas gereizt. Rosemarie nickte.

»Und warum hast du nichts gesagt?«

»Ich wollte nicht... ach, ich weiß nicht.«

Langsam gingen sie weiter. Konrad entspannte sich. Plötzlich lachte er auf. »Mit Himbeeraroma.«

Rosemarie lachte mit. »Vielleicht solltest du zum Arzt.«
»Glaubst du, es ist so ernst?«
»Nur sicherheitshalber.«
Hinter ihnen rasselte ein Pferdeschlitten. Sie traten an den Wegrand und ließen ihn vorbei. Zwei kleine, alte Gesichter unter riesigen Pelzmützen guckten aus den Lammfelldecken.
Sie gingen weiter im warmen Geruch der Pferde. Als das Bimmeln verklungen war, sagte Konrad: »Es war schön, daß ich mal mit jemandem so offen reden konnte. Mit Rosemarie kann ich das nie.«
Rosemarie blieb stehen. »Aber ich bin doch Rosemarie.«
Für den Bruchteil einer Sekunde dachte sie, er würde die Fassung verlieren. Dann grinste er. »Reingefallen!«

Der Entschluß, einen Arzt aufzusuchen, gab Konrad Auftrieb. Als ob der Vorsatz, seinen Problemen auf den Grund zu gehen, auch zugleich deren Lösung darstellte. Sein Gedächtnis spielte ihm keine Streiche mehr. Nie hatte Rosemarie das Gefühl, er verwechsle sie.
Sie verbrachten einen harmonischen, sentimentalen Weihnachtsabend mit Christbaum und Wunderkerzen und Mitternachtsmesse. Und ein gepflegtes Silvester mit viel Oscietre und keinem Champagner und einer halben Stunde am offenen Fenster bei fernem Glockengeläut.
Voller Zuversicht begannen sie das neue Jahr.

Am Morgen des Dreikönigstages stand Konrad Lang um vier Uhr leise auf, schlich aus dem Schlafzimmer, zog über jeden Fuß zwei Socken und über den Pyjama einen Regenmantel. Er setzte sich Rosemaries Pelzkappe auf und öffnete die schwere Haustür, trat in die sternklare Winternacht hinaus und ging rasch über die Hauptstraße in Richtung Dorfausgang. Dort nahm er eine Abzweigung, überquerte vorsichtig die Bahntrasse und schritt tüchtig aus in Richtung Stazerwald.

Es war eine kalte Nacht, und Konrad war froh, daß er in seiner Manteltasche ein paar schweinslederne Handschuhe fand. Er zog sie an, ohne sein Tempo zu verlangsamen. Wenn er so weiterging, würde er in einer Stunde dort sein. Das war früh genug. Er könnte es sich sogar leisten, aufgehalten zu werden. Er war extra beizeiten aufgestanden.

Der Wald war tief verschneit, hohe Schneewände säumten den Weg und schluckten jedes Geräusch, er hätte nicht einmal die weichen Schuhe anzuziehen brauchen.

Ab und zu kam er an freigeschaufelten Ruhebänken vorbei. Neben jedem stand ein Papierkorb, auf dem ein schwarzes Strichmännchen auf gelbem Grund etwas in einen Strich-Papierkorb warf. Aber Konrad fiel nicht darauf herein. Er warf nichts hinein.

Alles lief nach Plan, bis er zu einer Stelle kam, wo sich der Weg teilte. Dort stand ein Wegweiser mit zwei gelben Schildern. Auf dem einen stand: »Pontresina 1/2 Std.«, auf dem andern: »St. Moritz 1 1/4 Std.« Damit hatte er nicht gerechnet.

Er blieb stehen und versuchte den Trick zu durchschauen. Er brauchte lange, bis er dahinterkam: Man wollte ihn auf eine falsche Fährte locken. Das brachte ihn zum Lachen. Er stand da, schüttelte den Kopf und lachte immer wieder auf. *Ihn* auf eine falsche Fährte locken!

Als Rosemarie erwachte, war es noch stockdunkel. Sie spürte, daß etwas nicht stimmte. Konrads Platz im Bett war leer.

»Konrad?«

Sie stand auf, machte Licht, schlüpfte in den Morgenrock und ging hinaus.

»Konrad?«

Im Vestibül brannte Licht. Konrads Kamelhaarmantel hing an der Garderobe, seine Schneestiefel standen auf dem Abtropfblech daneben. Er mußte also im Haus sein.

Die Windfangtür war zu, aber als sie daran vorbeiging, spürte sie einen kalten Luftzug. Sie öffnete sie. Eisige Nachtluft schlug ihr entgegen. Die Haustür stand sperrangelweit offen.

Sie ging zurück, schlüpfte in ihre Lammfellstiefel und zog sich den gefütterten Lodenmantel über. Die Stelle, wo ihre Pelzkappe hätte sein müssen, war leer.

Sie trat vor die Tür.

»Konrad?«

Dann etwas lauter: »Konrad!«

Alles blieb still. Sie ging vors Haus bis zum Gartentor. Es stand offen. Die Dorfstraße lag still vor ihr. Die Häuser waren dunkel.

Die Uhr der Dorfkirche schlug fünf.

Rosemarie ging ins Haus zurück, öffnete die Tür zu jedem Zimmer und rief Konrads Namen.

Dann ging sie zum Telefon und wählte den Notruf der Polizei.

Hercli Caprez war schon lange Polizist im Oberengadin. Er war es gewohnt, daß wohlsituierte Herren in den besten

Jahren nachts abhanden kamen. Aber er wußte natürlich auch, daß er solche Fälle sehr ernst zu nehmen hatte; in der Saison befanden sich hier lauter Leute mit Einfluß an Stellen, die ihm das Leben schwermachen konnten. Sein junger Kollege besaß zwar noch nicht diese Abgeklärtheit, aber genügend Respekt, um das Maul nur dann aufzumachen, wenn er gefragt wurde.

Caprez gab sofort vor Rosemaries Augen in sachlichem Ton telefonisch eine Beschreibung von Konrad Lang durch. »Nach den bisherigen Erkenntnissen trägt der Vermißte einen Regenmantel und einen Pyjama, keine Schuhe und eine Nutria-Damenmütze.«

Der Polizist am anderen Ende lachte. »Der dürfte eigentlich nicht allzuschwer zu finden sein.« Caprez antwortete mit einem diskreten »Danke«.

Er legte auf, schaute Rosemarie in die Augen und sagte: »Die Fahndung läuft, Frau Haug.«

Fausto Bertini fuhr den Pferdeschlitten Nummer eins im ersten Morgengrauen zur Werkstatt des Fuhrbetriebes, für den er in der Wintersaison arbeitete. Der Eisenbeschlag einer Kufe war abgerissen und mußte repariert sein, bevor es losging. Es war Hochsaison. Jeder Schlitten wurde gebraucht.

Alle paar Meter schlingerte und ruckte das beschädigte Gefährt und brachte die Stute aus dem Tritt und Bertini zum Fluchen.

An der Abzweigung nach Pontresina blieb das Tier vollends stehen.

»Hü!« rief Bertini, »hü!« Und als das nichts half: »Porca miseria!« Und: »Vaffanculo!«

Die Stute rührte sich nicht. Gerade als Bertini die Peitsche aus der Halterung nehmen wollte, wo er sie meistens stecken hatte – er war trotz seiner Ausdrucksweise ein sanfter Kutscher –, sah er ein Stück Fell, das sich im Schnee vor dem Wegweiser bewegte. Die Stute scheute. »Hoo, hoo«, machte Bertini. Als sie sich beruhigt hatte, stieg er vorsichtig vom Bock und ging leise auf das Pelztier zu.

Es war kein Tier, es war eine Pelzmütze. Sie saß auf dem Kopf eines älteren Herrn, der aus einem Loch im tiefen Schnee ragte.

»Ich glaube, meine Füße sind erfroren«, sagte er.

Konrad Langs Füße waren nicht erfroren. Aber zwei Zehen des linken und einer des rechten Fußes mußten amputiert werden. Abgesehen davon war er erstaunlich heil geblieben. Daß er sich in den Schnee eingegraben hatte, habe ihm das Leben gerettet, meinten die Ärzte.

Er konnte sich an nichts erinnern bis zum Moment, als er das Bimmeln des Pferdeschlittens gehört hatte. Als ihn Bertini auf den Schlitten gepackt hatte, redete er wirres Zeug. Im Spital in Samedan, kurz nach der Einlieferung, verlor er dann zweimal das Bewußtsein. Aber jetzt schien ihn der Vorfall weniger zu belasten als Rosemarie. Sein Hauptproblem war: Raus aus dem Spital.

Da Rosemarie Haug weder Verwandte noch Ehefrau war, hatte sie keine Rechte in bezug auf Konrad; zum Glück verfügte sie über gute Beziehungen zur Spitalleitung und bat den Chefarzt, Konrad erst zu entlassen, nachdem er von einem Neurologen untersucht worden war.

Zwei Tage später landete Dr. Felix Wirth in Samedan.

Felix Wirth war einer der wenigen aus dem Freundeskreis ihrer zweiten Ehe, mit denen Rosemarie noch Kontakt hatte. Er hatte mit ihrem Mann studiert, und sie hatten sich nicht aus den Augen verloren, obwohl sich beide auf sehr unterschiedliche Gebiete, ihr Mann auf Chirurgie, Felix Wirth auf Neurologie, spezialisiert hatten.

Bei ihrer unschönen Kampfscheidung schlug sich Felix überraschend auf ihre Seite und sagte sogar vor Gericht gegen ihren Mann aus.

Felix Wirth war immer da, wenn sie ihn brauchte. Daß sie ihn nicht schon früher um Rat gefragt hatte, konnte sie sich nur damit erklären, daß sie, wie Konrad, die Augen vor der Wirklichkeit verschloß. Er hatte sofort eingewilligt, Konrad Lang zu untersuchen, ohne diesem gegenüber zu erwähnen, daß er das auf Veranlassung von Rosemarie tat.

Sie holte ihn vom Flugplatz ab. Während der ganzen Taxifahrt zum Spital stellte Dr. Wirth Rosemarie Fragen. Kann er sich allein rasieren? Nimmt er Anteil daran, was um ihn herum geschieht? Kann er kleine Besorgungen allein machen? Setzt er eine Unterhaltung richtig fort, wenn sie unterbrochen wurde?

»Er ist nicht senil. Er hat einfach diese Blackouts, von denen ich dir am Telefon erzählt habe.«

»Entschuldige, ich muß diese Fragen stellen.«

Sie schwiegen, bis das Taxi vor dem Spital hielt. Als Dr. Wirth ausstieg, sagte Rosemarie: »Ich habe Angst, es ist Alzheimer.«

Dr. Wirth drückte sie an sich.

»Sie sind Hirnspezialist?« fragte Konrad Lang, als Dr. Wirth seine Befragung zur Anamnese abgeschlossen hatte.

»So kann man es nennen.«

»Und Sie sind ans Arztgeheimnis gebunden?«

»Natürlich.«

»Was ich Ihnen jetzt sage, fällt darunter: Ich möchte niemanden beunruhigen, aber ich fürchte, ich habe Alzheimer.«

»Daß Sie mir das so sagen, Herr Lang, spricht eigentlich gegen die Diagnose. Solche Blackouts können viele Ursachen haben.«

»Mir wäre es trotzdem lieber, Sie untersuchten mich auf Alzheimer. Frau Haug und ich haben nämlich vor zu heiraten.«

Die Mitteilung kam unerwartet für Dr. Wirth. Er brauchte einen Moment, bis er seine Sachlichkeit zurückgewonnen hatte. »Es gibt leider bis heute keine zuverlässige Diagnose für Alzheimer Demenz. Das einzige, was wir versuchen können, ist, die anderen Ursachen auszuschließen. Aber selbst wenn wir sie alle ausschließen könnten, wüßten wir immer noch nicht, ob Sie Alzheimer haben. Nicht mit letzter Sicherheit.«

»Aber mit hoher Wahrscheinlichkeit?«

»Das schon.«

»Dann lassen Sie uns anfangen auszuschließen.«

Dr. Wirth setzte sich neben das Bett, öffnete sein Köfferchen und nahm ein paar Papiere heraus. »Ich werde Ihnen jetzt dreißig Fragen und Aufgaben stellen.«

»Ein Test?«

»Eine Art Bestandsaufnahme.«

»Schießen Sie los.«

»Welcher Wochentag ist heute?«

»Keine Ahnung. Dienstag?«

»Donnerstag.« Dr. Wirth machte ein Kreuz auf seinen Fragebogen. »Neunzehnhundertwieviel?«

»Dreiundsiebzig?«

Dr. Wirth machte sein Kreuz. »Welche Jahreszeit?«

»Dreiundneunzig, wollte ich sagen.«

»Wir sind bei der Jahreszeit.«

»Sechsundneunzig? Ich weiß doch, welches Jahr wir schreiben.«

»Ist es Frühling, Sommer, Herbst oder Winter?«

»Schauen Sie doch raus! Winter.«

»Welcher Monat?«

»Dezember. Nein, Januar. Ich bleibe bei Januar.«

»Den wievielten?«

»Nächste Frage.«

»Wo sind wir hier?«

»Im Spital.«

»In welchem Stockwerk?«

»Ich war bewußtlos, als man mich hierher brachte.«

»In welcher Ortschaft?«

»Wenn ich das mitgekriegt hätte, wüßte ich auch das Stockwerk.«

»Welcher Kanton?«

»Graubünden.«

»Welches Land?«

»Griechenland.«

»Bitte sprechen Sie mir nach: Zitrone.«

»Zitrone.«

»Schlüssel.«

»Schlüssel.«

»Ball.«

»Ball.«

»Und jetzt ziehen Sie bitte sieben von hundert ab.«

Konrad wiederholte: »Und jetzt ziehen Sie bitte sieben von hundert ab.«

»Nein, das ist jetzt eine Rechenaufgabe. Bitte führen Sie sie aus.«

Konrad Lang rechnete. Dr. Wirth wartete geduldig.

»Der Wechsel ist so abrupt.«

»Das ist Absicht.«

Konrad Lang rechnete. »Dreiundneunzig.«

»Und davon wieder sieben abziehen.«

Viermal zog Konrad Lang die Zahl Sieben vom jeweiligen Resultat ab. Es fiel ihm nicht leicht, aber es gelang ihm.

»Das war sehr gut«, sagte Dr. Wirth. »Welches waren die drei Wörter, die Sie mir vorhin nachgesprochen haben?«

»Drei Wörter?«

»Ich bat Sie doch, mir drei Wörter nachzusprechen. Können Sie sich erinnern?«

»Wenn ich gewußt hätte, daß ich sie mir merken muß, könnte ich mich jetzt daran erinnern.«

Dr. Wirth machte drei Kreuze und hielt dann seinen Bleistift hoch. »Was ist das?«

»Der Test ist unfair. Wenn man die Spielregeln nicht vorher kennt, hat man keine Chance.«

Dr. Wirth hielt immer noch seinen Bleistift hoch. »Bitte, Herr Lang: Was ist das?«

»Zum Schreiben.«

Dr. Wirth machte sein Kreuz. Dann zeigte er auf seine Armbanduhr. »Und das?«

»Zitrone. Eines war Zitrone.«

»Von den drei Wörtern?«

»Eines war Zitrone. Oder Ball.«

»Ball oder Zitrone?«

»Ich erinnere mich nicht.«

Dr. Wirth zeigte auf die Uhr.

»Elf?« riet Konrad Lang.

Der Arzt machte sein Kreuz. »Sprechen Sie mir bitte folgenden Satz nach: *Bitte keine Wenn und Aber.*«

»Bitte kein Wenn und Aber. Es heißt kein, nicht keine.«

Dr. Wirth gab ihm ein Blatt Papier. »Nehmen Sie dieses Blatt in die rechte Hand.«

Konrad Lang nahm es.

»Falten Sie es in der Mitte.«

Lang faltete es.

»Lassen Sie es auf den Boden fallen.«

Konrad Lang schaute Dr. Wirth verwundert an, zuckte mit den Schultern und warf das Blatt über den Bettrand. Es segelte zwei Meter, dann lag es auf dem gebohnerten Linoleum.

Der Arzt gab ihm ein weiteres Blatt Papier. Darauf stand: »Lesen Sie: Schließen Sie beide Augen! und führen Sie es aus.«

Lang zuckte die Schultern und sah Dr. Wirth verständnislos an.

»Sie sollen: Schließen Sie beide Augen! lesen und es tun.«

Lang verstand nicht. »Nächste Frage.«

Dr. Wirth gab ihm wieder ein Blatt. »Schreiben Sie irgendeinen Satz auf dieses Blatt.«

Konrad Lang schrieb: »Wer von uns beiden spinnt?« und gab es ihm zurück. Dr. Wirth las es, lächelte säuerlich und gab ihm ein neues Papier. Darauf waren zwei Fünfecke gezeichnet. Das eine steckte in der Seite des andern. »Zeichnen Sie das bitte ab.«

Konrad brauchte lange für diese letzte Aufgabe. Aber zum Schluß fand er, daß sie ihm nicht schlecht gelungen war.

Dr. Wirth dagegen gab ihm dafür eine Null.

Konrad Lang erreichte achtzehn von möglichen dreißig Punkten bei diesem Test. Das war ein katastrophales Ergebnis. Selbst wenn ihm Dr. Wirth zugute hielt, daß die Fragen nach Ort und Zeit in Anbetracht der Umstände schwer zu beantworten waren, selbst wenn er einräumte, daß er die Befragung aus persönlichen Gründen nicht absolut fair geführt hatte, würde der Patient nicht die sechsundzwanzig Punkte erreichen, die ein gesunder Mensch im schlechtesten Fall erreichen müßte.

Der Arzt empfahl Rosemarie Haug dringend, Konrad Lang für weitere Untersuchungen in die Universitätsklinik einzuweisen.

»Wenn es dich beruhigt«, sagte Konrad, als Rosemarie ihm diesen Vorschlag unterbreitete.

Drei Tage später lag Konrad Lang in einem Einzelzimmer der Universitätsklinik. Daß es sich um die geriatrische Abteilung handelte, fiel ihm nicht auf.

Aufgrund der Laboruntersuchungen von Blut und Gehirn-Rückenmark-Flüssigkeit konnten Infektionskrankheiten des Hirns ausgeschlossen werden.

Die Elektroenzephalographie ergab keine Hinweise auf andere Ursachen für eine Demenz.

Messungen der Hirndurchblutung schlossen arteriosklerotische Durchblutungsstörungen aus.

Die Ermittlung der Sauerstoff- und Glukoseverwertung im Hirnstoffwechsel deutete auf verminderte Stoffwechselaktivitäten bestimmter Gehirnzonen hin.

Zwei Wochen nachdem er von einem Veltliner Pferdekutscher mit erfrorenen Zehen in einer Schneehöhle im Stazerwald gefunden worden war, lag Konrad Lang in einem Spitalhemd auf einer mit Kunststoff bezogenen Liege und fror.

Eine Assistentin legte eine Decke über ihn und schob die Liege in die kreisrunde Öffnung des Computertomographen. Der Zylinder begann sich zu drehen. Langsam, schneller, immer schneller.

Konrad Lang lag wieder in einer blauen Höhle. Alles um ihn herum versank.

Ganz weit weg sagte eine Stimme: »Herr Lang?«

Und noch einmal: »Herr Lang?«

Ein Herr Lang wurde gesucht.

Eine Hand legte sich leicht auf seine Stirn. Er schlug sie weg und setzte sich auf. Als er von der Liege klettern wollte, merkte er, daß seine Füße verbunden waren.

»Ich will hier weg«, sagte er zu Rosemarie, als sie sein Zimmer betrat. »Hier schneiden sie dir Zehen ab.«

Sie dachte, er wolle einen Witz machen, und lächelte. Aber Konrad schlug die Decke zurück. Er hatte die Verbände abgenommen und zeigte triumphierend auf die kaum verheilten Narben an seinen Füßen.

»Gestern waren es zwei«, sagte er, »heute bereits drei.«

Am gleichen Tag wurde Konrad Lang aus dem Universitätsspital entlassen. Die klinischen Untersuchungen hatten die meisten anderen Ursachen ausgeschlossen.

Auf Drängen von Rosemarie hatte Dr. Wirth eingewilligt, die psychologischen Tests ambulant durchzuführen.

Was Schöller zu berichten hatte, überraschte Elvira Senn. »In der Geriatrie?« fragte sie noch einmal.

»Sie untersuchen dort sein Gehirn. Er leidet unter Gedächtnisstörungen. Demenz.«

»Demenz? Mit wieviel? Knapp fünfundsechzig?«

»Er hat eben ein bißchen nachgeholfen.« Schöller kippte ein unsichtbares Glas.

»Kann man etwas dagegen tun?«

»Wenn es zum Beispiel Alzheimer ist, nicht.«

»Damit rechnet man?«

»Muß man wohl. Über die Hälfte von denen, die dort untersucht werden, haben Alzheimer.«

Elvira Senn schüttelte nachdenklich den Kopf. »Halten Sie mich auf dem laufenden.« Damit wandte sie sich anderen Traktanden zu.

Als Schöller ihr Arbeitszimmer verlassen hatte, stand sie auf und ging ans Büchergestell, auf dem ein paar Erinnerungsfotos standen. Eines zeigte sie als junges Mädchen mit Wilhelm Koch, dem Firmengründer, einem älteren steifen Herrn. Auf dem andern war sie am Arm von Edgar Senn, ihrem zweiten Mann, zu sehen. Zwischen ihnen stand Thomas Koch im Alter von etwa zehn Jahren.

Elvira nahm ein Fotoalbum aus dem Regal und blätterte darin. Bei einem Foto, das sie mit Thomas und Konrad als kleine Buben auf dem Markusplatz zeigte, verweilte sie einen Augenblick. Noch vor kurzer Zeit hatte Konrad sie mit seinen plötzlichen genauen Erinnerungen an die Zeit in Venedig erschreckt. War es möglich, daß ein gütiges Schicksal jetzt damit begonnen hatte, diese ein für allemal auszulöschen?

Sie stellte das Album ins Regal zurück. Es war dunkel geworden. Sie machte Licht und ging zum Fenster. Als sie die Vorhänge zuzog, sah sie für einen Moment ihr Spiegelbild in der Scheibe. Es lächelte.

»Der Löwe wird von einem Tiger gefressen. Welches Tier ist tot?« fragte ihn Dr. Wirth. Da wußte Konrad Lang, daß er verarscht werden sollte.

»Der Tiger«, antwortete er. Dr. Wirth machte sich eine Notiz.

»Reingefallen«, lachte Konrad.

»Das ist kein Spiel, Herr Lang«, mahnte Dr. Wirth ernst.

»Was denn sonst? Ein besonders blödes Spiel ist das sogar. Was haben eine Banane und ein – Dings gemeinsam, was für Sachen liegen unter diesem Tuch, zeichnen Sie eine Uhr. Ich bin doch kein Kind! Ich konnte schon die Uhr lesen, da waren Ihre Eltern noch gar nicht auf der Welt.«

»Es ist wichtig, daß wir diesen Test machen, er hilft uns bei der Diagnose.« Dr. Wirth hielt einen kleinen Gummihammer hoch. »Wie nennt man diesen Hammer?«

»Wechseln Sie jetzt nicht das Thema.«

»Sie wissen es nicht?«

»Woher soll ich das wissen?«

»Weil ich es Ihnen vor ein paar Minuten gesagt habe.«

»Keine Ahnung.«

»Reflexhammer«, sagte Dr. Wirth und machte sich eine Notiz. Genüßlich, wie es Konrad schien.

»Meinen Sie eigentlich, ich merke nicht, was hier läuft? Sie wollen mich vor ihr als senilen Knacker hinstellen, weil Sie es selbst auf sie abgesehen haben.«

»Auf wen?«

»Auf Elisabeth, natürlich.«

Dr. Wirth machte sich eine Notiz. »Sie meinen, Rosemarie.«

»Sag ich ja.«

»Nein, Elisabeth haben Sie gesagt.«

Konrad gab keine Antwort. Er holte tief Luft und versuchte, sich zu beruhigen. Immer wieder hatte er sich vorgenommen, sich von Dr. Wirth nicht aus der Ruhe bringen zu lassen. Und immer wieder hatte der es doch geschafft. Er wußte, wie er ihn verunsichern konnte. »Zeichnen Sie das, welches Datum haben wir heute, was ist das, wozu benützt man es, erkennen Sie die Person auf diesem Foto?« Der Mann war Psychologe und darin geschult, Leute wie ihn aus dem Konzept zu bringen. Und wenn er das einmal geschafft hatte, konnte er ihn mit kinderleichten Fragen hereinlegen. Mit Fragen, auf die er unter normalen Umständen, ohne nachzudenken, die richtige Antwort gewußt hätte. Aber das waren keine normalen Umstände.

Nur weil Konrad Rosemarie versprochen hatte, die Tests durchzustehen, sagte er schließlich: »Machen wir weiter.«

»Wir sind fast durch«, sagte Dr. Wirth. »Ich bitte Sie jetzt, mir ein Sprichwort zu erklären. Es lautet: ›Wer andern eine Grube gräbt, fällt selbst hinein.‹«

Konrad Lang überlegte einen Moment. Dann stand er auf. »Ich bin doch kein Fünfjähriger«, sagte er, ging aus dem Sprechzimmer, durchs Vorzimmer und hinaus auf den Gang.

Dr. Wirth folgte ihm. »Lassen Sie sich wenigstens ein Taxi bestellen«, rief er ihm nach.

Aber Konrad Lang war bereits im Lift und hatte den Knopf gedrückt. Die automatische Tür schloß sich, und der Lift fuhr an.

Im obersten Stockwerk stieg Konrad Lang aus und konnte den Ausgang nicht finden.

Nach einer Weile kam Dr. Wirth, brachte ihn zum Lift und fuhr mit ihm hinunter zum Ausgang.

Vor dem Haus stand ein Taxi. Dr. Wirth nannte dem Fahrer eine Adresse.

Als das Taxi am Ziel ankam, erwartete ihn Rosemarie am Gartentor.

Im Frühling fuhr Rosemarie mit Konrad nach Capri. Sie wußte, daß die Reise sehr anstrengend sein würde, Konrad wurde zusehends komplizierter. Aber er sprach in letzter Zeit immer wieder von Capri, wie wenn sie zusammen dort gewesen wären. So kam sie auf die Idee, sich gemeinsame Erinnerungen an Capri zu schaffen.

Sie mietete bei einem Limousinenservice einen großen Mercedes mit Fahrer. Sie kam sich zwar etwas versnobt vor, aber eine Tramfahrt mit Konrad war schon nervenaufreibend genug, eine Bahn- oder Flugreise wollte sie ihm und sich ersparen.

Konrad genoß die Fahrt in der Limousine, als wäre er sein ganzes Leben nur mit Chauffeur gereist. Erst als sie in Neapel das Aliscafo bestiegen und er die Koffer nicht mehr sah, geriet er kurz in Panik.

Als das Boot vor der Hafeneinfahrt das Tempo drosselte und die Tragflächen wieder eintauchten, legte Konrad den Arm um ihre Schultern und zog sie immer wieder fest an sich, als wollte er sagen: »Weißt du noch?«

Konrad kannte jeden Pfad und jede Bucht auf Capri. Er führte Rosemarie zu den Ruinen der Tiberius-Villa, er aß mit ihr junge rohe Saubohnen im Garten einer Trattoria unter Zitronenbäumen, und er führte sie durch die Villa Fersen, ratlos über ihren plötzlichen Zerfall.

»Weißt du noch?«, »Erinnerst du dich?« fragte er sie immer wieder. Wenn sie ihm erklärte: »Wir waren noch nie zusammen hier«, schaute er sie irritiert an und murmelte: »Natürlich, entschuldige.« Kurz darauf fragte er sie wieder: »Weißt du noch?«, »Erinnerst du dich?«

Schließlich gab Rosemarie es auf, ihn zu korrigieren. Sie lernte, in Erinnerungen zu schwelgen, die nicht ihre eigenen waren. Beide verbrachten noch einmal glückliche Tage auf der Insel seiner ersten großen Liebe.

5

Rosemarie Haug saß im Wohnzimmer und las in der Zeitung, daß Urs Koch, 32, in den Verwaltungsrat der Koch-Werke eingetreten war und die Führung des Elektronikbereichs übernommen hatte. Thomas Koch, 66, war vom operativen Bereich zurückgetreten.

Der Kommentator der Meldung bezeichnete dies als den ersten Schritt zum Machtwechsel in den Werken. Und zwar nicht vom Vater zum Sohn, wie man Außenstehende glauben machen wolle, sondern von der Stiefgroßmutter zum Enkel. Elvira Senn habe zuerst als Vorsitzende des Verwaltungsrates und später als graue Eminenz die Werke mit sicherer Hand geleitet. Der Einfluß des lebenslustigen Thomas Koch auf die operative Führung habe sich während dieser ganzen Zeit in den von Elvira Senn eng gesteckten Grenzen gehalten. Die Einsetzung des talentierten und ehrgeizigen Urs im zwar nicht größten, aber prestigeträchtigen Elektronikbereich werde von Insidern als Zeichen dafür gewertet, daß die Nachfolgeregelung in ihre entscheidende Phase getreten sei.

Rosemarie legte die Zeitung beiseite. Sie wußte nicht, ob Nachrichten aus dem Hause Koch momentan zu den Dingen gehörten, mit denen sie Konrads Interesse fesseln konnte. Seit ihrer Rückkehr aus Capri besuchte sie regelmäßig, manchmal mit ihm, manchmal allein, eine Beratungsstelle für Alzheimerpatienten und deren Angehörige. Sie kam sich dort unter all den gestandenen Ehepaaren zwar etwas fehl am Platz vor. Es war ihr peinlich, daß sie die einzige war, die von ihrem Partner immer wieder verwechselt wurde, obwohl die übrigen Symptome bei den meisten anderen viel weiter fortgeschritten waren. Aber sie tat es, denn irgend etwas mußte sie tun.

Konrad machte dort Übungen fürs Gedächtnistraining, die sie zu Hause mit ihm fortsetzte. Sie hielt sich auch brav an die anderen Ratschläge, nannte ihm immer wieder Datum und Wochentag, unterhielt sich mit ihm über Ereignisse des vergangenen Tages, hielt ihn dazu an, sein Zimmer aufzuräumen, hörte Musik mit ihm, las ihm aus der Zeitung vor und versuchte herauszufinden, womit sie sonst sein Interesse wecken und seine Beziehung zur Realität wachhalten konnte.

Aber es fiel ihr immer schwerer, ihn einzuschätzen. Manchmal interessierten ihn Dinge, für die er in den anderthalb Jahren, seit sie ihn kannte, nie das geringste Interesse gezeigt hatte: Fußballresultate, Lokalpolitik, Hundeausstellungen. Dann wieder konnte er stundenlang vor sich hin starren und nur abwesend nicken, wenn sie seine Lieblingsthemen anschnitt: Chopin, Capri, die Kochs. Manchmal konnte er unvermittelt sagen: »Gloria von Thurn und Taxis hat dem Fürsten zum Sechzigsten einen Geburtstagskuchen mit sechzig Penissen aus Marzipan machen lassen. Er war nämlich schwul. Aber das wußten nur Eingeweihte.«

Kurz nach Capri hatte Konrad zum erstenmal gegen Rosemarie im Backgammon verloren. Nicht lange darauf hatte er Mühe bekundet, das Spiel zu verstehen. Jetzt spielten sie es schon lange nicht mehr.

Auch zu kochen hatte er aufgehört. Immer öfter war er ratlos in der Küche gestanden und konnte sich nicht entscheiden, was in welcher Reihenfolge zu tun sei. Immer häufiger mußte Rosemarie einspringen und aus dem Chaos von halbgerüsteten Zutaten etwas improvisieren.

Eine Zeitlang waren sie noch ab und zu in ein Restaurant gegangen. Aber Konrad hatte mehr und mehr Schwierigkeiten, sich für ein Menü zu entscheiden. Sein langsames Essen hatten Küche und Bedienung so aus dem Rhythmus gebracht, daß sie auch die Restaurantbesuche aufgegeben hatten.

Das Klavier rührten sie auch nicht mehr an. »Es sagt mir nichts mehr«, behauptete Konrad, wenn sie vorschlug, gemeinsam eines ihrer zweihändigen Stücke zu spielen, die noch aus dem Repertoire ihrer ersten Bekanntschaft stammten.

Eines Tages war sie vom Einkaufen nach Hause gekommen und hatte ihn belauscht, wie er verzweifelt versuchte, einen seiner virtuosen einhändigen Läufe zu spielen. Es klang, wie wenn ein Kind auf einem Klavier klimpert. Seither hatte sie ihn nicht mehr auf das Klavierspielen angesprochen.

Inzwischen war es Spätsommer und Konrad Lang mehr und mehr zu einem Pflegefall geworden. Konrad, der, als sie sich kennenlernten, immer elegant und, nachdem er mit dem Trinken aufgehört hatte, auch gepflegt gewirkt hatte, begann sich zu vernachlässigen. Er trug dieselben Sachen, bis sie sie in die Wäsche oder die Reinigung gab. Er rasierte sich schlecht und immer seltener. Seine Fingernägel waren ungepflegt, und als sie ihn darauf aufmerksam machte, nein, als sie ihn in einem Anflug von Ärgerlichkeit (etwas, was ihr immer öfter passierte) bat, sich die Nägel zu schneiden, stellte sich heraus, daß er es nicht konnte. Er stand da mit der Nagelschere in der Hand und hatte keine Ahnung, was er damit tun sollte.

Seit ein paar Tagen fand sie an den unmöglichsten Orten der Wohnung Unterhosen. Manchmal waren sie feucht. Etwas, worauf sie Felix Wirth schon seit einiger Zeit vorbereitet hatte. »Spätestens wenn er anfängt, die Hosen naß zu machen, brauchst du eine Hauspflege«, hatte er gesagt.

Am Anfang hatte sie diese Idee weit von sich gewiesen. Die Vorstellung, eine fremde Person im Haus zu haben, war ihr zuwider. Sie wußte auch, wie schwer es Konrad inzwischen fiel, sich an jemand Neues zu gewöhnen. In letzter Zeit hatte sie immer öfter den Eindruck, er wisse nicht, wer sie sei. Nicht nur, daß er ihren Namen verwechselte (Elisabeth nannte er sie, oder Elvira), es kam auch vor, daß er sie anstarrte wie einen wildfremden Menschen.

Solche Situationen pflegte er zu überbrücken mit einer seiner Floskeln, die er in petto hatte. »Küß die Hand, gnä' Frau« oder »Kennen wir uns nicht aus Biarritz?« oder »Small world!«, in der Hoffnung, sie helfe ihm weiter. Meistens tat sie es. Nur manchmal, wenn sie es leid war, ließ sie ihn hängen.

In letzter Zeit dachte sie gelegentlich, wenn er mich ohnehin als Fremde betrachtet, kann ja auch eine andere Fremde seinen Dreck wegmachen.

Rosemarie Haug stand auf und ging nachsehen, wo Konrad steckte. Er war schon vor einer ganzen Weile aus dem Zimmer gegangen. In letzter Zeit war es immer öfter vorgekommen, daß er sich in der Wohnung nicht zurechtfand.

Als sie ihr Schlafzimmer betrat (sie hatten seit kurzem getrennte Schlafzimmer, eine Maßnahme, die Konrad nur schwer verständlich zu machen war), hörte sie, wie er an der Badezimmertür hebelte. Das Badezimmer war von hier und vom Gang aus zugänglich. Sie hatte begonnen, die Tür zu ihrem Schlafzimmer abzusperren, weil Konrad manchmal in der Nacht in der Wohnung herumgeisterte und schon ein paarmal plötzlich vor ihrem Bett gestanden hatte.

»Hier ist abgeschlossen, Konrad«, rief sie, »nimm die andere Tür!«

Anstatt zu antworten, trommelte Konrad wild auf die Tür ein. Rosemarie drehte den Schlüssel um und öffnete. Konrad stand mit hochrotem Kopf und erhobenen Fäusten im Bad. Als er sie sah, stürzte er sich auf sie und warf sie aufs Bett.

»Verdammte Hexe«, stammelte er. »Ich weiß genau, wer du bist.«

Dann schlug er sie ins Gesicht.

»Nicht einmal, wenn er dein Mann wäre, könnte man dir das zumuten«, sagte Felix Wirth. Sie hatte ihn gleich nach dem Zwischenfall angerufen. Er war sofort gekommen, hatte Konrad, der immer noch ganz verstört war, ein Beruhigungsmittel gespritzt und geholfen, ihn ins Bett zu bringen. Jetzt saßen sie im Wohnzimmer.

»Er wäre beinahe mein Mann geworden. Im Sommer wollten wir heiraten. Aber auch das hat er vergessen.«

»Sei froh.«

»Trotzdem: In gewisser Weise bin ich seine Frau. Es kommt mir vor, als würden wir uns schon ewig kennen.«

»Er hat dich geschlagen, Rosemarie. Und er wird es wieder tun.«

»Er hat mich mit jemandem verwechselt. Er ist der sanfteste Mann, den ich je getroffen habe.«

»Er wird dich wieder mit jemandem verwechseln. Du bist zu neu in seinem Leben. Die Erinnerung an dich ist an der Stelle des Gehirns gespeichert, die zuerst kaputtgeht. Er wird nicht mehr wissen, ob es Sommer oder Winter, Tag oder Nacht ist, er wird sich nicht mehr anziehen können oder waschen. Er wird Windeln tragen und gefüttert werden müssen, er wird niemanden mehr erkennen, nicht mehr wissen, wo er ist, und schließlich auch nicht mehr, wer er ist. Laß mich nach einem Platz in einem Pflegeheim schauen. Tu ihm und dir den Gefallen.«

»Mit welchem Recht? Ich bin weder verwandt noch verheiratet mit ihm. Ich kann doch einen erwachsenen, mündigen Mann nicht einfach ins Heim stecken.«

»Ich schreibe ihm ein Attest, mit dem er innerhalb kürzester Zeit entmündigt ist.«

Eine Weile schauten sie schweigend auf die erleuchtete Dachterrasse. Ein Wind war aufgekommen und beutelte die Zierrebe an der Brüstung.

»Ich habe Frauen erlebt, Ehefrauen, die dreißig, vierzig Jahre mit ihren Männern gelebt hatten, die sich ein Leben ohne sie überhaupt nicht vorstellen konnten, die mir sagten: Wenn ich ihn nicht bald aus dem Haus habe, fange ich an, ihn zu hassen.«

Rosemarie sagte nichts.

»Liebst du ihn?«

Rosemarie überlegte. »Ich war ein Jahr lang sehr verliebt.«

»Das reicht nicht für fünf Jahre Hintern wischen.«

Der Wind klatschte jetzt schwere Regentropfen an die Terrassenfenster.

»Du siehst schlecht aus.«

»Danke.«

»Ich sage dir das, weil es mir nicht egal ist, wie du aussiehst.«

Rosemarie schaute auf und lächelte. »Vielleicht nehme ich eine Hauspflege. Wenigstens für die Nacht.«

Als Konrad Lang erwachte, war es dunkel. Er lag in einem fremden Bett. Es war schmal und hoch, und Elisabeth lag nicht neben ihm. Er wollte aufstehen, aber das ging nicht. Auf beiden Seiten des Bettes waren Gitter.

»He!« rief er. Und dann lauter: »Hehehehe!«

Niemand kam. Alles blieb dunkel.

Er rüttelte am Gitter. Das machte viel Lärm. »Hehehehe!« rief er im Takt des Scheppterns. Und schließlich: »Hilfe!«

»Hilfe!« – »Hehehehe!« – »Hilfe!«

Die Tür ging auf, und im hell erleuchteten Viereck des Rahmens stand eine massige Gestalt. Das Licht im Zimmer ging an. »Was ist los, Herr Lang?«

Konrad Lang kniete im Bett und umklammerte die Stäbe des niedrigen Gitters.

»Ich bin eingesperrt«, keuchte er.

Die Pflegerin kam zum Bett. Sie trug eine weiße Schürze, und an einem Band baumelte eine Lesebrille vom mächtigen Busen. Sie hängte das Gitter aus.

»Sie sind nicht eingesperrt. Das ist nur, damit Sie nicht wieder aus dem Bett fallen. Sie können jederzeit heraus.« Sie zeigte auf den Klingelknopf am Haltegriff über dem Spitalbett. »Sie brauchen nur hier zu klingeln. So wecken Sie Frau Haug nicht auf.«

Konrad kannte keine Frau Haug. Er begann aus dem Bett zu klettern.

»Müssen Sie aufs Klo?«

Konrad antwortete nicht. Er würde jetzt Elisabeth suchen gehen. Aber das ging die Frau nichts an.

Er stand neben dem Bett und schaute sich im fremden Zimmer um. Seine Kleider hatten sie auch verschwinden lassen. Aber damit hielten sie ihn nicht auf.

Als er zur Tür gehen wollte, hielt ihn die Frau am Arm zurück. Er versuchte, sie loszuschütteln. Aber sie hielt ihn fest.

»Loslassen«, sagte er, ganz ruhig.

»Wohin wollen Sie denn, Herr Lang. Es ist zwei Uhr morgens.«

»Loslassen.«

»Seien Sie lieb, Herr Lang. Jetzt schlafen Sie noch ein, zwei Stündchen, und dann ist es hell, und Sie gehen spazieren.«

Konrad riß sich los und rannte zur Tür. Die Pflegerin folgte ihm und erwischte ihn am Ärmel, der mit einem lauten Geräusch riß. Konrad schlug um sich und traf die Frau im Gesicht. Sie schlug zurück, zweimal.

In diesem Moment ging die Tür auf, und Rosemarie stand vor den beiden.

»Elisabeth«, sagte Konrad. Er fing an zu weinen.

Das war die zweite Hauspflege, die Rosemarie entließ. Die erste hatte sie zwar nicht dabei erwischt, wie sie Konrad schlug. Aber eines Morgens hatte er blaue Flecken am Oberarm und ein blaues Auge gehabt. Die Frau hatte behauptet, er sei in der Badewanne ausgerutscht. Konrad konnte sich an nichts erinnern.

Die Verwalterin des Pflegedienstes weigerte sich, Rosemarie einen Ersatz zu schicken. »Herr Lang ist ein aggressiver Patient, da kann es schon einmal passieren, daß jemand zurückschlägt«, war ihr Standpunkt.

Es war wieder Felix Wirth, der ihr half. Er kannte eine ehemalige Schwester, die zwei Kinder aufgezogen hatte und sich jetzt überlegte, wieder in den Beruf einzusteigen. Eine gut bezahlte, private Nachtpflegestelle kam ihr sehr gelegen.

Sie hieß Sophie Berger und war bereit, am gleichen Abend probeweise anzufangen.

Sie war eine schlanke, große, rothaarige Frau Mitte Vierzig. Als sie ihren Dienst antrat, zeigte sich Konrad von seiner besten Seite: »Small World!« rief er aus, plauderte angeregt mit ihr und benahm sich wie der gewandte Gastgeber, der er einmal gewesen war.

Als er ins Bett ging und Sophie Berger ihm erklärte, sie bleibe heute nacht hier und falls er etwas brauche, solle er ungeniert klingeln, zwinkerte er und sagte: »Worauf du dich verlassen kannst.«

»Anzüglichkeiten und Vertraulichkeiten sind sonst überhaupt nicht seine Art«, entschuldigte sich Rosemarie, als Konrad gegangen war.

»Das wäre der erste«, lachte Sophie Berger.

Aber so harmonisch der Abend verlaufen war, die Nacht war ein Alptraum. Immer wieder hörte Rosemarie Türen schlagen, das Rütteln am Gitter des Stahlrohrbettes und Konrads Stimme.

Schließlich hielt sie es nicht mehr aus, stand auf und ging zu seinem Zimmer. Konrad kauerte in einer Ecke seines Bettes und hielt schützend beide Hände über den Kopf. Die Nachtschwester stand am Fußende des Bettes und hatte Tränen in den Augen. »Nicht angefaßt habe ich ihn«, sagte sie, als Rosemarie das Zimmer betrat, »nicht ein Härchen gekrümmt.«

Konrad sagte immer wieder: »Mama Anna soll weg. Mama Anna soll weg.«

Am nächsten Tag verschwand Konrad Lang. Beim Frühstück aß er mit ungewöhnlichem Appetit. Die Nachtschwester erwähnte er mit keiner Silbe. Rosemarie half ihm, sich anzuziehen, und tat die Dinge, die man ihr beigebracht hatte, um seinen Bezug zur Realität herzustellen.

»Ein richtig schöner Herbsttag, so warm für Ende Oktober«, sagte sie und: »Was haben wir heute, Dienstag oder Mittwoch?«

Er antwortete wie immer in letzter Zeit: »Jeder Tag mit dir ist ein Sonntag.«

Sie las ihm aus der Zeitung vor, und wie immer zum Schluß, um seine Präsenz zu testen, schlug sie den Börsenteil auf. »Koch-Werke, plus 4.«

An diesem Morgen setzte er, anstatt sie verständnislos anzuschauen, wieder einmal seine Millionärsmiene auf und befahl: »Kaufen.«

Sie lachten beide, und Rosemarie, die in dieser Nacht nicht viel geschlafen hatte, fühlte sich besser.

Die schlaflose Nacht war auch schuld daran, daß sie nach dem Mittagessen im Fauteuil einschlief. Als sie erwachte, war es drei Uhr, und Konrad war verschwunden.

Sein Mantel war weg, seine Hausschuhe lagen im Korridor, und als sie die Polizei schon angerufen hatte, merkte sie, daß auch sein Kopfkissen fehlte.

Felix Wirth kam, sobald er in der Klinik weg konnte, und blieb bei ihr, ohne ein Wort des Vorwurfs.

Jetzt war es Abend, und noch immer keine Spur von Konrad. Vor den Fernsehnachrichten brachten sie eine Vermißtenanzeige. Als Rosemarie Konrads lächelndes Gesicht (das Foto hatte sie selbst auf Capri gemacht) am Bildschirm sah und die Stimme sagen hörte, Konrad Lang sei verwirrt, man bitte um schonendes Anhalten, füllten sich ihre Augen mit Tränen.

»Eines verspreche ich dir«, sagte sie, »wenn ihm nichts zugestoßen ist, bin ich einverstanden mit dem Pflegeheim.«

Konikoni lag im Gärtnerschuppen und war ganz still. Es war dunkel, aber nicht kalt. Er hatte sich ein Bett gemacht im Torf. Er war warm zugedeckt mit Jutesäcken. Sie waren voller Tulpenzwiebeln gewesen. Er hatte sie in einen Haraß geleert. Und er hatte das Kopfkissen.

Hier würde ihn niemand finden. Hier konnte er bleiben, bis der Winter kam. Vor dem Schuppen gab es Zwetschgen und Baumnüsse. Und neben der Tür einen Wasserhahn, der manchmal auf die blecherne Spritzkanne tropfte. Toc.

Es roch gut nach Torf, Blumenzwiebeln und Dünger. Manchmal bellte ein Hund, aber weit weg. Manchmal raschelte es im Laub vor der Tür. Eine Maus, vielleicht, oder ein Igel. Sonst war es ganz still.

Konikoni schloß die Augen. Toc.

Hier findet sie ihn nicht.

Die ganze Nacht wartete Rosemarie Haug vergeblich auf eine Nachricht. »Bitte rufen Sie uns nicht mehr an«, bat sie ein gereizter Polizist gegen zwei Uhr früh, »wir melden uns sofort, sobald wir etwas hören.«

Felix Wirth konnte sie gegen drei Uhr dazu überreden, ein leichtes Schlafmittel zu nehmen. Als sie eingeschlafen war, legte er sich aufs Sofa und stellte den Wecker seiner Armbanduhr auf sechs.

Um sieben Uhr brachte er Rosemarie Orangensaft und Kaffee ans Bett. Und die Nachricht, daß man nichts Neues wisse. Dann ging er in die Klinik.

Kurz vor acht klingelten zwei Polizisten an der Wohnungstür. Rosemarie öffnete ihnen und erschrak über ihre ernsten Mienen. »Ist etwas passiert?«

»Wir wollten nur nachfragen, ob Sie etwas Neues wissen.«

»Ob *ich* etwas Neues weiß?«

»Manchmal tauchen Vermißte wieder auf, und die Angehörigen sind so erleichtert, daß sie vergessen, uns zu benachrichtigen.«

»Wenn er auftaucht, werde ich Ihnen sofort Bescheid geben.«

»Nichts für ungut. Man erlebt so allerhand.«

»Bestimmt ist etwas passiert.«

»Meistens finden sie sich wieder. Gerade die Verwirrten«, beruhigte sie der ältere Beamte.

»Wenn nichts passiert wäre, hätte man ihn bestimmt inzwischen gefunden.«

»Manchmal gehen sie in fremde Häuser. Bis sie dann dort jemand findet und uns anruft – das kann ewig dauern.«

Der jüngere Beamte fragte: »Keller, Garage, Luftschutzräume: alles überprüft?«

Rosemarie nickte.

»Nachbarn?«

Rosemarie nickte.

Die zwei Polizisten verabschiedeten sich. »Sobald Sie etwas hören, eins eins sieben«, sagte der Jüngere beim Lift.

»Sie können sich darauf verlassen«, antwortete Rosemarie.

»Machen Sie sich keine Sorgen, der taucht wieder auf«, rief der Ältere, während sich die Lifttür schloß.

»Und sei es aus dem See«, grinste er, als der Lift anfuhr.

Unter den Rhododendren war es dunkel. Durch das dichte Blätterdach sah Konikoni Schnipsel des dunstigen Oktoberhimmels. Das Moorbeet war feucht und kühl und roch nach Herbst und Moder. Unter den Steinen, die den Granitplattenweg säumten, lebten graue Kellerasseln. Wenn er sie mit dem Finger berührte, rollten sie ihre Panzer zu Kugeln, mit denen er Murmeln spielen konnte.

Vor einer Stunde hatte der Gärtner keinen Meter vor ihm

Laub gerecht. Konikoni rührte sich nicht, und der Gärtner entfernte sich langsam.

Später gingen alte Frauenbeine vorbei. Kurz darauf junge. Jetzt war es still.

Eine Amsel trippelte über den Weg. An der Beeteinfassung stocherte sie kurz im Torf, und das Ende eines Regenwurmes kam zum Vorschein. Sie zog daran und hielt plötzlich inne. Ihr ausdrucksloses Auge hatte ihn entdeckt. Er hielt den Atem an.

Die Amsel riß den Wurm vollends aus der Erde und machte sich davon.

Der Wind trug den Geruch eines Laubfeuers herbei.

Wenn sie rufen, gebe ich keine Antwort, nahm sich Konikoni vor.

Als Rosemarie gegen Mittag auf die Terrasse trat, sah sie ein Polizeiboot, das langsam das Ufer entlangtuckerte. Am See erkannte sie Polizisten in blauen Überkleidern. Sie bildeten jetzt zwei Gruppen, die in entgegengesetzten Richtungen das Seeufer entlanggingen.

Kurz darauf tat sie etwas, das sie von sich selbst nie erwartet hätte: Sie rief Thomas Koch an.

Thomas Koch war nicht einfach zu erreichen. »Es ist privat«, reichte nicht, um verbunden zu werden. »Es handelt sich um einen Notfall« auch nicht. Erst als sie sagte: »Ein Unglücksfall in der Familie«, hatte sie kurze Zeit später Thomas Koch am Draht.

»Konrad Lang gehört nicht zur Familie«, schnappte er, als sie ihm erklärt hatte, worum es ging.

»Ich wußte mir nicht anders zu helfen.«

»Und was erwarten Sie von mir? Soll ich ihn suchen gehen?«

»Ich habe gehofft, Sie könnten Ihren Einfluß geltend machen. Mir scheint, die Polizei nimmt die Sache nicht ernst.«

»Wer sagt, daß ich Einfluß bei der Polizei habe?«

»Konrad.«

»Da muß er wohl schon etwas durcheinander gewesen sein.«

Rosemarie legte auf.

Simone Koch hatte sich die Ehe anders vorgestellt. Sie war jetzt ein Jahr und vier Monate mit Urs Koch verheiratet und befand sich bereits in ihrer sechsten Ehekrise. Dabei hatte sie ihre Erwartungen nicht zu hoch gesteckt. Sie hatte gewußt, daß Urs eine sehr dominante Persönlichkeit war, und hatte sich darauf gefaßt gemacht, daß es meistens nach seinem Kopf gehen würde. Sie war auch darauf vorbereitet gewesen, daß er viele geschäftliche und auch einige gesellschaftliche Verpflichtungen besaß, bei denen sie nicht immer dabeisein würde. Simone hatte nicht viele eigene Interessen, und es fiel ihr daher nicht schwer, die eines anderen zu ihren eigenen zu machen. Sie interessierte sich für elektronische Hochtemperaturüberwachungsanlagen, Rallyefahren, die Tokioter Börse, Fasanenjagd in Niederösterreich, Military-Reiten, Golf und die Arbeiten einer jungen Textildesignerin, bis sie sie mit Urs Hand in Hand in einem kleinen Restaurant erwischte. Simone hatte sich dort mit einer Freundin verabredet. Urs war durch ein Geschäftsessen verhindert.

Sie war so verblüfft gewesen, daß sie gelacht hatte. Dann

war sie aus dem Lokal gerannt und ihrer Freundin begegnet, die gerade ihr Taxi bezahlte.

»Komm, wir gehen woanders hin, hier ist es rammelvoll.«

Sie gingen in ein anderes Lokal, und Simone verschwieg Judith den Vorfall, obwohl sie ihre beste Freundin war. Sie hätte sich zu sehr geschämt, zugeben zu müssen, daß ihr Mann sie schon nach sechs Wochen Ehe betrog.

Erst zu Hause weinte sie. Urs blieb die ganze Nacht weg. Wenn sie nicht gelacht hätte, sagte er ihr später, wäre er nach Hause gekommen.

Das war Simone Kochs erste Ehekrise.

Manchmal dachte sie, sie hätte eine richtige Szene machen sollen, damals. Dann wären vielleicht nicht so viele weitere Krisen gefolgt.

Urs Koch ließ keinen Zweifel daran, daß für ihn die Ehe nicht den Verlust der persönlichen Freiheit bedeutete, wie er sein Recht auf kleine, für ihre Beziehung völlig folgenlose Affären bezeichnete.

Simone war von ihrer Mutter zu einer in vielerlei Hinsicht pragmatischen Frau erzogen worden. Aber das hier war eine neue Erfahrung. Sie hatte bisher immer Verständnis dafür gehabt, wenn es Männer mit der Treue nicht so genau nahmen. Allerdings war damals immer sie die Frau gewesen, mit der sie in verschwiegenen Lokalen Händchen hielten.

Daß ein Mann nach so kurzer Zeit das Interesse an ihr verlor, verletzte sie nicht nur, es machte ihr auch angst. Ihre Mutter hatte ihr immer gesagt: »Du bist wie ich: niedlich, nicht schön. Unsereiner muß mit spätestens fünfundzwanzig unter der Haube sein.«

Sie war jetzt dreiundzwanzig und hatte gelernt, nicht alles für bare Münze zu nehmen, was ihre Mutter sagte. Aber wenn sie in den Spiegel schaute und sich ihr Kindergesicht mit Falten vorstellte, fragte sie sich schon, ob die Zeit noch reiche für einen Neuanfang.

So wehrte sie sich nur schwach, zählte ihre Ehekrisen und wurde zusehends depressiver. Etwas, was ihrem Aussehen nun wirklich schadete.

Was die Situation noch verschlimmerte, war der Umstand, daß sie in der »Villa Rhododendron« wohnten. Urs baute in der Nähe ein »denkendes Haus«, das unter anderem seine Fenster nach dem Sonnenlauf ausrichtete, seine Energiequellen nach Witterung und Verbrauch selbst bestimmte, seine Bewohner automatisch identifizierte und einließ. Er hatte, ohne Simone zu konsultieren, Elviras Angebot angenommen, bis zur Fertigstellung dieser Mischung aus Traumvilla und Werbegag für Koch-Electronics in den Trakt zu ziehen, der seit dem Auszug von Thomas Kochs dritter Frau ohnehin leer stand.

Simone fühlte sich in diesem alten, großen Haus mit seinen vielen Erinnerungen, die sie nicht teilte, und seinen vielen Ritualen, die sie nicht kannte, noch mehr als Außenseiterin. Sie hatte das Gefühl, alle beobachteten ihre Reaktion auf Urs' Eskapaden, die weder den Familienangehörigen noch dem Personal verborgen blieben, und verlören zusehends das bißchen Respekt, das sie ihr am Anfang noch entgegengebracht hatten.

Elvira, Thomas und Urs waren alle auf ihre Art so mit sich selbst beschäftigt, daß sie Simones Anwesenheit nur dann bemerkten, wenn es gesellschaftlich erforderlich war.

Sonst war sie ihrer Schwermut überlassen, die jetzt, wo der Herbst sie daran erinnerte, wie rasch die Zeit vergeht und die Falten kommen, auch nicht leichter zu ertragen war.

Wie alle Schwermütigen ständig auf der Suche nach einer Kulisse für ihre Melancholie, schlich Simone durch den abgelegenen Teil des Parks, als sie etwas plätschern hörte. Aus den dichten Rhododendren, die den Plattenweg säumten, ragte ein älterer Herr, der offensichtlich am Pinkeln war.

Als er sie sah, nestelte er verlegen an seiner Hose. Simone wandte sich diskret ab. Als sie sich wieder umdrehte, war er verschwunden.

»Hallo!« rief sie. Keine Antwort. Nur eine schwache Bewegung der Blätter, dort, wo er gestanden hatte.

»Bitte kommen Sie heraus«, sagte Simone mit unsicherer Stimme.

Nichts rührte sich.

»Etwas nicht in Ordnung, Frau Koch?« fragte eine Stimme hinter ihr. Es war der Gärtner, Herr Hugli, der den Weg heraufkam.

»Da ist jemand«, antwortete sie. »Dort, in den Rhododendren, ein älterer Herr.«

»Sind Sie sicher?«

»Ich habe ihn gesehen. Jetzt ist er untergetaucht. Etwa dort.«

»He, raus hier, hopp!« rief Herr Hugli.

Alles blieb still. Er warf Simone einen skeptischen Blick zu.

»Ich habe ihn gesehen. Er hat gepinkelt, und dann ist er verschwunden. Er muß dort unten sein.«

Herr Hugli betrat vorsichtig das Beet und watete durch

die Rhododendren, die ihm bis unter die Arme reichten. Simone dirigierte ihn.

»Etwas mehr nach rechts, ja, und jetzt sind Sie gleich dort. Vorsicht!«

Herr Hugli blieb stehen, verschwand in den Pflanzen und kam kurz darauf mit dem älteren Herrn wieder zum Vorschein. »Herr Lang!« stieß er überrascht aus.

Jetzt erkannte Simone den Mann wieder. Konrad Lang, der Brandstifter von Korfu.

Kurz vor Mittag hatte sich bei der Polizei ein Taxifahrer gemeldet. Er sei gestern zu Rosemarie Haugs Adresse bestellt worden. Ein älterer Herr mit einem Kissen. Er habe sich zur Fichtenstraße 12 fahren lassen. Daß er ihm für die Fahrt statt zweiunddreißig Franken hundert bezahlt hatte, erwähnte er nicht.

Fichtenstraße 12 war eine Villa aus den Gründerjahren, die zu einem Bürohaus umgebaut worden war. Niemand dort kannte Konrad Lang oder hatte einen älteren Herrn mit einem Kissen beobachtet. Aber weil der Taxifahrer darauf bestand, daß er ihn zu dieser Adresse gebracht und gesehen habe, wie er das Grundstück betrat, bat Polizeiwachtmeister Staub um Erlaubnis, sich im Garten umsehen zu dürfen, und forderte einen Hund an.

Der Garten hinter der Villa war düster und verwildert. Er stieg in zwei Terrassen gegen den Hang an. Auf der obersten befand sich ein bemooster, längst von großen Tannen überschatteter Wäscheplatz mit verrosteten Teppichstangen. Gleich dahinter grenzte eine dichte Thujahecke das Land gegen das Nachbargrundstück ab.

Zu dieser Hecke führte Senta, die Schäferhündin, ihren Hundeführer. Als er sie losband, verschwand sie im Gestrüpp. Nach einer Weile hörten die Polizisten, wie sie im Nachbargrundstück Witterung aufnahm.

Der Hundeführer zwängte sich durchs Dickicht und stieß auf einen eisernen Staketenzaun, dem er in der Richtung, in der Senta verschwunden war, folgte. Schon nach wenigen Metern erreichte er ein schmales Tor, das halb offenstand. Dahinter einige überwachsene Stufen, die ins Unterholz des Nachbargrundstücks führten.

Der »Villa Rhododendron«.

Als die Polizisten am Eisentor zur »Villa Rhododendron« läuteten, öffnete ihnen ein überraschter Herr Hugli.

»Schon da?« sagte er. Es war höchstens eine Minute her, daß er auf Geheiß von Thomas Koch die Polizei benachrichtigt hatte.

Polizeiwachtmeister Staub räusperte sich. »Wir suchen eine vermißte Person und haben Grund zur Annahme, daß sie sich hier auf dem Grundstück befindet«, erklärte er.

»Und ob«, antwortete Herr Hugli und führte sie ins Haus.

In der Halle der Villa standen Elvira und Thomas Koch vor einem geschnitzten, mittelalterlich anmutenden Stuhl von den Ausmaßen eines Thrones, auf dem die traurige Gestalt Konrad Langs saß, zerzaust, unrasiert und teilnahmslos im zerknitterten, erdverkrusteten Anzug. Neben ihm stand Simone Koch, die versuchte, ihm heißen Tee einzuflößen.

Als die Polizisten kamen, ging Thomas Koch auf sie zu. »Ah, meine Herren, das ging aber schnell. Bitte kümmern

Sie sich um ihn. Man hat ihn hier auf dem Grundstück aufgegriffen. Es handelt sich um Konrad Lang. Er ist geistig verwirrt.«

Polizeiwachtmeister Staub trat an Konrad Langs Stuhl heran. »Herr Lang?« fragte er lauter als nötig. »Sind Sie in Ordnung?«

Konrad nickte.

Etwas leiser sagte Staub zu Elvira und Thomas: »Seit gestern vermißt.«

Und wieder lauter zu Konrad: »Sie machen Sachen!«

»Keine Ahnung, wie der hier hereingekommen ist«, sagte Thomas Koch zu Polizeiwachtmeister Staub.

»Wir schon: durch die kleine Tür beim unteren Nachbargrundstück.«

»Eine Tür?« fragte Thomas Koch.

»Dort unten gibt es eine verrostete Gittertür, kaum zugänglich und wohl schon ewig nicht mehr benutzt. Wußten Sie das nicht?«

Elvira antwortete für ihn. »Ich hatte es vergessen. In der Villa dort unten wohnte ein Freund meines ersten Mannes. Aber der zog noch zu Lebzeiten von Wilhelm weg. Seither wurde die Tür nicht mehr benutzt.«

»Wie lange ist das her?«

»Sechzig Jahre«, sagte Elvira, mehr zu sich selbst.

Thomas schüttelte den Kopf. »Davon hatte ich keine Ahnung.«

»Ich würde etwas dagegen unternehmen, da kann jeder rein«, riet ihm Staub. Dann wandte er sich wieder mit lauter Stimme an Konrad:

»Kommen Sie, wir bringen Sie jetzt nach Hause.«

Konrad schaute den Polizisten verständnislos an. »Ich bin doch zu Hause.«

Die Kochs und die Polizisten tauschten ein Lächeln aus. »Ja, ja. Ins andere Zuhause bringen wir Sie jetzt.«

Konrad überlegte einen Moment. »Ach so«, murmelte er schließlich und stand auf. Er schaute Thomas Koch an. »An die Tür erinnerst du dich nicht?«

Thomas schüttelte den Kopf.

Konrad verdeckte seinen Mund halb mit der Hand und raunte ihm zu: »Die Piratentür.« Dann nahm er Simones Hand. »Danke.«

»Nichts zu danken«, antwortete Simone.

Er schaute sie einen Moment prüfend an. »Kennen wir uns nicht aus Biarritz?«

»Schon möglich«, erwiderte Simone. Die Polizisten brachten Konrad Lang hinaus. Simone ging mit.

Thomas Koch schüttelte den Kopf. »Die Piratentür. Die Piratentür. Irgend etwas klickt. Hat nicht jemand gesagt, er könne sich an nichts mehr erinnern?«

Elvira antwortete nicht.

Thomas blickte den Polizisten, Konrad Lang und Simone nach. »Biarritz! Die kennen sich doch nicht aus Biarritz?«

Zehn Tage später informierte Schöller seine Chefin darüber, daß Konrad Lang ins Alters- und Pflegeheim »Sonnengarten« eingewiesen worden sei.

»Ich nehme an, damit ist das Thema ›Konrad Lang‹ für uns erledigt«, fügte er mit einem schmalen Lächeln hinzu.

Elvira Senn hätte beinahe geantwortet: »Hoffentlich.«

An diesem Abend ging Schöller sehr spät.

6

Das Alters- und Pflegeheim »Sonnengarten« war ein sechsstöckiges Gebäude am Waldrand, nicht allzu weit von der »Villa Rhododendron« und vom Grand Hotel des Alpes, in dessen Bar Konrad Lang so manchen Negroni getrunken hatte, das ideale Nachmittagsgetränk.

Jetzt saß er im Gemeinschaftsraum des obersten Stockwerkes und begriff nicht, was er hier verloren hatte.

Das oberste Stockwerk war die geschlossene Abteilung des Heimes, in dem die sehr fortgeschrittenen Fälle untergebracht waren. Oder die, die wegliefen.

Konrad Lang war kein sehr fortgeschrittener Fall, und die Ärzte hätten ihn lieber in einer anderen Abteilung gesehen, wo die Chancen, Ansprechpartner zu finden, besser waren. Aber erstens war in der Geschlossenen ein Einzelzimmer frei geworden, zweitens war bei Konrad Lang die Weglaufgefahr erwiesenermaßen groß, und drittens war es aufgrund des rapiden Verlaufs der Krankheit bei ihm nur noch eine Frage von Monaten, bis er ohnehin in die Geschlossene überwiesen werden müßte. Doch im Moment wirkte Konrad Lang in seiner neuen Umgebung eher wie ein Besucher als wie ein Patient.

Als Rosemarie Konrad ins Heim gebracht und ihm geholfen hatte, seine Habseligkeiten in sein Zimmer mit dem

Spitalbett zu bringen, hatte sie ihre Tränen nicht zurückhalten können.

Er hatte sie in die Arme genommen und getröstet. »Nicht traurig sein. Es ist ja nicht für ewig.«

Rosemarie litt unter ihrem schlechten Gewissen. Wenn sie nach einer schlaflosen Nacht, in der sie sich immer wieder vorgenommen hatte, ihn dort herauszuholen, am Morgen in den sechsten Stock kam, benahm er sich wie ein guter Freund, der vom Hotel abgeholt wurde. Sie machten lange Spaziergänge in den Herbstwäldern der Umgebung und tranken manchmal etwas in der Bar des Grand Hotel des Alpes, wo er Charlotte, die Nachmittags-Barfrau, mal mit Namen begrüßte, mal völlig ignorierte.

Wenn sie ihn dann doch wieder in den »Sonnengarten« zurückbrachte, um ihn im Stich zu lassen, inmitten von hilflosen, desorientierten, pflegebedürftigen Greisinnen und Greisen, dann war er es, der sie aufmunterte und sagte: »Du mußt jetzt gehen, sonst kommst du mir noch zu spät.«

Er brachte sie zum Lift, der nur mit dem Schlüssel der Stationsschwester gerufen und geöffnet werden konnte, und verabschiedete sich wie jemand, der auf Verständnis dafür hoffte, daß ihn lästige Verpflichtungen daran hindern, sie persönlich nach Hause zu begleiten.

In der ersten Zeit versuchte sie, die Situation für ihn dadurch erträglicher zu machen, daß sie in ihre Wohnung fuhren, um dort gemeinsam den Tag zu verbringen. Aber es stellte sich schnell heraus, daß ihm die Wohnung fremd war. Eine große Unruhe überkam ihn jedesmal, wenn sie dort waren. Immer wieder trieb es ihn aus dem Fauteuil, in den sie ihn gesetzt hatte, während sie das Mittagessen zubereitete. Dann fand sie ihn in Mantel und Hut im Korridor, wie er an der verschlossenen Wohnungstür rüttelte.

Diese Tage waren anstrengend für Rosemarie. Manchmal hörte sie ihn im Nebenzimmer sprechen, und wenn sie nachschaute, merkte sie, daß er sich mit ihr unterhielt. Wenn sie sich dann zu ihm setzte, um die Unterhaltung fortzuführen, schweiften seine Gedanken ab, und sein Gesicht bekam einen abwesenden Ausdruck. Dann konnte er plötzlich aufstehen mit den Worten: »So, es wird höchste Zeit.«

Den ganzen Tag war er auf dem Sprung, doch wenn es Zeit wurde zu gehen, konnte er sie fassungslos anschauen und sagen: »Ich möchte nicht mehr ausgehen.«

Am Abend eines solchen Tages, als sie ihn endlich aus der Wohnung gelockt hatte und sich die Lifttür im sechsten Stock des »Sonnengartens« auftat in den Gemeinschaftsraum und alle Blicke sich erwartungsvoll auf sie richteten, weigerte er sich, den Lift zu verlassen. Es brauchte alle ihre Überredungskünste und die Mithilfe eines kräftigen Pflegers, um ihn in sein Zimmer zu bringen.

Als sie ihn später verließ, hatte er Tränen in den Augen.

Die Stationsärztin sagte am nächsten Tag zu ihr, es sei besser, wenn sie ihn nicht mehr mit nach Hause nehmen würde. Es verwirre ihn. Es falle ihm dann jedesmal so schwer, sich hier wieder zurechtzufinden. Er müsse langsam merken, daß er hier zu Hause sei.

So wurde die geschlossene Abteilung des Alters- und Pflegeheims »Sonnengarten« Konrad Langs neues Zuhause.

Frau Spörri, eine adrette kleine Frau mit blauen Haaren, früher Produktionsdirectrice in einer Kleiderfabrik, trug immer ein Jackett-Kleid, ein kleines Hütchen und weiße Handschuhe. Immer hatte sie ihre Handtasche dabei und manchmal – man wußte nicht, nach welchen Kriterien – einen Schirm. Sie saß im Sofa oder auf einem Stuhl in aufrechter Haltung, ihre Handtasche auf den Knien, und wartete mit verträumtem, geduldigem Lächeln darauf, daß man sie abholte.

Herr Stohler, ein großer, gebeugter Mann in einer weiten Hausjacke, früher Auslandskorrespondent einer großen Zeitung, pflegte reglos am Tisch zu sitzen, unvermittelt aufzustehen, auf einen anderen Bewohner zuzugehen und in einem Kauderwelsch aus Englisch, Italienisch, Spanisch, Französisch und Kisuaheli auf ihn einzureden.

Frau Ketterer, eine schwere, grobschlächtige, frühere Haushaltslehrerin saß breitbeinig auf ihrem Platz und wartete auf eine Gelegenheit, Frau Spörri zuzurufen: »Haben Sie gesehen, wie die wieder blöd gegafft hat?« Oder: »Sehen Sie die? Im Nachthemd im Restaurant!«

Frau Schwab, Hausfrau und Mutter, Großmutter und Urgroßmutter mit schütterem Haar und spitzem Kinn, die schon lange auf ihr Gebiß verzichtete, trug immer einen hellblauen, rosaroten, gelben oder lindgrünen gesteppten Schlafrock, je nachdem, welcher nicht in der Wäsche war. Sie plapperte unentwegt mit hoher Kinderstimme in Babysprache auf eine nackte Puppe ein.

Herr Kern, ein ehemaliger Zugführer, dem man nicht ansah, warum man ihn hierher gebracht hatte, sorgte für Ruhe und Ordnung im Gemeinschaftsraum. »Haltet doch eure blöden Mäuler«, herrschte er in regelmäßigen Abständen Frau Schwab und ihre Puppe an. »Red doch Deutsch!« befahl er Herrn Stohler, wenn der wieder mal einen Redeschwall auf jemanden herunterprasseln ließ.

Herr Aeppli, gewesener Archivar der Stadtverwaltung, immer in einem abenteuerlichen Aufzug aus Kleidungsstükken anderer Heimbewohner, ging von Zimmer zu Zimmer und machte Bestandsaufnahmen und Schrankkontrollen.

Herr Huber, einst Griechisch- und Lateinlehrer am städtischen Gymnasium, lag mit offenem Mund in seinem Rollstuhl und starrte an die Decke.

Herrn Klein, früherer Kunstsammler und Architekt vieler trostloser Vorortssiedlungen, plagte neben seiner Demenz das Parkinsonsyndrom mit heftigem Zittern, was ihn völlig auf fremde Hilfe angewiesen machte.

Insgesamt bewohnten vierunddreißig Frauen und Männer in verschiedenen, fortgeschrittenen Stadien der Demenz den sechsten Stock des »Sonnengartens«. Sie saßen allein oder in Gesellschaft ihrer ratlosen Angehörigen oder gingen ruhelos die Gänge auf und ab und grüßten sich jedesmal wie Fremde, wenn sich ihre Wege kreuzten.

Medizinisch und therapeutisch betreut wurden sie von Fachleuten aus der Schweiz. Gepflegt, gewaschen, gefüttert und gekleidet von Schwestern und Pflegern aus Osteuropa, dem Balkan und Asien.

Konrad Lang schien nicht zur Kenntnis zu nehmen, daß er sich in einem Heim befand. Er hielt höfliche Distanz zu den Mitbewohnern und dem Pflegepersonal und nahm seine Mahlzeiten an einem separaten Tischchen ein, eine der alten Zeitschriften neben sich, die wohlmeinende Besucher im Gemeinschaftsraum zurückgelassen hatten. Er benahm sich wie ein besserer Herr in einer etwas heruntergekommenen Pension. Rosemarie hoffte, er fühle sich auch so.

Die einzige Kritik, die sie manchmal von ihm zu hören bekam, war: »Hier stinkt's.«

Damit hatte er alles andere als unrecht.

Der eiserne Staketenzaun zum unteren Nachbargrundstück wurde durch einen zeitgemäßen Sicherheitszaun ersetzt. Und wo sie schon dabei waren, ließ Urs Koch die ganze Grundstücksgrenze sanieren. Die elektronischen Überwachungsanlagen wurden vervollständigt und auf den neuesten technischen Stand gebracht, die Verträge mit dem Sicherheitsdienst um ein paar zusätzliche Dienstleistungen erweitert.

Das und die Gewißheit, daß sich Konrad Lang in der geschlossenen Abteilung im sechsten Stock eines Heimes befand, aus dem man normalerweise nicht mehr lebend herauskam, hätte Elvira Senn eigentlich genügen müssen, um sich vor weiteren Heimsuchungen aus der Vergangenheit sicher zu fühlen. Aber sie ertappte sich immer wieder dabei, daß sie an Konrad dachte. Dr. Stäublis Worte, daß Menschen mit Altersdemenz manchmal tief in ihrem Altgedächtnis versänken und plötzlich in greifbare Nähe zu ihren frühen Kindheitserinnerungen gerieten, gingen ihr nicht aus dem Sinn.

Sie sagte sich zwar, daß niemand auf das Geschwätz eines geistig Verwirrten achten würde, aber eine echte Beruhigung war ihr das nicht. Es machte sie nervös, daß Konrad ausgerechnet jetzt, wo er außer Kontrolle zu geraten schien, ihrem Einfluß entzogen war. Sie war eine Frau, die es gewohnt war, nichts dem Zufall zu überlassen.

Darum lud sie die stumm an ihrer Ehe mit Urs leidende Simone ins »Stöckli« zum Tee und brachte das Gespräch auf den alten Mann, was sich als nicht sehr schwierig herausstellte.

»Was wohl Koni macht«, sagte sie gedankenverloren.

Simone war überrascht. »Konrad Lang?«

»Ja. Wie er so dahockte wie ein Erdmännchen. Er konnte einem direkt leid tun.«

»Mir tat er sehr leid.«

»Eine schreckliche Krankheit.«

Simone schwieg.

»Dabei hat alles so gut für ihn ausgesehen: eine Frau mit Geld, die Aussicht, für den Rest seines Lebens das zu tun, was er am liebsten tut: rein gar nichts. Und jetzt im Heim.«

»Er ist im Heim?«

»Irgendwo hört die Liebe auf. Die Frau ist noch jung.«

»Das finde ich sehr egoistisch.«

»Es ist nicht jedermanns Sache, einen dementen Mann zu pflegen.«

»Aber ihn ins Heim abzuschieben ist schäbig.«

»Vielleicht geht es ihm dort gut. Unter seinesgleichen.«

»Das kann ich mir nicht vorstellen.«

Elvira seufzte. »Ich eigentlich auch nicht.« Sie schenkte Tee nach. »Vielleicht könntest du ihn einmal besuchen gehen.«

»Ich?«

»Sehen, wie es ihm geht. Ob er alles hat, was er braucht. Ob man etwas für ihn tun kann. Es würde mich beruhigen.«

Simone zögerte. »Ich gehe nicht gern in Krankenhäuser.«

»Es ist kein Krankenhaus. Es ist ein Altersheim. Das ist nicht schlimm.«

»Warum gehst du nicht?«

»Das ist unmöglich.«

»Oder wenigstens zusammen?«

»Vielleicht hast du recht. Vergessen wir die Sache. Vergessen wir Konrad.«

Simones erster Eindruck war der durchdringende Geruch im Lift, der überhandnahm, als sich die Tür zum sechsten Stock öffnete.

Als sie aus dem Lift trat, wurde es still im Aufenthaltsraum. Jede Bewegung erstarrte, bis auf Herrn Kleins Zittern.

Sie schaute sich um und entdeckte an einem Tischchen am Fenster Konrad Lang, der vor sich hin stierte. Sie ging zu seinem Tisch.

»Guten Tag, Herr Lang.«

Konrad Lang blickte erstaunt auf. Dann erhob er sich, streckte Simone die Hand entgegen und sagte: »Kennen wir uns nicht aus Biarritz?«

Simone lachte. »Natürlich, Biarritz.«

Als sie sich zu ihm setzte, besann sich der Aufenthaltsraum wieder auf sein Plappern, Stammeln, Kichern und Keifen.

Was Simone von Konrad Lang zu berichten hatte, beruhigte Elvira nicht.

»Den muß man da rausholen, und zwar rasch«, sagte sie,

als sie aufgeregt von ihrem Besuch im »Sonnengarten« zurückkam. »Sonst wird er tatsächlich noch krank.«

Auf sie habe er nicht wie ein Alzheimerpatient gewirkt. Er habe sie sofort erkannt, obwohl sie sich erst zweimal getroffen hätten, und sofort auf seinen Witz mit Biarritz angespielt und ihr ausführlich von Biarritz nach dem Krieg erzählt, als ob es erst gestern gewesen wäre.

Er sei dort umgeben von völlig dementen Alten, mit denen er kein vernünftiges Wort reden könne. Und das Beste sei: An keinen einzigen Besuch dieser Rosemarie Haug könne er sich erinnern.

»Der Mann ist vielleicht manchmal etwas durcheinander, aber wer ist das nicht? Wenn der dorthin gehört, dann gibt es noch ein paar Dutzend andere, allein in meinem Bekanntenkreis. Der muß da raus, sonst geht er drauf.«

Elvira hatte sie seit ihrer Hochzeit nicht mehr so enthusiastisch gesehen. Simone war wild entschlossen, Konrad aus dem Heim herauszuholen.

»Der Ärmste«, war Elviras Kommentar, »konntest du mit einem Arzt reden?«

»Ich habe es versucht. Aber mir gibt man keine Auskunft, weil ich keine Angehörige bin.«

»Vielleicht solltest du mit dieser Haug Kontakt aufnehmen.«

»Das habe ich vor. Aber ich weiß nicht, ob ich mich beherrschen kann.«

»Du kannst mit meiner vollen Unterstützung rechnen«, versprach Elvira.

Als Simone das »Stöckli« verließ, dachte sie, vielleicht ist sie doch keine kalte alte Frau.

Damit begann ein kurzer Kampf um Konrad Langs Befreiung aus dem Alters- und Pflegeheim »Sonnengarten«.

Simone versuchte vergeblich, sich mit Rosemarie Haug zu treffen. Schließlich sagte ihr deren Hauswart, sie sei für eine Weile verreist.

Typisch, dachte Simone.

Sie fand über die Heimverwaltung den Namen des einweisenden Arztes heraus und erhielt ohne weiteres einen Termin, als sie ihm erklärte, daß es sich um Konrad Lang handele.

Der Arzt hieß Dr. Wirth und war nicht unsympathisch. Er empfing sie in seinem Büro in der Klinik und hörte ihr geduldig zu, als sie ihm erklärte, daß nach ihrem Eindruck Konrad Lang nicht in diese Umgebung gehöre und sie das Gefühl habe, wenn er jetzt nicht krank sei, werde er es dort bestimmt.

»Kennen Sie Konrad Lang gut?« war seine erste Frage, als sie geendet hatte.

»Nein, aber die Familie meines Mannes kennt ihn sehr gut. Er ist praktisch mit meinem Schwiegervater aufgewachsen.«

»Teilt er ihren Eindruck?«

Simone wurde etwas verlegen. »Er hat ihn nicht besucht. Er ist sehr beschäftigt.«

Dr. Wirth nickte verständnisvoll.

»Das Verhältnis der beiden ist nicht sehr gut. Gewisse Vorkommnisse aus der Vergangenheit.«

»Der Brand auf Korfu.«

»Ja, unter anderem. Ich kenne die genauen Gründe auch nicht. Ich bin neu in der Familie.«

»Sehen Sie, Frau Koch, ich verstehe sehr gut, was Sie empfinden, aber ich kann Ihnen versichern, Ihr Eindruck ist falsch. Wenn Ihnen Herr Lang einen präsenten Eindruck gemacht hat, dann deshalb, weil er mit den Floskeln und Formen seiner Erziehung vieles übertünchen kann und weil Sie ihn vielleicht in einem guten Moment angetroffen haben. Hochs und Tiefs sind typisch für die Krankheit. Aber wir müssen unsere Dispositionen für die Tiefs treffen.«

»Das sehe ich anders. Man sollte sein Leben nach den Hochs ausrichten.«

»Was schlagen Sie also vor?«

»Sie holen ihn dort raus.«

»Und dann, wer pflegt ihn?«

»Mit Frau Haug ist wohl nicht mehr zu rechnen?« erkundigte sich Simone etwas spitz.

Dr. Wirth reagierte gereizt. »Frau Haug hat mehr getan für Konrad Lang, als man einer Frau nach so kurzer Bekanntschaft zumuten kann. Ich war es, der sie überredet hat zu diesem Schritt.«

»Ich hoffe, sie genießt ihre wiedergewonnene Freiheit.«

»Frau Haug ist mit einer Erschöpfungsdepression in einer Klinik am Bodensee, und ich hoffe, sie kommt bald wieder auf die Beine. Wenn jemand seine Verpflichtungen Herrn Lang gegenüber vernachlässigt hat, ist es die Familie Koch, Frau Koch.«

Simone schwieg betreten. Dann sagte sie, etwas weniger selbstbewußt: »Vielleicht ist es nicht zu spät, einiges wiedergutzumachen.«

»Wie stellen Sie sich das vor?«

»Privatpflege. Ich könnte mir vorstellen, daß man eine

Privatwohnung entsprechend einrichtet und privates Pflegepersonal einstellt.«

»Vierundzwanzig Stunden, Frau Koch, das bedeutet rund um die Uhr drei bis vier ausgebildete Fachleute für die Pflege plus Leute für Therapie, Diätküche, Reinigung, medizinische Betreuung. Eine kleine Klinik für einen einzigen Patienten.«

»Ich habe die volle Unterstützung von Frau Senn.«

Als Simone Koch die Klinik verließ, besaß sie Dr. Wirths Versprechen, sich die Sache zu überlegen und mit den Kollegen und den zuständigen Stellen zu erläutern. Er zweifelte nicht daran, daß die Behörden und die Heimverwaltung das Angebot mit Handkuß entgegennehmen würden. Er war nur nicht sicher, wie Rosemarie darauf reagieren würde. Er würde jedenfalls seinen Teil dazu beitragen, sie zu überzeugen.

Simones Plan, das kleine Gästehaus in ein Minipflegeheim umzuwandeln, ging Elvira dann doch etwas zu weit. Sie wollte ihn zwar unter Kontrolle haben, aber so eng nun doch wieder nicht.

»Glaubst du nicht, eine Privatklinik wäre die vernünftigere Lösung?«

»Er braucht keine Klinik«, beharrte Simone, »er braucht nur etwas Betreuung, wenn er eines seiner Tiefs hat.«

»Ich habe ihn hier gesehen, er war völlig verwirrt.«

»Da hatte er eben ein Tief.«

»Wenn du Koni hierher bringst, dreht dein Mann durch. Von Thomas ganz zu schweigen. Es muß eine Lösung geben, die uns alle weniger belastet.«

»Manchmal kann man nicht vor seiner Verantwortung davonlaufen.«

»Wir sind nicht für Konrad Lang verantwortlich.«

»Irgendwie gehört er zur Familie.«

Elvira reagierte gelassen. »Was weißt du schon von der Familie«, war alles, was sie entgegnete.

»Kommt nicht in Frage«, war Rosemarie Haugs Antwort, als ihr Felix Wirth am Wochenende von Simone Kochs Besuch erzählte. Sie saßen im Wintergarten der Rehabilitationsklinik am Bodensee, tranken Kaffee und schauten auf den Nebel, der das Seeufer verhängte.

»Jetzt packt sie das schlechte Gewissen. Jetzt denken sie, sie können mit Geld gutmachen, was sie ihm in sechzig Jahren angetan haben. Sie wollen ihn zum letzten Mal ausnützen. Diesmal zur Beruhigung ihres schlechten Gewissens.«

»Andererseits«, gab Felix Wirth zu bedenken, »wäre das für ihn die letzte Gelegenheit, wenigstens den Lebensabend in dem Stil zu führen, zu dem er erzogen wurde.«

»Als ich vorschlug, ihn privat zu pflegen, hast du es mir ausgeredet.«

»Wir reden von vier- bis fünfhunderttausend Franken im Jahr. Für einen Mann, den du kaum kennst und der sich nicht an dich erinnert.«

»Weißt du, was seine letzten Worte an Thomas Koch waren? Leck mich! Ich finde, wir sollten das respektieren.«

Der Nebel verfing sich in den kahlen Obstbäumen am Ufer.

»Ich muß hier weg, Felix.«

Konrad Lang saß an einem Ort, wo viele Leute waren, als etwas Interessantes passierte: Gene Kelly tanzte aus dem Fernsehapparat. Zuerst tanzte er auf einer Zeitung, die er dabei in zwei Stücke zerriß, dann tanzte er auf der einen Hälfte, die er wieder in zwei Stücke zerriß, dann auf der anderen Hälfte, die er wieder in zwei Stücke zerriß. Dann war er plötzlich im Zimmer und tanzte weiter.

Konrad Lang sagte zu einer alten Frau, die neben ihm saß und sich mit einem Säugling unterhielt: »Haben Sie gesehen? Jetzt ist er drin.« Aber die Frau redete weiter. Und dann passierte noch etwas Interessantes: Sie war plötzlich im Fernsehapparat, und jetzt sah man, daß der Säugling eine Puppe war und die alte Frau eine Hexe mit spitzem Kinn und spitzer Nase.

Das machte ihm angst, und er schrie: »Achtung, Achtung, Hexe, Hexe!« Da kam ein großer Mann auf ihn zu und sagte: »Halt's Maul, sonst knallt's.«

Da wußte er, daß er schleunigst hier raus mußte.

Er stand auf und ging zum Lift, aber der hatte keinen Knopf. Er ging den Gang hinunter bis zu einer Tür, die zu einer Feuertreppe führte.

Sie war verschlossen. Aber der Schlüssel hing daneben in einem kleinen Glaskästchen. Das war auch verschlossen. Aber daneben war ein kleiner Hammer, auch in einem Glaskästchen. Er rammte den Ellbogen in die Scheibe dieses Kästchens, bis er den Hammer herausnehmen konnte. Er schlug damit das Glas des Schlüsselkästchens ein, nahm den Schlüssel und öffnete die Tür. Hinter sich hörte er das Keifen der Hexe. Er trat auf die oberste Plattform der sechsstöckigen Feuerleiter. Langsam fing er an hinunterzusteigen.

Als er die Plattform des fünften Stocks erreicht hatte, hörte er oben Gene Kelly rufen: »Herr Lang!«

Ein Trick der Hexe. Ohne sie eines Blickes zu würdigen, ging er weiter.

Auf der Plattform des dritten Stocks sah er sie kommen: Gebirgsfüsiliere in Winteruniform. Sie stiegen langsam die Treppe hoch und dachten, er hätte sie nicht gesehen. Auch über sich hörte er Schritte auf den Blechstufen. Als er hinaufsah, sah er weiße Hosenbeine. Noch mehr Gebirgsinfanterie.

Er setzte sich aufs Geländer und wartete. Lebend kriegten die ihn nicht.

Schon von weitem sah Rosemarie Haug, daß im »Sonnengarten« etwas nicht in Ordnung war. Auf allen Plattformen der Feuertreppe, die an der Westfassade des sechsstöckigen Gebäudes hinunter zum Erdgeschoß führte, standen Pfleger und Schwestern und Feuerwehrleute und Polizisten. Außer auf der dritten. Dort saß ein einsamer Mann auf dem Geländer.

Vor dem Haus standen Polizeifahrzeuge, Krankenwagen und Feuerwehrautos. Als sie näher kam, erkannte sie am Fuß der Feuertreppe ein drei Meter hohes, luftgefülltes Sprungkissen. Als sie den Wagen geparkt hatte, wußte sie plötzlich, wer der einsame Mann war. Sie rannte los.

An der Absperrung hielt sie ein Polizist auf.

»Ich muß hier durch«, keuchte sie.

»Sind Sie verwandt?«

»Nein. Doch. Ich bin die Freundin. Lassen Sie mich rauf. Ich werde mit ihm reden.«

Zehn Minuten später, nachdem der diensttuende Arzt der Polizei bestätigt hatte, daß Frau Haug die einzige Angehörige des Patienten sei, ging Rosemarie Haug ganz langsam die Treppe hinauf.

»Jetzt hast du mir aber einen Schrecken eingejagt, Konrad«, sagte sie möglichst munter, »wenn du wüßtest, wie das aussieht von unten, halsbrecherisch, die sind alle ganz aufgeregt, die kennen deinen Humor nicht.«

Sie hatte die zweite Plattform erreicht und näherte sich der Treppe zur dritten, vorbei am letzten Vorposten der Retter.

»Ich komme jetzt rauf, Konrad, und dann gehen wir ins Des Alpes, darauf brauche ich jetzt einen, du nicht?«

Konrad antwortete nicht. Rosemarie hatte den Absatz zum letzten Treppenstück vor der dritten Plattform erreicht und ging langsam weiter.

»Willst du mir nicht entgegenkommen, Konrad, ich schaff's fast nicht mehr, und wenn man denkt, drinnen hat es einen Lift, und kühl ist es auch, ich komme jetzt, Konrad. Okay?«

Jetzt konnte sie ihn sehen. Er saß auf dem Geländer mit dem Rücken zum Abgrund und wirkte unbeteiligt.

Sie nahm die letzten zwei Stufen und stand auf der Plattform, keine drei Meter vor ihm.

»Uff, hier bin ich, willst du mich nicht begrüßen? So kenne ich dich ja gar nicht, bleibt einfach sitzen.«

Ohne ein Zeichen des Erkennens ließ sich Konrad Lang rücklings über das Geländer fallen.

Er war der einzige, der nicht schrie.

Konrad Lang fiel weich und verletzte sich erst leicht bei der Balgerei mit den Feuerwehrleuten, die ihn aus dem Luftkissen befreien wollten.

Vier Mann mußten ihn festhalten, damit ihm der Arzt ein Sedativum spritzen und ihn die Pfleger in sein Zimmer bringen konnten.

Rosemarie brauchte auch ein Beruhigungsmittel.

Und der Verwalter des »Sonnengartens« auch. »Das mußte ja einmal kommen«, sagte er dem Einsatzkommandanten. »So eine hirnverbrannte Vorschrift. Notschlüssel für die Feuertür in einer geschlossenen Abteilung! Montiert doch gleich Sprungbretter!«

Rosemarie Haug blieb an Konrads Bett. Bevor er einschlief, sagte er zu ihr: »Gute Nacht, Schwester.«

Als sie am selben Abend Felix Wirth am Telefon von dem Vorfall erzählte, fragte dieser, ob sie immer noch etwas dagegen einzuwenden habe, daß die Kochs sich um Konrads weiteres Schicksal kümmerten.

»Soll ich mich einem Mann aufdrängen, der bei der Wahl zwischen mir und dem Sprung aus dem dritten Stock den Sprung wählt?«

Simone hatte Konrad Lang seit ihrem ersten Besuch fast jeden Tag besucht. Sie fühlte sich mit ihm auf gewisse Weise verbunden. Die Familie Koch hatte sein Leben bestimmt, obwohl sie ihn nie aufgenommen hatte. Sie hatte ihn für ihre Zwecke ausgenützt, und als sie ihn nicht mehr brauchen konnte, verstoßen. Das eine war ihr bereits passiert, auf das andere konnte sie sich schon langsam vorbereiten.

Am Tag nach dem Sprung traf sie ihn vergnügt und aufgeräumt wie schon lange nicht mehr. Kein Hauch einer Erinnerung an den Vortag trübte seine Laune.

»Küß die Hand, gnä' Frau«, sagte er zu der hübschen Unbekannten, deren Besuch offenbar ihm galt. Als er sich über ihre Hand beugte, sah sie, daß er blaue Flecken am Nacken hatte und sein linkes Ohr angerissen war.

Als sie die Stationsschwester zur Rede stellte, erzählte ihr diese vom gestrigen Vorfall. Für Simone war klar: Selbstmordversuch.

Sie machte mit ihm einen langen Spaziergang in der Hoffnung, daß er ihr dabei mehr über den Vorfall erzählen würde.

Konrad genoß den Spaziergang wie ein Kind. Er watete im tiefen Laub, setzte sich auf jede Bank am Wegrand und schaute fasziniert einer Gruppe Forstarbeitern zu, die mit einer großen Kettensäge eine gefällte Buche zerteilten.

Fragen über den Sprung von der dritten Plattform überging er mit verständnislosem Lächeln.

Es dämmerte bereits, als sie am Grand Hotel des Alpes vorbeikamen. Konrad ging schnurstracks zum Eingang, nickte den Türstehern zu wie alten Bekannten und führte die überraschte Simone direkt in die Bar.

»Small world«, sagte er zur Barfrau, die ihnen die Mäntel abnahm. Sie nannte ihn Koni und brachte ihm »einen Negroni wie immer«.

Simone bestellte ein Glas Champagner und wußte nun endgültig, daß dieser Mann nicht in ein Pflegeheim gehörte.

»Gloria von Thurn und Taxis hat dem Fürsten zum Sechzigsten einen Geburtstagskuchen mit sechzig Penissen aus

Marzipan machen lassen. Er war nämlich schwul. Aber das war nur Eingeweihten bekannt. Wußtest du das?«

»Nein, das wußte ich nicht«, kicherte Simone Koch und freute sich, daß er sie duzte.

Als der Pianist zu spielen begann, bestellten sie noch eine Runde. Plötzlich stand Konrad auf und ging zu zwei alten Damen in großgeblümten Kostümen, die an einem kleinen Tischchen nahe beim Piano saßen. Er wechselte ein paar Worte mit ihnen, und als er zurückkam, hatte er feuchte Augen.

»Sind Sie traurig, Herr Lang?« fragte Simone.

»Nein, glücklich«, antwortete er, »glücklich, daß Tante Sophie und Tante Klara noch leben.«

»Ach, und ich dachte, Sie hätten keine Angehörigen.«

»Wie kommen Sie denn darauf?« entgegnete er.

Als Simone Elvira Senn von Konrads Selbstmordversuch berichtete, war diese nicht sehr interessiert.

Aber als sie sie fragte, wer Tante Sophie und Tante Klara seien, horchte sie auf.

»Hat er von Tante Sophie und Tante Klara erzählt?«

»Was heißt erzählt, getroffen hat er sie.«

»Die beiden sind seit sechzig Jahren tot«, schnaubte Elvira.

Als Simone eine Viertelstunde später ging, hatte Elvira ihr versprochen, sich die Sache mit dem Gästehaus noch einmal zu überlegen.

Die Heimverwaltung war schnell überzeugt. Für sie bedeutete das einen freien Pflegeplatz, und sie wurde darüber hinaus einen Patienten los, der in letzter Zeit viel Unruhe gestiftet hatte. Am Tag nach seinem Sprung von der Feuertreppe war er von seiner neuen Besucherin angetrunken nach Hause gebracht worden und hatte die kleine Frau Spörri angepöbelt.

Die Behörden begrüßten die Privatinitiative der Familie Koch im Hinblick auf den herrschenden Pflegenotstand und die Tatsache, daß sie dadurch auch finanziell entlastet wurden. Konrad Lang war mittellos, ohne Angehörige und ein Mündel der Stadt.

Thomas Koch war vor allem überrascht über den Sinneswandel von Elvira. »Ich verstehe dich nicht«, sagte er. »Jetzt, wo du ihn endlich los sein könntest, holst du ihn hierher.«

»Er tut mir leid.«

»Das kannst du ja auch anders beweisen.«

»Ich bin bald achtzig. Ich muß nichts mehr beweisen.«

Thomas war die Vorstellung, von der Hinfälligkeit seines gleichaltrigen früheren Spielkameraden ständig an die Vergänglichkeit des Lebens gemahnt zu werden, unangenehm. »Bring ihn meinetwegen in einer Privatklinik unter, aber doch nicht hier.«

»Weißt du, ich vergesse nie, wie du damals gebettelt hast, bitte Mama, bitte, darf er bleiben.«

»Da war ich ein Kind.«

»Er auch.«

Thomas Koch schüttelte seinen fleischigen Kopf. »So hast du noch nie geredet.«

»Vielleicht schließt sich so der Kreis.« Elvira stand von ihrem Sessel auf als Zeichen dafür, daß sie die Diskussion als beendet betrachtete.

»Aber ich kümmere mich nicht um ihn«, sagte Thomas Koch.

Bei Urs brauchte es etwas mehr.

»Das darf nicht dein Ernst sein«, lachte er.

»Ich weiß, es muß dir etwas exzentrisch vorkommen.«

»Exzentrisch ist gut. Warum willst du das tun?«

»Vielleicht für seine Mutter, Anna Lang. Sie war mir damals, als es mir schlechtging, eine gute Freundin.«

»Bevor sie mit einem Nazi durchbrannte und ihr Kind sitzenließ.«

Elvira hob die Schultern. »Soll jetzt auch noch ich das Kind sitzenlassen?«

»Koni ist kein Kind. Er ist ein aufdringlicher alter Mann, der uns sein Lebtag auf der Haube gesessen hat und jetzt so gaga geworden ist, daß man ihn einliefern mußte. Durfte.«

»Er war nicht immer ein aufdringlicher alter Mann. Er war auch ein guter Spielkamerad und treuer Freund von deinem Vater.«

»Dafür wurde er wohl reichlich entschädigt. Sein ganzes Leben keinen Finger gerührt.«

Elvira schwieg. Urs hakte nach.

»Ich bitte dich, mach diese Dummheit nicht. Dafür ist der Staat zuständig. Von dem, was wir allein privat an Steuern bezahlen, könnte man Dutzende von Konis pflegen. Diese Pflegeheime sind gut.«

»So gut, daß sich die Patienten der geschlossenen Abteilung von der Feuertreppe stürzen können.«

»Das einzige, was ich denen vorwerfe, ist, daß sie ein Sprungkissen darunter gelegt haben.«

»Es gibt noch einen anderen Grund, warum ich dafür bin. Simone braucht eine Aufgabe.«

»Ach ja?«

»Schau sie dir doch an. Aber das tust du wohl nicht.«

»Simone hat sich die Ehe anders vorgestellt. Deswegen braucht sie nicht gleich Mutter Teresa zu spielen.«

»Seit sie sich um Koni kümmert, geht es ihr besser.« Etwas anzüglich fügte Elvira hinzu: »Vielleicht spricht er ihre Muttergefühle an.«

Urs wollte etwas einwenden, überlegte es sich aber anders und stand abrupt auf.

»Du bist wohl nicht davon abzubringen.«

»Ich denke nicht.«

7

Das Gästehaus der »Villa Rhododendron« war ursprünglich ein Waschhaus gewesen mit Dienstmädchenzimmern im oberen Stock. Es bestand, wie die Villa, aus rotem Backstein und besaß einen Taubenschlag in der Form ihres Turmes. Es lag auf der Rückseite der Villa, mit Blick auf Küche und Wirtschaftsräume im schattigen Teil des Parks.

In den Fünfzigerjahren war es zum Gästehaus umgebaut worden, mit einem Wohnzimmer mit Ohrensesseln und Rauchtischchen, Nußbaumregalen, einer eingebauten Bar, einem kleinen Klavier, massiven Nußbaumtüren mit Messingfallen und Wappenscheiben an den doppelverglasten Fenstern. Neben dem Wohnzimmer befanden sich ein Schlafzimmer, ein Bad und eine Toilette. Im oberen Stock gab es vier weitere Schlafzimmer und noch ein Bad. Küche gab es keine.

Es war nie ein besonderer Erfolg gewesen. Als Gästehaus war es von der Lage her etwas diskriminierend, wenn man es mit den großen, luftigen Gästezimmern mit Seesicht der Villa verglich, und Personalwohnungen hatte man genug seit dem Ausbau des Dachstocks in den Sechzigerjahren.

So hatte das Gästehaus meistens leer gestanden, mit kurzen Unterbrechungen während gewisser Ehekrisen, wenn es von Thomas Koch oder seinen Frauen als Schmollwinkel benutzt wurde.

Simone Koch besann sich auf ihr Organisationstalent, mit dem sie während ihrer kurzen beruflichen Laufbahn als Sekretärin in einer Filmproduktionsgesellschaft ihre Arbeitgeber verblüfft hatte. Diese hatten sie ohne große Erwartungen ihrem Vater zuliebe eingestellt, der in einflußreicher Position bei einem der wichtigsten Werbeauftraggeber des Landes tätig war.

In knapp zwei Wochen hatte sie das Gästehaus für die Bedürfnisse von Konrad Lang und seinen Betreuern umfunktioniert. Das Bad war jetzt kleiner, aber nach Spitalstandards eingerichtet, im gewonnenen Raum wurde eine moderne, kompakte Küche eingebaut, die Toilette war mit Stützen und Handgriffen versehen, im Schlafzimmer stand ein multifunktionales Spitalbett – das Neueste, was der Markt zu bieten hatte. Das Wohnzimmer war sanft renoviert: die alten Möbel aufgefrischt, der Spannteppich entfernt und das Parkett versiegelt, die Tapete weiß gestrichen, die schweren, muffigen Vorhänge durch luftige, helle ersetzt und die Hausbar auf Anraten des Neurologen geleert.

Im ersten Stock entstanden zwei freundliche Personalschlafzimmer, ein Bad und ein Fitneß- und Therapieraum, ein Personalzimmer mit Kochnische, Fernseher und zwei Monitoren, über die die unteren Räume diskret überwacht werden konnten.

Alle Fenster und die Haustür waren nur mit Sicherheitscodes zu öffnen.

Die Leiterin eines privaten Hauspflegedienstes hatte Simone bei der Einrichtung beraten und auch das Pflegepersonal gestellt:

Für die Tagespflege: Frau Irma Catiric, 46, Jugoslawin, diplomierte Krankenschwester und Altenpflegerin, seit 22 Jahren in der Schweiz.

Für die Nachtpflege: Frau Ranjah Baranaike, 38, Tamilin aus Sri Lanka, seit neun Jahren in der Schweiz, davon fünf Jahre als Hilfsschwester in einem Altenpflegeheim, Diplome als Krankenschwester und Säuglingsschwester, die in der Schweiz nicht anerkannt wurden, da sie aus Colombo stammten.

Als alternierende Ablösung für den Tag- und den Nachtdienst Jacques Schneider, 33, Schweizer, diplomierter Krankenpfleger, der auf dem zweiten Bildungsweg Medizin studierte und mit Nachtdienst sein Studium finanzierte.

Auch an eine Reserve hatte man gedacht, für den Fall, daß jemand vom festen Pflegepersonal einmal ausfiel: Sophie Berger, 44, Schweizerin, diplomierte Krankenschwester und Altenpflegerin, Mutter von zwei Kindern, seit diesem Jahr wieder berufstätig.

Für die Diätküche: Luciana Dotti, 53, Italienerin, seit 33 Jahren in der Schweiz.

Für die Physiotherapie: Peter Schaller, 32, Schweizer, diplomierter Physiotherapeut mit Spezialgebieten Geriatrie und Neurologie.

Für die Beschäftigungstherapie: Joseline Jobert, 28, Schweizerin, abgebrochenes Psychologiestudium, Beschäftigungstherapeutin in mehreren privaten Altersheimen.

Für die neurologische Betreuung hatte sich Dr. Felix Wirth, 47, zur Verfügung gestellt. Die allgemeinmedizinische lag in den Händen von Dr. Peter Stäubli, 66, der nur noch eine Handvoll seiner langjährigen Patienten betreute. Unter anderem Frau Elvira Senn.

Das Reinigungspersonal bestand aus zwei jüngeren Frauen aus Rumänien und Albanien, beide kaum der deutschen Sprache mächtig, aber mit Erfahrung im Spitaldienst.

An einem kalten Spätnovembertag zog Konrad Lang im Gästehaus der »Villa Rhododendron« ein.

»Small world!« waren seine ersten Worte, als er ins Wohnzimmer trat.

Wenn Simone noch einen Beweis gebraucht hätte, daß Konrad Lang nicht in den sechsten Stock des »Sonnengartens« gehörte, dann hätte die Veränderung, die vom ersten Tag an mit ihm vorging, vollends genügt. Er blühte auf. Er aß mit Appetit, machte der Diätköchin Komplimente auf italienisch, schlief ohne Schlafmittel, rasierte sich selbst und kleidete sich ohne fremde Hilfe an, wenn auch etwas extravagant.

Er nahm das Häuschen in Beschlag, als ob er immer darin gewohnt hätte, und machte schon am zweiten Tag Verbesserungsvorschläge: Er hätte lieber Musik als das. Mit »das« meinte er den Fernseher, der in der Bücherwand stand.

»Was für Musik?« fragte Simone.

Er schaute sie erstaunt an. »Klavier, natürlich.«

Simone kaufte noch am gleichen Tag eine Anlage und alles, was ihr an Klaviermusik in die Finger kam. Als sie am Abend die erste CD spielte, sagte er: »Hast du sie nicht mit Horowitz?«

»Was?« fragte Simone.

»Die Nocturne Opus 15, Nummer 2, Fis-Dur«, antwortete er nachsichtig. »Das hier ist Schmalfuss.«

Auch Dr. Wirth bestätigte Simone Koch nach seinem ersten Besuch, daß es Konrad Lang bessergehe. Er weise längere Phasen der Präsenz auf, seine Konzentrationsfähigkeit sei verbessert und dadurch seine Kommunikationsfähigkeit und seine Fähigkeit, komplexe Handlungsabläufe wie Aufstehen – Rasieren – Ankleiden zu bewältigen.

»Aber machen Sie sich keine großen Hoffnungen«, fügte er hinzu, »solche Schwankungen mit vorübergehender spontaner Besserung gehören zum Krankheitsbild.« Daß dem oft eine sprunghafte Verschlechterung folgte, verschwieg er.

Aber Simone machte sich Hoffnungen, schon allein deshalb, weil niemand mit letzter Sicherheit beweisen konnte, daß Konrad Lang tatsächlich an Alzheimer erkrankt war. Das mußte selbst Dr. Wirth zugeben.

Am liebsten ging Konrad im Park spazieren. Für Simone war das nicht ganz einfach, weil es zur Abmachung gehörte, daß sie ihn von der Familie fernhielt. Thomas und Urs mußten dazu außer Haus sein, und wenn das nicht der Fall war, hatte sie Konrad, der sie, schon zum Ausgehen gekleidet, erwartete, klarzumachen, warum es jetzt nicht möglich war.

Elvira war insofern ein kleineres Problem, als das »Stöckli«, in dem sie sich meistens aufhielt, Konrad überhaupt nicht interessierte. Er betrachtete es als etwas, das nicht in den Park gehörte, und machte einen Bogen darum.

Nicht so die Villa. Jedesmal machte er sie nach kurzer Zeit zum Ausgangspunkt und Ziel ihrer Spaziergänge. »Es wird kühl, gehen wir rein«, sagte er, wenn sie sich in ihrer Nähe befanden. Oder: »Wir sollten zurück, Tomi wartet.«

Meistens gelang es Simone, ihn mit dem Gärtnerschuppen abzulenken. Das war sein Lieblingsort. Er kannte jedesmal die Stelle über dem Türstock, wo der Gärtner den Schlüssel versteckte. Wenn er die Tür öffnete, sagte er immer geheimnisvoll: »Jetzt mußt du riechen.«

Sie atmeten beide den Duft aus Torf, Dünger und Blumenzwiebeln ein, der den Schuppen ausfüllte. Dann mußte sich Simone neben Konrad auf einen Haraß setzen. Nach ein paar Sekunden versank er tief in einer anderen – seinem Gesichtsausdruck nach zu schließen glücklicheren – Zeit.

Wenn sie es dann nach einer Weile über sich brachte, ihn wieder in ihre Gegenwart zu locken, ließ er sich widerstrebend zurück ins Gästehaus führen. Doch sobald er das Wohnzimmer betrat, schien er sich ganz zu Hause zu fühlen. Er setzte sich in einen Sessel und wartete, bis Simone Musik machte. Dann schloß er die Augen und lauschte.

Nach einer Weile ging Simone leise hinaus. Sie hätte gern gewußt, ob ihm auffiel, daß sie nicht mehr da war, wenn er die Augen wieder öffnete.

Wenn die Musik verstummte und Konrad die Augen öffnete, war meistens Schwester Ranjah da.

Im Pflegeheim hatte das Abendessen noch zu den Aufgaben der Tagesschwestern gehört. Schon um halb sechs, wie die kleinen Kinder, mußten die Patienten essen oder wurden sie gefüttert. Aber hier im Gästehaus waren auch die Essenszeiten menschenwürdig. Zwischen sieben und halb acht trug Luciana Dotti das Abendessen auf, und es fiel der

Nachtschwester zu, Konrad dabei Gesellschaft zu leisten oder ihm, je nach Verfassung, zu assistieren.

Schwester Ranjah begrüßte Konrad immer auf Hindu-Art mit einer kleinen Verbeugung und unter dem Kinn zusammengelegten Händen. Immer grüßte Konrad so zurück. Sie sprachen Englisch miteinander, und ihr Akzent versetzte ihn nach Sri Lanka, als die Insel noch Ceylon hieß und das Gelände, auf dem das Galle Face Hotel stand, ein Golfplatz war.

Er war in den Fünfzigerjahren mit Thomas Koch einmal dorthin gereist auf Einladung des britischen Gouverneurs, dessen Sohn sie aus dem »St. Pierre« kannten.

Ranjah war ganz anders als die laute, resolute, herzliche Schwester Irma Catiric, die ihn mit ihrer Mütterlichkeit etwas einschüchterte. Ranjah war sanft und zurückhaltend und besaß die unbefangene Zärtlichkeit, mit der die Menschen aus Sri Lanka ihre Alten und Kranken umgeben.

Konrad Lang respektierte Schwester Irma. Aber Schwester Ranjah liebte er. Wenn sie ihre freie Nacht hatte und Jacques Schneider, der späte Medizinstudent, sie vertrat, fehlte ihm etwas. Auch wenn er nicht sagen konnte, was.

Der Umzug von Konrad Lang ins Gästehaus der »Villa Rhododendron« schien auch für Rosemarie Haug eine glückliche Entscheidung gewesen zu sein.

In den zwei Wochen, die es gedauert hatte, bis das Gästehaus bezugsbereit war, besuchte sie ihn noch ein paarmal im »Sonnengarten«. Nie gab er ihr auch nur das kleinste Zeichen des Erkennens.

Als sie nach ihrem letzten Besuch im Lift nach unten

fuhr, wurde sie auf einmal überwältigt von der ungeheuren Erleichterung darüber, daß sie jetzt nie mehr diesen durchdringenden Geruch riechen mußte.

Ihr schlechtes Gewissen verflog vollends, als Felix Wirth ihr erzählte, wie gut Konrad Lang die Veränderung getan habe, wie zufrieden er wirke und wie wunderbar aufgehoben und versorgt er sei.

Am Ende der ersten Woche nach dem Umzug machte sie in Absprache mit Simone Koch und in Begleitung von Felix Wirth einen Besuch bei Konrad. Die Atmosphäre von Effizienz und Gemütlichkeit, die im Gästehaus herrschte, gefiel ihr.

Vor dem Wohnzimmer hörte sie Konrad lachen (wann hatte sie ihn das letzte Mal lachen gehört?), und als die Schwester sie hineinführte, saß er mit einer jungen Frau am Tisch vor dem Fenster und malte. Er hörte zu lachen auf, sah sie irritiert an und fragte: »Ja, bitte?«

»Ich bin's, Rosemarie«, sagte sie, »wollte nur sehen, wie es dir geht.«

Konrad blickte die junge Frau an, zuckte die Achseln und malte weiter. Rosemarie blieb einen Moment unschlüssig stehen. Als sie wieder draußen war, hörte sie erneut sein unbeschwertes Lachen.

Sie fühlte sich von einer Last befreit, von der sie nie gewußt hatte, daß sie sie erdrückte.

Noch am selben Abend schlief sie zum ersten Mal mit Felix Wirth. Ohne daß Konrad Lang es merkte, verschwand Rosemarie Haug aus seinem Leben.

Auch Simone Koch lebte auf. Nicht, weil sie, wie Elvira meinte, jetzt eine Aufgabe hatte, sondern weil sie sich zum ersten Mal, seit sie Mitglied der Familie Koch war, behauptet hatte. Und zwar nicht in einer Lappalie wie der Wahl der Farbe der Vorhänge im Lesezimmer oder des Menüs beim Dreikönigsessen. Sie hatte in einer grundsätzlichen, heiklen Frage ihren persönlichen und vom Familienkonsens abweichenden Standpunkt durchgesetzt.

Damit hatte sie mehr bewirkt, als sie sich hätte träumen lassen. Der Aufstand der von der Familie Belächelten und Verstoßenen hatte nicht nur Konrad geholfen, er hatte auch ihrem Ansehen in der Familie und beim Personal genützt. Alle, selbst Urs, behandelten sie mit mehr Respekt.

Konrad Lang wurde der wohlbehütetste Alzheimerpatient, den man sich vorstellen konnte. Ständig war er umgeben von professionellem Pflegepersonal, und doch wurde alles getan, damit seine Umgebung den privaten Charakter behielt und er sich geborgen und wie zu Hause fühlte.

Jeden Vormittag kam der Physiotherapeut, arbeitete mit ihm an seiner Koordination und Beweglichkeit und hielt seinen Kreislauf in Schwung.

Jeden Nachmittag kam die Beschäftigungstherapeutin, die mit ihm leichte Denk- und Erinnerungsaufgaben löste. Er malte für sie artig Aquarelle und sang nachsichtig Lieder mit ihr, die sie unbeholfen auf dem Klavier begleitete. Ab und zu tat er ihr sogar den Gefallen, selber etwas auf den Tasten zu klimpern.

Seine Diät war ausgewogen und reich an Vitamin A, C und E, um die zellschädigenden Atome zu entschärfen.

Seine Hirndurchblutung wurde mit Ginkgo-Extrakten gefördert. Sein Vitamin-B_4- und -B_{12}-Spiegel wurde überwacht und, wenn nötig, ausgeglichen.

Seine Tage waren ausgefüllt und geregelt, niemand hörte weg, wenn er zum wiederholten Mal die gleiche Geschichte erzählte. Man gab ihm das Gefühl, daß man ihn gern hatte. Das fiel niemandem im Gästehaus schwer. Konrad Lang war ein liebenswerter Mann.

Am vorletzten Sonntag vor Weihnachten stand Konrad schon in Mantel und Pelzmütze im Windfang, als Simone kam.

»Seit einer Stunde will Herr Lang raus. Sonst komme er zu spät zum Schneien«, erklärte Schwester Irma.

Sobald sie aus dem Haus waren, sagte Konrad, der sonst immer ein gemächliches Tempo an den Tag legte: »Komm!«, und ging voraus. Simone mußte sich anstrengen, ihm zu folgen. Als sie bei seinem Ziel, dem Gärtnerschuppen, anlangten, waren beide etwas außer Atem.

Er lehnte sich an die hölzerne Wand des Schuppens und wartete.

»Worauf warten wir, Konrad?« fragte Simone.

Er schaute sie an, als wenn er erst jetzt ihre Anwesenheit bemerken würde.

»Riechst du es nicht?« Und schaute wieder in den verhangenen Himmel, der weit draußen mit den Hügeln hinter dem See verschwamm.

Plötzlich schwebten große, dicke Schneeflocken herab, fielen auf den Rand des Regenfasses, den Deckel des Komposthaufens, das Plattenweglein, die Tannenzweige auf den

Rosenbeeten und die schwarzen Äste der Zwetschgenbäume.

»Es schneit Fazonetli«, sagte Konrad.

»Fazonetli?« fragte Simone.

»Taschentüchlein. Von ›fazzoletti‹.«

Die Taschentüchlein fielen aus dem grauen Himmel und kühlten das Gras und die Zweige und die Steinplatten, bis die, die nachkamen, nicht mehr schmolzen. Bald war alles von einem hellgrauen Schleier überdeckt, der rasch weiß und immer dicker wurde.

»Es schneit Fazonetli«, rief Konrad und fing an, mit ausgebreiteten Armen im Gestöber zu tanzen, das Gesicht dem Himmel zugewandt, Mund und Augen aufgesperrt, so weit es ging.

»Es schneit Fazonetli«, sang er und schleuderte seine Pelzmütze in den Himmel.

»Es schneit Fazonetli«, sang Simone.

Beide tanzten im Geflimmer, bis sie nicht mehr konnten vor Lachen und Weinen und Glück.

Konrad und Simone kamen mit nassen Haaren und weißen Mänteln ins Gästehaus zurück. Schwester Irma verschwand mit Konrad. Simone ging ins Wohnzimmer, zündete die zwei Kerzen auf dem Adventskranz an, legte das Pianokonzert von Schumann auf, setzte sich aufs Sofa und wartete.

Als die Schwester mit Konrad zurückkam, hatte er trokkene Sachen an, seine Haare waren gefönt, und seine Wangen glühten wie bei einem glücklichen Kind. Er setzte sich in seinen Sessel, aß ein wenig vom Weihnachtsgebäck auf dem Rauchtischchen, schloß die Augen und hörte der Musik zu.

Kurz darauf war er eingeschlafen.

Simone blies die Kerzen aus und ging leise aus dem Zimmer.

Draußen stand eine schlanke, große, rothaarige Frau Mitte Vierzig in weißer Schwesternschürze.

»Mein Name ist Sophie Berger, ich bin die Reserve. Schwester Ranjah hat frei, und Herr Schneider hatte einen Autounfall wegen dem Schnee.«

»Ist er verletzt?« fragte Simone.

»Nein. Aber er ist mit einem Tram zusammengestoßen. Das bedeutet viel Papierkrieg.«

»Nun, Sie werden nicht viel Arbeit haben. Ich glaube, Herr Lang wird sehr gut schlafen.«

Simone wählte den Code für die Haustür.

»Sie kennen Herrn Lang?«

»Ja, ich hatte schon einmal das Vergnügen.«

Simone legte ihren nassen Mantel über die Schultern und ging zufrieden zurück zur Villa. Die schwarzen Granitplatten des Weges kamen schon wieder zum Vorschein.

Konikoni öffnete die Augen und machte sie sofort wieder zu.

Nach einer Weile öffnete er sie wieder, aber diesmal ganz langsam, damit man es von außen nicht sah. Erst kam ein wenig Licht durch die Wimpern, dann konnte er die Konturen der Möbel erkennen, und dann sah er Mama Anna.

Sie trug eine weiße Arbeitsschürze wie eine Schwester und war dabei, den Tisch zu decken.

Er wartete, bis sie hinausging und er sie in der Küche sprechen hörte. Rasch stand er vom Sessel auf und versteckte sich hinter dem Sofa, das an der Wand stand.

Er hörte, wie Mama Anna wieder hereinkam, dann sah er ihre Schuhe und Beine.

Sie rief: »Herr Lang?« Dann ging sie wieder aus dem Zimmer.

Er hörte, wie sie die Tür zum Schlafzimmer öffnete. »Herr Lang?«

Dann die Tür zum Bad. »Herr Lang?«

Sie sprach mit jemandem in der Küche. Dann hörte er Schritte auf der Treppe.

Nach einiger Zeit kam sie wieder herunter. »Herr Lang?« Sie öffnete die Windfangtür und die Haustür. Eine Weile war es still. Dann hörte er vor dem Fenster Mama Annas Stimme halblaut »Herr Lang?« rufen.

Konikoni stand auf und ging leise in den Korridor. Aus der Küche kamen Geräusche. Die Windfangtür war offen. Er ging zur Haustür. Sie war nur angelehnt. Mit einem Lächeln schlüpfte er in die Nacht hinaus. Der Himmel war jetzt klar. Ein halber Mond hing über der fahlen Hügelkette.

Kochs hatten ein paar Gäste, wie immer an Adventssonntagen. Es war eine Tradition, die noch auf Edgar Senn zurückging. Er hatte damit begonnen, leitende Mitarbeiter der Koch-Werke als besondere Auszeichnung am ersten Advent zum Abendessen einzuladen. Mit dem Gedeihen der Werke wuchs auch die Zahl der leitenden Mitarbeiter, und so wurden mit den Jahren alle Adventssonntage zu Direktionsessen.

An diesem Abend waren es Vertreter der Unternehmensleitung der Bereiche Textil und Energie, eine etwas gewagte Mischung aus jüngeren modischen Managern (Textil) und älteren, biederen Direktoren (Energie), alle jeweils mit ihren Gattinnen. Achtundzwanzig Personen saßen um den großen Tisch im Speisezimmer, Elvira, Simone, Thomas und Urs mitgerechnet.

Der erste Gang wurde gerade aufgetragen, als Simone in einer dringenden Sache vom Tisch gerufen wurde. Urs stand kurz vom Stuhl auf, als sie sich entschuldigte. Alle Herren taten es ihm gleich.

Draußen in der Halle wartete die Aushilfsnachtschwester.

»Herr Lang ist verschwunden.«

»Verschwunden? Wie konnte das passieren?« fragte Simone, während sie in einen Mantel schlüpfte und zur Tür eilte.

Sophie Berger rannte ihr nach. »Im Haus ist er nicht«, rief sie, als Simone zum Gästehaus eilen wollte. »Ich habe überall nachgesehen.«

Simone änderte die Richtung. Wortlos gingen die beiden Frauen durch den Park, von dessen Bäumen der nasse Schnee tropfte.

An einigen Stellen vor dem Gärtnerschuppen lag noch Schnee, und man konnte im Mondlicht Fußspuren sehen, die darauf zuführten. Die Tür war unverschlossen. Simone öffnete sie. »Konrad?«

Keine Antwort. Ein Viereck Mondlicht fiel durch die offene Tür. Die Harassen, auf denen sie immer saßen, standen da, der Torf, die Blumenzwiebeln, die Düngersäcke.

Aber Konrad war nicht hier. Als sie schon gehen wollte, sah sie etwas am Boden. Sie hob es auf. Es war Konrads Hausschuh. Als sie genauer hinschaute, fand sie auch den anderen. Und daneben seine Socken.

»Frau Koch«, rief Sophie Berger, »schauen Sie.«

Simone ging hinaus. Die Schwester zeigte auf den Abdruck zweier nackter Füße im zusammengefallenen Schnee. Am rechten fehlte eine Zehe, am linken fehlten zwei.

»Ich glaube, wir warten nicht auf meine Frau«, sagte Urs Koch mit kaum verhohlenem Ärger zu Trentini, der bei größeren Anlässen in der Villa für den Service zuständig war.

»Hoffentlich keine ernsten Probleme«, sagte Frau Gubler, die mütterliche Frau des Delegierten ›Turbinen‹.

»So ein großes Haus ist wie ein Ozeandampfer, immer braucht es irgendwo den ersten Offizier«, ergänzte ihr Mann.

»Schönes Bild«, nickte Thomas Koch.

Elvira Senn nahm sich vor, mit Simone über ein paar Grundregeln für Gastgeberinnen zu sprechen.

Das Personal begann mit dem Service des zweiten Ganges, als es an die Scheibe der Verandatür klopfte.

Thomas warf Trentini einen Blick zu. Dieser ging zur Tür, schob den Vorhang etwas beiseite und spähte hinaus. Dann ging er zu Thomas Koch und flüsterte ihm etwas zu.

Während die beiden noch berieten, was zu tun sei, begann sich am Vorhang eine Tür abzuzeichnen, die sich nach innen öffnete. Etwas bewegte sich hinter dem Vorhang. Plötzlich teilte er sich.

Auf trat Konrad Lang. Klatschnaß und verdreckt, die Hosenbeine über den nackten Füßen hochgekrempelt. Er schaute sich in der sprachlosen Runde um und ging auf Elvira Senn zu.

Vor ihrem Stuhl blieb er stehen und flüsterte: »Mama Vira, Mama Anna soll weggehen. Bitte!«

Thomas Koch gab am meisten zu denken, wie Elvira reagiert hatte. Er saß zu ihrer Linken und war außer ihr der einzige, der verstanden hatte, was Konrad sagte. Sie war schneeweiß geworden, und er mußte sie ins »Stöckli« begleiten, wo sie sich sofort aufs Sofa des Salons legte und die Augen schloß. Er breitete eine Decke über sie. »Soll ich Dr. Stäubli rufen?«

Sie gab keine Antwort.

»Wo ist seine Nummer?«

»Im Arbeitszimmer auf dem Pult.«

Als Thomas zurückkam, war er etwas gereizt. »Seine Frau sagt, er sei schon zu Koni gerufen worden. Ich habe ihn im Gästehaus erreicht und ihn über die Prioritäten ins Bild gesetzt.«

Während sie auf den Arzt warteten, fragte Thomas: »Was hat dich so erschreckt?«

Elvira schwieg.

»Mama Vira, Mama Anna soll weggehen?«

Sie schüttelte den Kopf.

»Das hat er doch gesagt?«

»Das habe ich nicht gehört.«

Es läutete. Thomas Koch stand auf und ließ Dr. Stäubli herein.

Schwächeanfälle bei Diabetikern sind oft Anzeichen dafür, daß sich deren Stoffwechsellage verändert hat. Nachdem Dr. Stäubli Elviras Blutdruck und Puls gemessen hatte, kontrollierte er ihren Blutzucker und stellte eine leichte Unterzuckerung fest, eine Komplikation, die meistens auf Diätfehler oder Fehler bei der Dosierung des Insulins zurückzuführen ist. Aber da er Elvira Senn als sehr disziplinierte und exakte Patientin kannte und er von seiner Visite bei Konrad Lang über dessen Auftritt in der Villa informiert war, tippte er auf eine andere Ursache.

»Ist Ihnen der Auftritt unseres Patienten sehr nahe gegangen?«

»Das kann man wohl sagen.«

»Wenn Sie mich konsultiert hätten in der Frage Konrad Lang, hätte ich Ihnen entschieden abgeraten.«

»Wie konnte ich wissen, daß die ihn nachts frei herumlaufen lassen?«

»Es ist nicht nur dieser Zwischenfall. Er ist auch sonst eine Belastung. Als Ihr Arzt muß ich Ihnen Aufregungen verbieten.«

»Soll ich ihn rauswerfen? Wie sieht denn das aus?«

»Versuchen Sie wenigstens, ihn zu vergessen. Tun wir so, als ob er nicht existieren würde.«

Elvira lächelte. »Wie geht es ihm?«

Dr. Stäubli schüttelte den Kopf. »Er war aufgewühlt und stark unterkühlt. Ich habe ihm ein Beruhigungsmittel gegeben. Ich hoffe, er schläft jetzt, und wenn wir Glück haben, kommt er ohne Lungenentzündung davon.«

Er hielt ihr ein Traubenzuckerbonbon hin. »Lutschen Sie das, und in einer Stunde noch eines. Morgen früh komme ich wieder, und dann schauen wir, ob wir an der Insulineinstellung etwas ändern müssen.«

Elvira Senn schälte das Bonbon aus dem Zellophan. »Wie lange dauert es, bis man stirbt an Alzheimer?«

»Zwischen einem und sechs Jahren, je nach Verlauf und Pflege. Konrad Lang kann siebzig werden, aber es könnte auch sein, daß er die nächsten Weihnachten nicht mehr erlebt. Oder daß er bis dahin das Endstadium erreicht hat.«

Dr. Stäubli stand auf. »Falls er das hier überhaupt überlebt. Ich schaue jetzt noch einmal nach ihm. Danach können Sie mich die ganze Nacht zu Hause erreichen.«

Elvira setzte sich in der Recamière auf.

»Bleiben Sie, ich finde den Weg.« Dr. Stäubli gab ihr die Hand. »Bis morgen, gegen neun.«

Elvira Senn stand dennoch auf und brachte ihn zur Tür. Dann ging sie zum Telefon und wählte Schöllers Nummer.

Wenn Schöller seine Gefühle für Elvira Senn beschreiben müßte, würde das Wort »Liebe« nicht vorkommen. Aber mit Verehrung, Zuneigung und Gehorsam hatte es schon etwas zu tun. Und auch – warum sollte er es vor sich verheimlichen – mit Erotik. Er war ein alleinstehender Mann Ende Fünfzig, der sich immer zu älteren, dominierenden Frauen hingezogen gefühlt hatte. Eine Eigenschaft, die ihre vielschichtige Beziehung um eine – wenn auch nicht sehr wichtige – Facette bereicherte. Elvira mochte achtzig sein, aber sie war eine attraktive und aufregend mächtige Frau.

Schöller war der seltene, aber – nach seinen normalerweise zuverlässigen Informationen – einzige Liebhaber von Elvira Senn, was ihn bis zu einem gewissen Grad auch zu ihrem Vertrauten machte. Soweit eine derart eigenständige und kalkulierende Frau zu etwas wie Vertrauen überhaupt imstande war. Er wußte, daß sie ihm nur so viel mitteilte, wie ihr dienlich schien, und ihn für ihre Zwecke benützte. Was den letzten Punkt anging, unterschied er sich von den meisten Leuten in ihrer Umgebung nur darin, daß er es erregend fand.

Auch wenn Schöller in dieser seltsamen Beziehung nicht gerade der dominierende Teil war, auf seinen Beschützerinstinkt konnte Elvira sich verlassen. Was sie ihm an diesem späten Abend bleich und mit schwacher Stimme detailliert berichtete, brachte ihn gegen Konrad Lang auf und gegen alle, die ihn ihr zumuteten.

Es war weit nach Mitternacht, das Thermometer war tief unter Null gefallen, als Schöller das »Stöckli« verließ. Voller Haß: Elvira hatte ihn sorgfältig geschürt.

Die Keller großer Häuser sind wie alle Keller: Sie riechen nach Waschpulver, Moder und Heizöl und sind voller Dinge, die nie jemand je wieder brauchen wird. Ihre Lichtschalter leuchten, und wenn man sie betätigt hat, geht das Licht nach ein paar Minuten von selbst wieder aus.

Der Heizungsraum der »Villa Rhododendron« war nicht schwer zu finden. Er lag gleich neben der Kellertreppe, und aus seiner Tür drang ein leises, gleichmäßiges Vibrieren. Sie war unverschlossen. Die Heizanlage war in den zwanzig Jahren seit ihrem Einbau immer wieder modernisiert und verändert worden. Sie bestand aus einem großen Kessel, einem Brenner, einem Reservebrenner, einer Umwälzpumpe, einer Reserve-Umwälzpumpe und einem Gewirr von isolierten Rohren, die alle Gebäude des Grundstücks zentral beheizten. Dort, wo die Rohre den Heizungsraum verließen, waren sie ordentlich aufgereiht, mit Ventilen und blauen Kunststoffschildern versehen. »Garage« stand darauf oder »Turm«, »Stöckli«, »Gärtnerei«, »Westflügel« oder »Dach«. Die »Villa Rhododendron« war zentralheizungstechnisch in Module aufgeteilt, die nach Bedarf ein- oder ausgeschaltet werden konnten.

Das Licht im Heizungsraum ging aus. Schöller tastete sich zum gelblich leuchtenden Lichtschalter. Es wurde wieder hell im Raum. Er ging zurück zu den Ventilen und drehte eines zu. »Gästehaus« stand auf dem Schild.

Sophie Berger machte sich keine Illusionen darüber, daß ihre beruflichen Wiedereinstellungspläne durch diese Panne einen empfindlichen Rückschlag erlitten hatten. Selbst wenn man ihr zugute hielt, daß der Fluchtversuch raffiniert eingefädelt war, würde der private Pflegedienst wohl in Zukunft auf ihre Dienste verzichten. Dr. Wirth, den man aus einem Restaurant weggeholt hatte, in welchem man um diese Jahreszeit vier Wochen im voraus reservieren mußte, hatte nicht den Eindruck erweckt, als würde er ihr noch eine Chance geben wie damals, nach dem ersten Zwischenfall mit Konrad Lang.

Er hatte ihr ziemlich barsch gesagt, sie solle den Patienten am Monitor überwachen und ihn oder Dr. Stäubli benachrichtigen, wenn er erwachen sollte. Auf keinen Fall solle sie sein Zimmer betreten.

Diese Auflage befolgte sie gern. Sie verspürte nicht die geringste Lust, dem Alten noch einmal zu begegnen. Daß er sie in solche Schwierigkeiten brachte, nahm sie ihm persönlich übel. Sie hatte früher immer einen guten Draht zu verwirrten Patienten gehabt. Besonders zu männlichen. Was konnte sie dafür, daß sie ihn an jemanden erinnerte?

Und so saß sie im Stationszimmer und starrte auf den Monitor. Konrad Lang lag auf dem Rücken und schlief mit weit aufgerissenem Mund. Vielleicht könnte sie eine Umschulung als Zahnarztgehilfin machen? Oder vielleicht ganz weg aus dem Medizinischen. Vielleicht in einer Bar arbeiten, wo die alten Knacker nicht Reißaus nahmen, wenn sie sie sahen.

Und wo es nicht so kalt war wie bei reichen Leuten. Sie stand auf, holte eine Decke, setzte sich in den einzigen bequemen Sessel, deckte sich zu und behielt den Monitor im Auge.

Sie erwachte, weil sie fror. Es war beinahe sechs Uhr. Am Monitor schlief Konrad Lang noch immer mit weit offenem Mund. Nur hatte er jetzt die Bettdecke weggestrampelt und sein Nachthemd war hochgerutscht.

Sophie Berger stand auf und ging leise ins Schlafzimmer hinunter. Sie nahm die Decke vom Boden und deckte Konrad Lang zu. Er war schweißbedeckt, obwohl das Zimmerthermometer nur zwölf Grad anzeigte.

Sie ging zurück ins Stationszimmer und rief Herrn Hugli in der Gärtnerei an. Es dauerte eine Weile, bis er sich meldete.

»Hier ist Berger, die Nachtschwester vom Gästehaus. Ist etwas mit der Heizung?«

Die Heizung war eigentlich nicht Herrn Huglis Gebiet. Aber um sechs Uhr morgens fühlte er sich auch dafür zuständig. Er ging in den Heizungsraum und fand nach einiger Zeit heraus, daß das Ventil der Verteilerleitung zum Gästehaus zugedreht war. Er öffnete es und rief die Nachtschwester zurück. »Alles in Ordnung«, meldete er. Er wollte niemanden in Schwierigkeiten bringen.

Als kurz nach sieben die Tagesschwester Irma Catiric eintraf, war es etwas wärmer geworden im Gästehaus. Trotzdem war ihre erste Frage: »Ist etwas mit der Heizung? Hier ist es kalt wie in einem Kühlhaus.«

»Es sei alles in Ordnung, ich habe mich erkundigt.«

Schwester Irma ging ins Schlafzimmer, kam kurze Zeit später wieder heraus, ging wortlos zum Telefon und wählte Dr. Stäublis Nummer.

»Pneumonie«, sagte sie nur. Dann legte sie wieder auf.

»Sind Sie eigentlich blind?« fauchte sie Sophie Berger im Vorbeigehen an.

»Man hat mir verboten, das Zimmer zu betreten«, wollte sie sagen. Aber Schwester Irma war schon wieder in Konrad Langs Zimmer verschwunden.

Obwohl Konrad Lang körperlich in keinem schlechten Zustand war, warf ihn die Lungenentzündung weit zurück.

Seine Verwirrtheit nahm durch den Sauerstoffmangel noch zu, die Antibiotika schwächten ihn, er aß nicht und mußte den ganzen Tag an der Infusion hängen. Er war nur mit vereinten Kräften aus dem Bett zu bringen, blieb passiv bei der Physiotherapie und war kaum ansprechbar. Nur wenn Schwester Ranjah kam, legte er die Hände unter dem Kinn zusammen und lächelte.

Dr. Stäubli kam jeden Tag, untersuchte ihn und redete ihm gut zu. »Essen Sie wieder, Herr Lang, stehen Sie auf, bewegen Sie sich. Wenn Sie sich nicht selbst gesund machen, kann ich es auch nicht.« Elvira, der er nach jeder Visite bei Konrad Bericht erstatten mußte, erklärte er: »Wenn er überlebt, dann um einen hohen Preis. Das ist typisch bei Alzheimer, das geht in Stufen. Entweder in vielen kleinen. Oder, wie bei ihm, in wenigen großen.«

»Sagt er etwas?« wollte sie jedes Mal wissen. Wenn er verneinte, schien sie erleichtert.

Auch Simone fragte sie: »Sagt er etwas? Redet ihr miteinander?«

Simone schüttelte den Kopf. »Vielleicht solltest du ihn einmal besuchen. Du könntest versuchen, mit ihm über die Vergangenheit zu sprechen. Ich weiß nichts darüber.«

»Die Vergangenheit ist Vergangenheit«, sagte Elvira.

»Nicht bei dieser Krankheit«, antwortete Simone.

Vielleicht wäre Konrad Lang gestorben, wenn Schwester Ranjah nicht gewesen wäre. Wenn die Diätköchin nach einem weiteren erfolglosen Versuch, ihn mit einem seiner Lieblingsmenüs zu locken, entnervt aufgegeben hatte, begann sie ihn heimlich mit kleinen Leckerbissen zu füttern, die sie von zu Hause mitbrachte: in Honig eingelegte Mandeln, scharfe Reisbällchen mit Koriander, kleine Stücke kalten, gerösteten Rindfleischs mit Zitrone und Zwiebeln – alles von ihren langen, schmalen Fingern direkt in seinen Mund gesteckt. Dazu plapperte sie mit ihm in einem Kauderwelsch aus Tamil, Singhalesisch und Englisch und herzte und küßte ihn wie einen Säugling.

Schwester Ranjah erzählte niemandem von ihren Therapieerfolgen. Sie hatte in früheren Fällen oft schlechte Erfahrungen gemacht, weil ihre Methoden fast immer gegen den Buchstaben hiesiger Spitalordnungen verstießen.

So war es auch reiner Zufall, daß Simone davon erfuhr. Sie hatte einen Tag voller Verpflichtungen hinter sich und konnte Konrad ausnahmsweise erst besuchen, als es schon dunkel war. Als sie das Gästehaus betrat, hörte sie das Geplapper aus Konrads Schlafzimmer. Sie öffnete leise die Tür und sah, wie Schwester Ranjah den glücklichen Konrad fütterte.

Als Konrad sie sah und erschrak, strich ihm Ranjah über das Haar und sagte: »Don't worry, Mama Anna is not here.«

Dann erst sah sie, daß Simone in der Tür stand.

»Wer ist Mama Anna?« fragte Simone Urs noch am gleichen Abend. »Es ist jemand, vor dem sich Konrad fürchtet.«

Urs hatte keine Ahnung.

Ihr Schwiegervater half weiter. »Seine Mutter hieß Anna. Aber warum sollte er sich vor ihr fürchten?«

»Hatte sie ihn nicht als Kind zu einem Bauern abgeschoben?«

»Deswegen kann man jemanden hassen. Aber fürchten?«

»Vielleicht wissen wir nicht alles.«

Thomas Koch zuckte die Schultern, stand auf und entschuldigte sich. Ein alternder Playboy zwischen zwei Ehen.

Simone konnte nicht schlafen. Mitten in der Nacht kam ihr eine Idee. Sie stand auf, ging hinunter in die Halle und wartete, bis ihr Schwiegervater nach Hause kam. Als er endlich mit glasigen Augen hereinpolterte, war sie im Sessel eingeschlafen. Sie schreckte auf und fragte: »Hatte sie rote Haare?«

»Ob blond, ob braun, ich liebe alle Frau'n«, sang er.

»Konrads Mutter, meine ich.«

Thomas brauchte einen Moment, bis er ihr folgen konnte. Dann lachte er. »Rot wie der Teufel.«

»Fotos von früher? Ich habe keine Fotos von früher. Darauf sieht man nur, wie alt man ist.« Elvira saß in ihrem Frühstückszimmer und gab Simone zu verstehen, daß sie störte. »Wozu brauchst du sie?«

»Ich will sie Konrad zeigen. Manchmal kann man damit einen Alzheimerpatienten aus seiner Apathie holen.«

»Ich habe keine.«

»Jeder hat irgendwelche Fotos von früher.«

»Ich habe keine.«

Simone gab auf. »Kannst du dir vorstellen, weshalb er sich vor seiner Mutter fürchtet?«

»Vielleicht, weil nichts Rechtes aus ihm geworden ist«, lächelte Elvira.

»Was war sie für eine Frau?«

»Die Art Frau, die ihr Kind vor einem Nazidiplomaten versteckt, damit er sie heiratet.«

»Aber sie war einmal deine beste Freundin.«

»Anna ist schon lange tot, ich will nicht über sie reden.«

»Wie ist sie gestorben?«

»Bei einem Luftangriff auf einen Zug, soviel ich weiß.«

»Und sie hatte rote Haare.«

»Was spielt das für eine Rolle, was sie für Haare hatte?«

»Konrad hatte Angst vor der Aushilfsschwester. Und die hat rote Haare.«

»Anna war blond.«

»Thomas sagt, rot wie der Teufel.«

»Thomas ist eben auch ein bißchen vergeßlich geworden.«

Montserrat war erst seit vier Wochen in der Villa beschäftigt. Sie war eine Nichte von Candelaria, die es immer wieder verstand, Mitglieder ihrer vielköpfigen Familie in Kochs Diensten unterzubringen. Montserrat war als Zimmermädchen eingestellt.

»Heute war die Señora im Büro des Don«, erzählte sie Candelaria beim Mittagessen. »Sie hat etwas in seinem Schreibtisch gesucht.«

»Hast du geklopft?«

»Ich dachte, es sei niemand da, weil ich gesehen habe, wie er weggegangen ist.«

»Man klopft immer.«

»Auch wenn man sicher ist, daß das Zimmer leer ist?«

»Auch wenn vom Haus nichts mehr steht außer der Tür.«

Montserrat war neunzehn und hatte noch viel zu lernen.

Urs war auch keine große Hilfe. Simone schnitt das Thema beim Mittagessen an, das er ausnahmsweise in der Villa einnahm.

»Weshalb brauchst du alte Fotos?« fragte er gereizt. Er ahnte, daß es wieder etwas mit ihrem Hobby Konrad Lang zu tun hatte.

»Die Fachleute empfehlen uns, daß wir mit ihm Fotos aus

seiner Vergangenheit anschauen, als Anknüpfungspunkt an die Gegenwart. Aber so was scheint es in eurer Familie nicht zu geben.«

»Elvira hat Regale voller Fotoalben.«

»Sie gibt mir keine. Sie sagt, sie wisse nicht, wo sie sind.«

Er lachte ungläubig. »In ihrem Arbeitszimmer, in der Bücherwand. Jede Menge.«

Simone wartete bis drei Uhr nachmittags, die Zeit, in der Elvira gewöhnlich ihre Korrespondenz erledigte. Sie ging ins »Stöckli« und klopfte an die Tür des Arbeitszimmers.

»Ja?« antwortete Elvira unwirsch. Simone hatte eines der Tabus des Hauses gebrochen. Wenn sich Elvira im Arbeitszimmer aufhielt, war sie für niemanden zu sprechen.

Simone trat ein. »Urs sagte, daß du deine Fotos hier aufbewahrst. Vielleicht kann ich mir ein paar ausleihen.«

Elvira nahm ihre Brille ab. »Man merkt, daß Urs schon lange nicht mehr hier war. Oder siehst du irgendwo Fotos?« Sie deutete auf das Büchergestell neben ihr.

Darauf standen ein paar Ordner, eine Reihe nach Jahrgängen geordneter Geschäftsberichte der Koch-Werke, ihrer Diversifikationen und anderer Unternehmen, ein achtzehnbändiges Lexikon und je ein gerahmtes Foto von Elvira mit ihrem ersten und ihrem zweiten Mann.

Kein einziges Foto sonst, kein einziges Fotoalbum.

»Vielleicht soll eben niemand sehen, wie sie immer jünger geworden ist«, lachte Thomas Koch, als Simone ihm davon erzählte.

Sie traf ihn in bester Laune. Er hatte sich soeben entschlossen, die Feiertage auf der »Why not?«, der Jacht der

Barenboims, zu verbringen, die mit einer amüsanten Clique in der Karibik kreuzte. Er würde noch – ein ungeschriebenes Gesetz – Weihnachten in der Villa verbringen und am nächsten Morgen nach Curaçao fliegen und sich dort einschiffen. In Begleitung von Salomé Winter, dreiundzwanzig.

So war er denn auch sehr hilfsbereit und sofort einverstanden, Simone Fotos zur Verfügung zu stellen, »schachtelweise«, wenn sie wolle.

Doch als er zielsicher die Schublade mit den Fotos öffnete, war sie leer. Obwohl er hätte schwören können, daß sie dort waren.

Er nahm sich sogar etwas Zeit, an anderen möglichen Orten zu suchen. Die Fotos blieben unauffindbar.

Heiligabend wurde in der »Villa Rhododendron« im engsten Familienkreis gefeiert. In der Bibliothek stand ein großer Christbaum mit Schmuck, der noch aus Wilhelm Kochs erster Ehe stammte: durchsichtige Glaskugeln, die schillerten wie Seifenblasen, gläserne Eiszapfen und Engelchen mit Gesichtern wie Modepüppchen der Jahrhundertwende. Die Zweige waren mit roten Äpfeln an Seidenbändeln beschwert und mit Silberfäden und Engelhaar behängt. Alle Kerzen waren rot. Auf der Spitze des Baumes steckte ein goldener Engel, der mit ausgebreiteten Armen die Menschen segnete, die guten Willens sind.

Es gehörte zur Tradition, daß der älteste anwesende Mann aus der Weihnachtsgeschichte vorlas. Das war seit vielen Jahren Thomas Koch.

»Und der Engel des Herrn trat zu ihnen«, las er feierlich, »und die Klarheit des Herrn leuchtete um sie, und sie fürchteten sich sehr. Und der Engel sprach zu ihnen: Fürchtet euch nicht! Siehe, ich verkündige euch große Freude, die allem Volk widerfahren wird; denn euch ist heute der Heiland geboren, welcher ist Christus, der Herr, in der Stadt Davids.«

Anschließend setzte sich Thomas ans Klavier und spielte sein eingerostetes Weihnachtspotpourri.

Elvira lauschte gerührt, Urs dachte an die fällige Kapitalerhöhung im Bereich Elektronik, Thomas an Salomé Winter, dreiundzwanzig, und Simone an Konrad Lang.

Konrad Lang saß mit Schwester Ranjah im Wohnzimmer des Gästehauses. Kein Mensch ahnte, woran er dachte.

Am Morgen des Weihnachtstages klopfte Simone an die Tür ihres Schwiegervaters, fest entschlossen, ein Weihnachtswunder zu erwirken.

Thomas Koch wand sich, fand tausend Ausflüchte, protestierte und bettelte. Aber Simone ließ nicht locker.

Vielleicht war es die Vorfreude auf die Karibik, vielleicht der Armagnac 1875, dem er zu Ehren des Geburtsjahres seines Vaters zugesprochen hatte, vielleicht war es seine Schwäche, jungen, hübschen Frauen keine Bitte abschlagen zu können, oder vielleicht war es nur die Rührung, die ihn bei der Vorstellung befiel, zu so einer großen Geste fähig zu sein; jedenfalls tauchte er vor seiner Abreise bei Konrad Lang im Gästehaus auf.

Als er ins Zimmer kam und Konrad reglos am Fenster sitzen und tief in sich hineinstarren sah, bereute er seinen Entschluß bereits. Dennoch setzte er sich zu ihm. Simone ließ die beiden allein.

»Urs hat Glück mit seiner Frau«, sagte Thomas.

Konrad verstand nicht.

»Simone, die eben rausgegangen ist.«

Konrad erinnerte sich nicht.

»Ich schiffe morgen auf der ›Why not?‹ ein.«

Konrad reagierte nicht.

»Die Jacht der Barenboims«, half Thomas.

»So«, sagte Konrad.

»Brauchst du etwas? Soll ich dir etwas bringen?«

»Was?«

»Irgend etwas.«

Konrad überlegte. Er versuchte seine Gedanken zu ordnen, wenigstens so weit, daß er eine Antwort geben konnte. Aber dann, als er das Gefühl hatte, es könnte ihm gelingen, wußte er nicht mehr, worauf er antworten sollte.

»Soso«, sagte er schließlich.

Thomas Koch war kein geduldiger Mann. »Enfin bref: Wenn dir etwas in den Sinn kommt, laß es mich wissen.«

»D'accord«, antwortete Konrad.

Thomas setzte sich wieder. »Tu préfères parler français?«

»Si c'est plus facile pour toi.«

Sie unterhielten sich auf französisch über Paris. Koni klärte Thomas darüber auf, wo man neuerdings die besten Austern ißt bei den Hallen, und wollte wissen, ob er »Eclair« diese Saison in Longchamps laufen lasse.

Die Hallen waren 1971 abgerissen worden, und Thomas besaß seit 1962 keine Rennpferde mehr.

Der Trick mit dem Französisch funktionierte nicht bei Simone. Es war, als ob Konrad diese Sprache, die ihm Zugang zu einem Teil seiner Erinnerung verschaffte, nur mit Thomas Koch in Zusammenhang brachte.

Aber am Abend erlebte sie ihr zweites Weihnachtswunder.

Simone hatte sich in der Villa ein Zimmer nach ihrem Geschmack eingerichtet. Viel Geblümtes an Sesseln, Recamière, Vorhängen und Kissen; viel Spitze und Trockengestecke und ein künstlicher Duft von Sommernachmittagen, der mehreren Schalen mit getrockneten Blütenblättern entströmte. Das »Laura-Ashley-Zimmer« nannte es Urs spöttisch und machte keinen Hehl daraus, daß er es abscheulich fand. Aber für Simone war es das einzige Refugium in diesem großen Haus mit seiner Mischung aus düsterem Gründerstil und strengem Bauhaus.

Als Simone ins »Laura-Ashley-Zimmer« kam, lag ein gelbes Kuvert auf ihrem Schreibtischchen.

»Habe doch noch ein paar Fotos gefunden. Gott, sind wir alt geworden! Viel Glück. Thomas«, war hastig auf ein Blatt Papier gekritzelt.

Die Bilder glichen sich: unbeschwerte junge Menschen in der Skikleidung der Fünfzigerjahre an einem langen Tisch in einer Skihütte. Unbeschwerte junge Menschen in Badeanzügen der Sechzigerjahre an der Reling einer Jacht. Unbeschwerte junge Menschen in Abendkleidung der Fünfzigerjahre mit Silvesterhütchen und Papierschlangen an einem langen Tisch. Unbeschwerte junge Menschen in Freizeitkleidung der Fünfzigerjahre im offenen Kabrio. Auf allen Fotos war Thomas Koch zu erkennen und auf den meisten auch Konrad Lang.

Konrad Lang reagierte auf die Fotos, wie Simone es sich erhofft hatte.

»Das war Silvester«, sagte er, als sie ihm das Bild der fröhlichen Festgesellschaft zeigte. »Im Palace.«

»In welchem Jahr?« fragte Simone.

»Im letzten.«

Beim Bild mit dem Kabrio zeigte er auf den Fahrer: »Der da ist Peter Court. 1955 ist er kurz hinter Dover frontal mit einem Viehtransporter zusammengestoßen. Kam nach drei Monaten aus Europa zurück und hatte Probleme mit dem Linksverkehr. Sechsundzwanzig.«

Beim Foto aus der Skihütte schüttelte er verwundert den Kopf: »Serge Payot! Daß der noch lebt.«

Dann griff er zum Gruppenbild auf der Jacht und lächelte. »Die ›Tesoro‹. Claudio Piedrini und sein Bruder Nunzio. Und...«

Er zerriß das Foto in kleine Fetzen und murmelte dazu: »Dieser Sauhund. Dieser Sauhund. Dieser verdammte Sauhund.«

Dann schloß er den Mund und öffnete ihn nicht mehr während des ganzen Besuches.

Als Simone später das Foto zusammenklebte, fiel ihr nichts Besonderes auf. Thomas hatte den Arm um ein Mädchen gelegt, wie auf allen anderen Fotos auch. Konrad fehlte.

Koni erwachte mitten in der Nacht und wußte, daß er Tomi haßte. Er wußte zwar nicht, warum, aber das Gefühl des Hasses erfüllte ihn völlig. Daß es sich gegen Tomi richtete, wußte er deshalb, weil er an alle Menschen in seinem Leben denken konnte – an Elvira, an Edgar Senn, ihren Mann, an Joseph Zellweger vom Zellweger-Hof und seine hagere Frau, an den Klavierlehrer Jacques Latour –, ohne daß er mehr als etwas Abneigung oder etwas Angst verspürte. Bei den Piedrinis war es schon etwas mehr als Abneigung, eher so was wie Abscheu, aber nichts im Vergleich zu Tomi.

Wenn er an Tomi dachte, setzte sein Herz für einen Moment aus, und er spürte, wie ihm das Blut in die Wangen schoß und er nur noch einen Wunsch hatte: den Sauhund kaputtzumachen.

Er richtete sich auf und stieg aus dem Bett. Sofort ging die Tür auf, und aus dem hellen Spalt sang Schwester Ranjahs Stimme: »Mama Anna isn't here.«

»I'll kill the pig«, stieß Konrad hervor.

Schwester Ranjah machte das Licht an und erschrak über seinen Gesichtsausdruck. Sie ging auf ihn zu und legte den Arm um ihn.

»Which pig?«

Konrad überlegte. Which pig? Er wußte es nicht mehr.

Am nächsten Tag kam Simone wieder mit den Fotos. »Das war Silvester im Palace. 1959«, sagte er. Und: »Peter Court! Ich dachte, der ist verunglückt.« Und: »Ach, Serge Payot. Und Tomi, dieser Sauhund.«

»Warum ist Tomi ein Sauhund?« fragte Simone.

»Das wissen alle«, antwortete er.

Am nächsten Tag reiste Simone mit schlechtem Gewissen nach Bad Zürs, um mit Urs (»Erinnerst du dich? Ich bin's, Urs, dein Mann!« hatte er ihr kürzlich zugerufen, als sie vom Gästehaus zurückgekommen war) Ski zu fahren und

Silvester zu feiern. Sie gab Schwester Ranjah die Fotos, damit sie sie mit ihm anschauen konnte.

Als sie zurückkam, hatte seine Lethargie etwas anderem Platz gemacht.

Es kam ihr vor wie Wut.

Schwester Ranjah bestätigte diesen Eindruck. Sie erzählte, daß er unruhiger sei in der Nacht, daß er Alpträume habe, daß er manchmal erwache voller Haß.

»Dann werden wir ihm die Fotos nicht mehr zeigen«, sagte Simone.

Schwester Ranjah sah sie überrascht an: »Aber dann nehmen Sie ihm ja ein Gefühl weg.«

So zeigte Simone ihm die Fotos weiterhin.

»Was für Fotos?« wollte Elvira Senn wissen.

Dr. Stäubli hatte ihr bei seinem Bericht über Konrads Zustand in einem Nebensatz gesagt: »Er scheint weiter abzugleiten. Auf die Fotos reagiert er praktisch nicht mehr.«

Dr. Stäubli beschrieb ihr die Fotos, die Simone mit Konrad wieder und wieder angeschaut hatte. Zuerst mit einigem Erfolg, in letzter Zeit aber mit immer deutlicheren Anzeichen dafür, daß er sich nicht erinnern konnte.

»Und der Erfolg, wie hatte der sich geäußert?«

»Es hat ihn angeregt. Er kam ins Plaudern. Er brachte zwar die Zeiten durcheinander, aber das gehört zum Krankheitsbild.«

»Was hat er erzählt?«

»Von den Leuten auf den Fotos, von den Orten, wo sie aufgenommen wurden. Ganz erstaunlich zum Teil. Vierzig Jahre alte Fotos, immerhin.«

»Und jetzt reagiert er nicht mehr darauf?«

»Kaum mehr. Der Teil des Gehirns, in dem er diese Erinnerungen aufbewahrt, scheint jetzt auch betroffen zu sein.«

Dr. Stäubli hätte gerne gewußt, warum das Elvira zu beruhigen schien.

8

Etwas länger als ein Jahr nachdem der Schlittenkutscher Fausto Bertini ihn in einem Schneeloch im Stazerwald gefunden hatte, schien es, als ob Konrad Lang sich ganz in sich zurückziehen wollte. Die einzigen, die noch Zugang zu wenigstens einem Teil von ihm fanden, waren Schwester Ranjah, die er anstrahlte, sobald sie den Raum betrat, und mit der er konsequent und recht korrekt Englisch sprach, und Joseline Jobert, die Beschäftigungstherapeutin, für die er mit klaren, sparsamen Pinselstrichen seine Aquarelle malte.

Es war ein trostloser Januar, kaum ein Tag, an dem man bis zum See hinunter sah, kaum einer ohne den eintönigen, eiskalten Regen.

Simone befand sich in ihrer siebten Ehekrise. Urs hatte beim Skifahren Theresia Palmers, ein Flittchen aus Wien, kennengelernt, das sich Erwin Gubler, einer der bedeutenden Immobilienhändler des Landes, für die Festtage hatte einfliegen lassen. Jetzt hatte Urs sie in der Turmsuite des Des Alpes untergebracht, nach Familientradition. Simone war dahintergekommen, weil unter den Telefonnotizen eine lag, die lautete: »Frau Theresia Palmers bittet Herrn U. Koch um Rückruf. Grand Hotel des Alpes, Turmsuite.« Und darunter eine Telefonnummer.

Aber nicht die Affäre selbst machte Simone zu schaffen. Es war mehr das Timing. Sie war nämlich schwanger. Urs wußte es zwar noch nicht. An dem Tag, an dem sie ihn mit der Neuigkeit überraschen wollte, fand sie die Telefonnotiz. Aber sie bezweifelte, ob er sich dann anders verhalten hätte.

Der melancholische Januar und die Hoffnungslosigkeit, die sich im Gästehaus langsam breitmachte, taten ihr übriges. Zum ersten Mal, seit sie Konrad Lang unter ihre Fittiche genommen hatte, beschlich sie wieder die bleierne Schwere ihrer Depressionen.

Sie zwang sich zwar, Konrad weiterhin zu den gewohnten Zeiten zu besuchen, aber es waren nur noch bedrückende Momente, die sie da stumm miteinander verbrachten.

Immer öfter passierte es, daß Simone früher ging als üblich, und immer häufiger geschah es, daß sie sich nach einem solchen Besuch in ihr Laura-Ashley-Zimmer flüchtete und heulte. Jeden Tag etwas mehr über sich und etwas weniger über Konrad Lang.

Es sah aus, als wäre Simone Koch die zweite Frau, die, unbemerkt von Konrad Lang, aus seinem Leben verschwand.

Elvira Senn wartete noch ein paar Tage ab. Als die Nachrichten aus dem Gästehaus keine Besserung von Konrad Langs Zustand verhießen, gab sie Dr. Stäublis Drängen nach und reiste nach Gstaad, wo sie ihre traditionellen Winterferien im Koch-Chalet verbringen wollte.

»Die Distanz wird Ihnen guttun«, sagte er und versprach ihr, die Stellung zu halten. »Wenn etwas ist, rufe ich Sie an.«

»Auch mitten in der Nacht.«

»Auch mitten in der Nacht«, log er.

Elvira in Gstaad, Thomas in der Karibik, Urs von seiner Affäre in Anspruch genommen – das gesellschaftliche Leben in der »Villa Rhododendron« war zum Erliegen gekommen, und Simone in ihrem Zustand war nicht die Frau, die etwas dagegen unternahm. Sie war froh, keine Verpflichtungen zu haben, blieb bis tief in den Nachmittag im Bett oder in ihrem Zimmer und zog sich nur noch für ihre Pflichtvisiten bei Konrad Lang an.

An einem nebligen Samstag – ein kalter Dauerregen trommelte an die Fensterscheiben, die Buchengruppe neben dem Pavillon war kaum zu erahnen, Urs war übers Wochenende angeblich geschäftlich in Paris, und Simones Glieder waren so schwer wie die nassen Äste der alten Tanne neben ihrem Fenster – ging sie nicht zu Konrad.

Auch am nächsten Tag verließ sie ihr Zimmer nicht. Und am Tag danach war es ihr bis weit in den Nachmittag hinein gelungen, nicht an ihn zu denken, als es klopfte.

Es war Schwester Ranjah, die gehört hatte, es gehe ihr schlecht, und fragen wollte, ob sie etwas brauche. Sie hatte ein Aquarell von Konrad mitgebracht.

Es sah aus wie ein bunter Garten, an dessen Rand ein kurzer Baumstrunk stand. Daneben hatte Konrad das Wort »Baum« gemalt.

Es war nicht so sehr das Bild, das sie berührte, sondern das, was er mit unbeholfenen Buchstaben an den unteren Bildrand geschrieben hatte: »Konrad Lang. Eigentlich wollte ich noch darüber schreiben.«

Was wollte er schreiben? Und worüber? Über den seltsamen Garten aus roten, grünen, gelben und blauen Schlangenlinien, Kreisen, Tupfen und Bändern, die vielleicht Hecken, Wege, Teiche, Büsche, Blumen und Beete waren? Oder über das große Wort »Baum« neben dem kleinen, bedauernswerten Strunk?

Wollte er darüber schreiben, daß auch ein Strunk noch ein Baum ist?

»Eigentlich wollte ich noch darüber schreiben.« Und was hielt ihn davon ab? Daß er schon wieder vergessen hatte, was? Oder daß er niemanden hatte, der verstehen würde, was er meinte?

Das Aquarell bewies ihr, wieviel in diesem Hirn noch vor sich ging, von dem die Ärzte sagten, es werde bald nicht mehr in der Lage sein, auch nur die einfachsten Körperfunktionen zu steuern.

Simone Koch verschwand nicht aus Konrads Leben. Im Gegenteil: Sie beschloß, alles zu tun, damit er nicht aus ihrem verschwand.

Dr. Wirth war etwas überrascht gewesen, als man ihm bei seiner Visite ausgerichtet hatte, er solle sich doch bitte anschließend kurz bei Frau Simone Koch melden.

Jetzt saß er in diesem eigenartigen Jungmädchenzimmer, das so gar nicht in dieses Haus paßte, und versuchte ihr klarzumachen, daß es für Alzheimer derzeit keine Heilung gab.

»Es gibt nach dem heutigen Stand nun einmal nur das, was wir bereits tun: Ginkgo, Vitamine, Physiotherapie,

Beschäftigungstherapie, Gedächtnistraining. Wir hatten ja auch ganz schöne Resultate. Was wir jetzt sehen, ist ein neues Stadium. Es ist unaufhaltsam, Frau Koch. Noch.«

»Noch? Bestehen denn Aussichten, die Krankheit aufzuhalten?«

»Es gibt Leute, die sagen, schon in absehbarer Zeit.«

»Was für Leute?«

»Alzheimer ist ein gewaltiges Problem, also ist mit dessen Lösung gewaltig viel Geld zu machen. Es gibt wohl kaum ein pharmazeutisches Unternehmen, das nicht daran forscht.«

»Und es gibt greifbare Resultate, sagen Sie?«

»Jeden Monat neue, zum Teil sehr vielversprechende.«

»Warum probieren Sie dann nicht etwas? Was hat Herr Lang zu verlieren?«

»Er nicht viel, aber ich. Die Medikamente sind noch nicht zugelassen.«

»Aber macht man nicht manchmal Tests mit Freiwilligen?«

»In diesem Stadium der Krankheit besitzt man keinen freien Willen mehr.«

»Dann kann man ja nie Versuche mit Alzheimerpatienten machen.«

»Doch. Wenn der Patient in einem frühen Stadium dazu die Einwilligung gibt. Prophylaktisch, sozusagen.«

»Wem gibt er die?«

»Normalerweise dem behandelnden Arzt.«

»Hat er sie Ihnen gegeben?«

»Nein.«

»Warum nicht?«

»Es stand nicht zur Diskussion.«

»Das heißt, Sie haben es ihm nicht vorgeschlagen?«

»Es gehört nicht zur Routine.« Dr. Wirth begann sich etwas unbehaglich zu fühlen. »Kann ich sonst noch etwas für Sie tun? Ich werde in der Klinik erwartet.«

»Kann man solche Tests auch ohne Einwilligung des Patienten machen?«

Dr. Wirth stand auf. »Sehr schwierig.«

»Aber nicht unmöglich?«

»Es gibt Möglichkeiten.«

»Dann bitte ich Sie, diese zu prüfen.«

»Das werde ich gern tun«, versprach Dr. Wirth. »Versuchen Sie es doch einmal mit Fotos aus einem anderen Zeitabschnitt. Manchmal kann man damit etwas bewegen.«

Eine Woche hörte sie nichts von Dr. Wirth, dann sah sie ihn zufällig in einem Dreisternerestaurant. Urs hatte sie dorthin geführt, um den Verdacht zu zerstreuen, den sie seinem Gefühl nach zu hegen schien.

Dr. Wirth saß ein paar Tische weiter mit einer attraktiven Mitfünfzigerin bei einem »Menu Surprise«. Man sah den beiden an, daß es sich nicht um ein Arbeitsessen handelte.

Die Frau kam ihr bekannt vor. Aber erst als die beiden Arm in Arm hinausgingen, erkannte sie sie: Rosemarie Haug, Konrad Langs Freundin, die sich nicht mehr blicken ließ.

Vielleicht tat sie Dr. Wirth damit unrecht, aber sie beschloß in diesem Moment, Konrads Neurologen zu wechseln.

Dieser Entschluß und der wunderbare Bordeaux machten sie so beschwingt, daß sie sich zur Grausamkeit hinreißen ließ, Urs zu gestehen, daß sie schwanger war.

Das setzte der Affäre Theresia Palmers, Grand Hotel des Alpes, Turmsuite, ein plötzliches Ende.

»Kennen Sie einen guten Neurologen?« fragte sie ihren Gynäkologen, Dr. Spörri, mitten in der Untersuchung.

»Sie brauchen keinen Neurologen, das ist normal, daß man etwas deprimiert ist in der ersten Zeit der Schwangerschaft.«

»Ich kümmere mich ein wenig um einen Alzheimerpatienten«, erklärte sie.

»Als Einführung in die Säuglingspflege?« Simones Gynäkologe war manchmal etwas taktlos.

Nach der Untersuchung schrieb er ihr die Adresse eines Neurologen auf und vereinbarte für sie einen Termin.

»Geben Sie sich nicht zu sehr mit dem Alzheimerpatienten ab. Das schlägt aufs Gemüt.«

Der Neurologe hieß Dr. Beat Steiner. Er hörte ihr ruhig zu. Dann sagte er: »Es gibt vielversprechende Lösungsansätze, das stimmt. Einige stehen kurz vor der Zulassung. Dr. Wirth gehört zu der Handvoll Ärzten, die eine davon klinisch testen. Wenn er das bei diesem Patienten nicht tut, muß er seine Gründe haben.«

Simone erwähnte Rosemarie Haug nicht. »Er hat seine Einwilligung damals nicht eingeholt. Und im jetzigen Stadium sei es sehr schwierig, eine Bewilligung zu erhalten.«

Etwas an Dr. Steiners Reaktion ließ sie fragen: »Sind Sie anderer Meinung?«

»Sehen Sie, Frau Koch, es ist immer etwas heikel, einem Kollegen zu widersprechen. Besonders, wenn man einen so großen Informationsrückstand hat wie ich in diesem Fall.« Er überlegte einen Moment. »Aber ich will Ihnen theoretisch antworten: Es besteht die Möglichkeit, chemische Verbindungen, die sich in den vorklinischen Tests bewährt haben und auch bei den klinischen Tests an gesunden Freiwilligen keine Nebenwirkungen gezeigt haben, an Patienten zu erproben. Dazu braucht es die Einwilligung des Patienten oder, wenn das nicht mehr möglich ist, der Angehörigen. Und das Einverständnis eines Ethik-Komitees.«

»Und wenn es keine Angehörigen gibt?«

»Dann ist der gesetzliche Vormund zuständig.«

»Und das Einverständnis des Ethik-Komitees, das bekommt man?«

»Wenn der Test sinnvoll und das Risiko kalkulierbar ist, erhält man die Erlaubnis für eine einmalige Anwendung.«

»Führen Sie auch solche Tests durch?«

Dr. Steiner schüttelte den Kopf. »Das machen Professoren und Privatdozenten mit Forschungsverträgen von Pharmaunternehmen und Spitalärzte.«

»Kennen Sie solche Leute?«

»Dr. Wirth.«

»Außer Dr. Wirth?«

»In Ihrem Fall ist der Patient in Privatpflege. Das ist ein Problem. Es wäre einfacher, wenn er in einer Klinik wäre. Käme eine solche Lösung in Frage?«

Simone brauchte nicht zu überlegen. »Nein, das kommt nicht in Frage.«

»Dann wird es schwierig.«

»Werden Sie sich trotzdem erkundigen?«

Dr. Steiner zögerte.

»Bitte.«

»Sie hören von mir.«

Als Simone ins Wohnzimmer des Gästehauses kam, saß Konrad Lang am Tisch. Seine Hand lag auf einem großen Plastikball mit farbigen Streifen.

Sie setzte sich zu ihm. Nach einer Weile löste er den Blick vom Ball und sah sie an. »Schau nur«, sagte er und deutete auf den Ball, »wie das so nach hinten geht.«

»Du meinst, wie die Farben sich um den Ball ziehen?«

Er musterte sie wie ein Lehrer eine ganz hoffnungslose Schülerin. Dann schüttelte er den Kopf, lachte und studierte wieder den Ball.

»Ja, jetzt sehe ich es auch«, sagte Simone.

Konrad schaute erstaunt auf. »Wie sind jetzt Sie hereingekommen?«

Gleich nach diesem Besuch bei Konrad beschloß Simone, etwas Mutiges zu tun.

Sie besorgte sich den Schlüssel zum »Stöckli«, der im Küchenvorraum der Villa hing. Sie wartete, bis die Sicherheitsleute ihren Rundgang beendet und das Grundstück verlassen hatten. Dann ging sie los.

Es war ein dämmriger Tag. In den Häusern mußten die Lichter brennen, und der Nebel war so dick, daß er von den Tannen troff. Simones Regenmantel war feucht von dem kurzen Weg hinunter zum »Stöckli«. Sie betrat das Entrée, als wenn das ihr gutes Recht wäre.

Das Haus war warm und gelüftet. Auf der Kommode neben der Garderobe standen frische Blumen, wie jeden Tag. Elvira liebte die Vorstellung, daß sie jederzeit unangemeldet heimkommen könnte und alles so vorfinden würde, als wäre sie nur für ein paar Stunden ausgegangen.

Simone stand einen Moment unschlüssig in der Diele und überlegte sich, wo sie beginnen sollte. Dann wandte sie sich zum Frühstückszimmer.

Auch hier frische Blumen. Und auf dem Tisch am Fenster die unberührten Zeitungen von heute. Das einzige Möbelstück, das in Frage kam, war eine kleine Anrichte aus Chromstahl und Kirsche. Sie öffnete die Schiebetüren. Alles, was sie fand, war ein zwölfteiliges Teeservice von Meißen, etwas Frühstücksgeschirr, ein paar Gläser und einige Flaschen Likör.

Im Frühstückszimmer gab es neben der Tür zur Diele noch eine andere, die ins Ankleidezimmer führte. Simone öffnete sie und erschrak, als sich im gleichen Moment an der gegenüberliegenden Wand eine Tür öffnete und sich die Silhouette einer Frau im Türrahmen abzeichnete. Dann merkte sie, daß die Wand aus einem Spiegel bestand. Auf beiden Seiten des Raumes waren hohe Schiebetüren. Als Simone eine öffnete, ging das Licht im begehbaren Schrank an, der sich dahinter befand.

Vier solcher Schränke mit Kleidern, Wäsche, Blusen, Schuhen, Pelzen und Kostümen durchsuchte sie ohne Erfolg. Dann entdeckte sie eine Türklinke in der Spiegelwand und öffnete eine weitere Tür, die in ein elegantes Bad aus smaragdgrünem Marmor führte.

Simone öffnete ein paar Spiegelschränkchen, einige

Schubladen voller Kosmetika, einen kleinen Kühlschrank mit Insulinpatronen und ging dann durch die nächste Tür.

Das Schlafzimmer von Elvira Senn.

Nichts vom kühlen Understatement, nichts von den klaren Linien und durchkomponierten Farben der anderen Räume. Hier herrschte eine hemmungslose Mischung aus Jugendstil, Barock, Biedermeier und Beverly Hills.

Neben einem Bett von erstaunlichen Ausmaßen für eine Frau ihres Alters stand ein Biedermeiersekretär mit aufwendigen Einlegearbeiten aus Ahornwurzelfurnier, ihm gegenüber eine opulente Empire-Kommode, zwischen den beiden Fenstern mit bauschigen Vorhängen aus altrosa Crêpe-Seide eine schlichte Nußbaum-Vitrine, angefüllt mit den Nippes eines achtzigjährigen Lebens. An der Wand zum Badezimmer ein Art-Déco-Schminktisch in schwarzem, rotem und goldenem Lack.

Der ganze Raum roch nach Puder und schweren Parfums und war schon halb versunken in der frühen Dämmerung des schummrigen Tages.

Simone zog die Vorhänge zu, machte Licht und nahm sich als erstes den Biedermeiersekretär vor.

Zum Konzept des privaten Sicherheitsdienstes gehörten Zusatzpatrouillen, deren Häufigkeit und Zeitpunkt von einem Zufallsgenerator in der Zentrale festgelegt wurden. An diesem Tag traf es die Patrouille auf dem Weg in den Feierabend. »Zusatzpatrouille ›Rhododendron‹«, meldete der Funk, als sie in die Tiefgarage der Zentrale einbogen.

»Scheißzufallsgenerator«, fluchte Armin Frei, der den Wagen fuhr.

»Wir könnten schon ausgestiegen sein«, schlug Karl Welti vor. Er war mit der hübschen Gehilfin seines Zahnarztes verabredet, in dessen Patientenkartei er immer noch als Student figurierte.

»Wir sind aber noch nicht ausgestiegen«, antwortete Armin Frei, der keine Verabredung hatte außer der am Stammtisch, wo er später fragen konnte: »Wißt ihr, was mir dieser Scheißzufallsgenerator heute wieder geboten hat?«

Er wendete das Fahrzeug und fuhr zurück zur »Villa Rhododendron«.

»Kannst du wenigstens kurz bei einer Telefonkabine anhalten, du Spießer?«

»Es ist nicht jeder ein Spießer, nur weil er seinen Arbeitgeber nicht bescheißt.«

»Hier kommt eine Telefonkabine, Spießer.«

Als sie wieder bei der Villa ankamen, war es dunkel geworden. Sie schlossen das Tor auf und meldeten an der Gegensprechanlage: »Sicherheitsdienst, Zusatzpatrouille.« Dann folgten sie mißmutig den Kegeln ihrer Stablampen durch den triefenden Park.

Als sie zum »Stöckli« kamen, sahen sie einen Streifen Licht, der aus dem Schlafzimmer drang und die nassen Blätter eines Rhododendrons aufglitzern ließ.

»Das ist doch als vorübergehend unbewohnt gemeldet«, sagte Armin Frei.

»Auch das noch«, stöhnte Karl Welti.

Simone war entmutigt. Auch im Schlafzimmer nichts. Sie vergewisserte sich, daß sie nichts verändert hatte, und löschte das Licht. Sie stand im Dunkeln und hatte noch das

Bild des Sekretärs vor Augen. Etwas stimmte nicht damit. Sie machte erneut Licht und merkte, was falsch war: Die Schreibklappe war hochgeklappt gewesen, als sie ins Zimmer gekommen war. Jetzt war sie unten. Sie klappte sie hoch und drehte den Schlüssel. Aber der Riegel ging nicht zu. Sie probierte es ein paarmal. Als es immer noch nicht ging, versuchte sie es in die falsche Richtung. Der Schlüssel ließ sich drehen, und die Klappe war geschlossen.

Wieder löschte sie das Licht, und wieder hatte sie das Bild des Sekretärs vor sich, an dem etwas nicht stimmte. Als sie noch einmal Licht machte, sah sie, daß die Seitenwand der oberen Hälfte des Möbels abstand. Sie ging näher und stellte fest, daß sich die Wand wie eine Tür öffnen ließ. Sie mußte durch die falsche Drehung am Schloß aufgesprungen sein.

Die Tür verbarg einen Hohlraum zwischen der falschen und der echten Rückwand des Möbels. Neun Fotoalben in verschiedenen Einbänden waren darin versteckt.

Simone nahm sie heraus, ließ die Geheimtür in ihr Schloß schnappen und löschte das Licht.

Als sie die Tür in den Korridor öffnete, blendeten sie zwei starke Stablampen.

»Sicherheitsdienst, keine Bewegung«, befahl eine aufgeregte Stimme.

Die beiden Sicherheitsmänner kannten Simone und entschuldigten sich.

Simone wehrte die Entschuldigung ab. »Ein gutes Gefühl, wenn man weiß, daß Sie so wachsam sind. Darf ich Ihnen etwas anbieten?«

Armin Frei war nicht abgeneigt. Aber Karl Welti sagte knapp: »Danke, nicht im Dienst.« Wenn sie sich beeilten, reichte es noch für die Zahnarztgehilfin.

Armin Frei rächte sich, indem er begann, umständlich den Rapportblock aus der Brusttasche zu klauben. »Dann brauchen wir nur noch Ihre Unterschrift.«

»Komm, das ist doch nicht nötig bei der Besitzerin.«

»Das Haus war als vorübergehend unbewohnt gemeldet.« Armin Frei begann, pedantisch die Daten einzutragen: Ort: Schlafzimmer »Stöckli«, Zeit: 18 Uhr 35.

»Es wäre mir auch lieber, wenn Sie keinen Rapport schreiben würden. Es handelt sich um eine Überraschung zum achtzigsten Geburtstag von Frau Senn.« Sie zeigte auf die Fotoalben.

Armin Frei begriff. »Ach so. Das haben wir beim Sechzigsten meines Vaters auch gemacht. Mit alten Fotos.«

»Eben«, sagte Simone.

»Eben«, drängte Karl Welti.

Die neun Alben stammten aus verschiedenen Epochen. Die meisten aus den späten Fünfziger- und frühen Sechzigerjahren, mit dem massigen, etwas hemdsärmeligen Edgar Senn und einer Elvira, die neben ihm zart, elegant und distanziert wirkte wie die Demoiselle neben König Babar. Auf den wenigsten war Thomas Koch zu sehen und auf gar keinem Konrad Lang.

Eines stammte aus den ersten Nachkriegsjahren. Auf den meisten Fotos war Thomas abgebildet: Thomas in Schuluniform, Thomas im Tennisdreß, Thomas im Skianzug, Thomas zu Pferd, Thomas als Konfirmand. Auf einigen dieser

Bilder war zudem der gleiche etwas ungelenke Knabe abgebildet, bei dem es sich wohl um Konrad handelte.

Das zweitälteste Album mußte aus der Zeit vor dem Krieg stammen. Es war voller Aufnahmen von berühmten Plätzen aus aller Welt, auf fast allen war die junge Elvira zu erkennen mit manchmal einem, manchmal zwei kleinen Knaben.

Das älteste Album stammte aus den Dreißigerjahren. Fast alle Fotos waren in der »Villa Rhododendron« oder in ihrem Park aufgenommen. Sie zeigten die kindliche Elvira und den ältlichen Wilhelm Koch.

Und leere Stellen, an denen die weißen Überreste rausgerissener Fotos klebten.

Am nächsten Tag ließ sich Simone von den drei Alben, in denen Konrad vorkam, Laserkopien machen. Und – sie wußte nicht, warum – von dem mit den herausgerissenen Bildern auch. Danach ging sie noch einmal ins »Stöckli« und legte alle neun Alben in ihr Versteck zurück.

Als sie gegen Mittag Konrad besuchte, empfing sie eine gereizte Schwester Irma Catiric. »Ißt nicht«, stieß sie vorwurfsvoll hervor, als wäre Simone dafür verantwortlich.

Sie traf Konrad am Tisch vor einem unberührten Teller Gemüsecannelloni, einem Glas frischem Saft aus Karotten, Sellerie und Äpfeln und einer Schale Salat.

Schwester Irma bückte sich nach der Serviette, die am Boden lag, und band sie ihm energisch um. »So, jetzt zeigen wir Ihrem Besuch, wie schön wir essen können.« In der Hektik konnten Schwester Irma solche Ausrutscher in den Krankenschwesterjargon schon einmal passieren.

Konrad riß sich die Serviette vom Hals und warf sie auf den Boden. »Jetzt knallt's dann«, knurrte er.

Schwester Irma schickte einen Blick gegen den Himmel und ging hinaus.

»Ich brauche deine Hilfe«, sagte Simone. Konrad schaute sie erstaunt an.

»Ich habe hier ein paar Fotos mitgebracht und weiß nicht, was drauf ist.«

Sie half ihm aufstehen (seit der Lungenentzündung war er an manchen Tagen etwas unsicher auf den Beinen), und sie setzten sich nebeneinander auf das Sofa. Simone hatte das Album mit den Fotos mitgebracht, auf denen manchmal der linkische Knabe abgebildet war, von dem sie annahm, daß es Konrad war.

»Das hier, zum Beispiel. Kannst du mir sagen, wer die Leute sind?« Das Foto war auf einem Raddampfer aufgenommen. Es zeigte ein paar gleichaltrige Knaben mit Rucksäcken und einen Mann mit Rucksack und weißer Schirmmütze.

Konrad brauchte nicht zu überlegen. »Das ist doch Baumgartner, unser Klassenlehrer. Während der Schulreise aufs Rütli. Das ist Heinz Albrecht, das Joseph Bindschedler, das Manuel Eichholzer, das Niklaus Fritschi, das da Richard Marthaler, Marteli nennen wir ihn, und der Dicke ist Marcel von Gunten. Tomi ist der ohne Rucksack.«

»Warum hat Tomi keinen Rucksack?«

»Wir haben einen zusammen.«

»Und? Wie war die Schulreise?«

»Als Furrer dieses Foto machte, hat es gerade einmal nicht geregnet.«

»Wer ist Furrer?«

»Der Geographielehrer. Das hier ist Tomi auf der ›Lanigiro-Skipiste‹ in St. Moritz. ›Lanigiro‹ heißt ›Original‹, rückwärts geschrieben, ein berühmtes Orchester, das oft in St. Moritz gespielt hat. Ich habe das Foto gemacht.«

Konrad blätterte angeregt im Album. Alle Fotos, auf denen er abgebildet war, konnte er detailliert kommentieren. Wenn ihm ein Name von jemandem nicht gleich einfiel, konnte er sich ärgern wie jemand, dem das sonst nie passiert. »Ganz vorn auf der Zunge«, habe er ihn, sagte er immer wieder.

Auch einige der Fotos, auf denen er nicht abgebildet war, konnte er erläutern. »Das hier ist Tomi auf ›Relampago‹, das heißt ›Blitz‹ auf spanisch. Da war ich noch auf dem Zellweger-Hof. Der Hengst war schon verkauft, als ich in die ›Rhododendron‹ zurückkam.«

Ein Foto mit Thomas und zwei jungen Männern in Kricketpullovern und mit Tennisschlägern erklärte er so: »Das ist Thomas mit unseren ›room mates‹ im ›St. Pierre‹, Jean Luc de Rivière und Peter Court. Ich habe ›retenu‹, weil sie mich im Dorf erwischt haben.«

»Was ist ›retenu‹?« fragte Simone.

»Arrest.«

Schwester Irma, die ins Zimmer zurückgekommen war, schimpfte: »Sie haben jetzt dann auch ›retenu‹, wenn Sie nicht essen.«

Gehorsam stand Koni auf, setzte sich an den Tisch und fing an zu essen.

Koni war im Dorf gewesen und hatte in der Auberge du Lac vier Flaschen Wein gekauft. Es hatte zum Abendessen Rindsbraten gegeben, und de Rivière hatte gesagt: »Ein Gläschen Roten dazu wäre nicht zu verachten«, und damit einen übertriebenen Lacherfolg verbucht.

Nach dem Essen ging Konrad zur Gärtnerei, lehnte eine Baumleiter an die Mauer, kletterte hoch und versuchte vergeblich, die Leiter heraufzuziehen und auf der anderen Seite wieder hinunterzulassen. Einen Moment lang wollte er aufgeben, aber die Verlockung, mit ein paar Flaschen Rotwein im Zimmer aufzutauchen und gefeiert zu werden, war stärker. Er sprang hinunter und beschloß, sich die Frage, wie er wieder hineinkam, erst später zu stellen.

Die Beschaffung von vier Flaschen Hauswein in der Auberge du Lac verlief reibungslos. Aber der Wiedereinstieg ins »St. Pierre« erwies sich als Problem. Er ging vor der Mauer auf und ab und mußte zusehen, wie in den Schlafzimmern die ersten Lichter ausgingen. Er hatte die Wahl, bei der Zimmerkontrolle zu fehlen oder zu versuchen, den Pförtner zu überreden, ihn einzulassen und keine Meldung zu machen. Schließlich klingelte er beim Pförtner. Der kam nach einer Weile angeschlurft, öffnete das Fensterchen im großen Tor, erkannte Konrad und ließ ihn herein. Kaum war er drinnen, hielt ihm Konrad zwei Flaschen Roten hin. Der Pförtner setzte die Brille auf und las skeptisch die Etikette. Konrad zog die dritte Flasche aus der Manteltasche, und als er sah, wie der Alte den Kopf zu schütteln begann, auch noch die vierte.

Dann gingen sie gemeinsam zum Pförtnerhäuschen, und der Mann informierte den diensthabenden ›surveillant‹.

Vier Wochen ›retenu‹ hatte er bekommen. Zimmerarrest außerhalb der Unterrichtsstunden, Mahlzeiten im Zimmer, als einzige Sportart fünfzehn Runden Laufschritt um den Sportplatz. Und die Schmach, daß er so wenig von Wein verstand und geglaubt hatte, er könne den alten Fournier mit vier Flaschen Hauswein aus dem Du Lac bestechen.

Jetzt saß er in seinem Zimmer und mußte warten, bis Tomi, Jean Luc de Rivière und Peter Court heraufkamen. Sie würden mitten in einem Gespräch sein, das sie im Freizeitraum begonnen hatten, und sich nicht die Mühe geben, ihn darüber aufzuklären, worum es sich drehte. Sie würden Anspielungen machen auf Vorkommnisse, bei denen er nicht dabeigewesen war, und über Witze lachen, die ohne ihn gerissen worden waren.

Als sie hereinkamen, hatten sie ein Mädchen dabei.

»He, wie habt ihr denn die reingeschmuggelt«, sagte er lachend und stand auf.

Sie sagte: »Konrad, darf ich dir Dr. Kundert und Dr. O'Neill vorstellen.«

Koni zwinkerte den beiden zu und gab ihnen die Hand. »Sehr erfreut, Herr Doktor. Sehr erfreut, Herr Doktor.« Dann wartete er schmunzelnd, wie das Spiel weitergehen würde.

»Die beiden Herren würden dich gern untersuchen, wenn du nichts dagegen hast.«

Also eine Art Doktorspiel. »Aber ganz im Gegenteil, Mademoiselle.« Wieder zwinkerte er den andern zu.

Jetzt ging das Mädchen zur Tür und öffnete sie. »Ich bin drüben in der Villa, wenn Sie mich brauchen.«

»Halt, halt, nicht so eilig. Sie machen doch auch mit?«

»Vielleicht ein andermal«, antwortete sie und schloß die Tür.

»Warum laßt ihr sie gehen?« fragte er de Rivière und Court. Aber die waren jetzt schon wieder bei ihren Spielchen. Sie sprachen über Dinge, die für ihn keinen Sinn ergaben, sie bezogen sich auf Ereignisse, die ohne ihn stattgefunden hatten, und redeten von Leuten, von denen er noch nie im Leben gehört hatte.

»Wo ist eigentlich Tomi?« fragte er. Die beiden taten, als wüßten sie nicht, wovon er sprach.

Da ging ihm ein Licht auf. »Ich bin drüben in der Villa«, hatte das Mädchen gesagt. Dreimal darfst du raten, mit wem.

Dr. Peter Kundert war ein achtunddreißigjähriger Neuropsychologe. Er hatte Medizin und Psychologie studiert und sich als MD/PhD auf Neuropsychologie spezialisiert. Im Team von Professor Klein im Magdalenaspital war er an einem klinischen Test beteiligt, den er persönlich als Zeitverschwendung betrachtete.

Dr. Iain O'Neill war ein Biochemiker etwa gleichen Alters. Er kam aus Dublin und war als Mitglied eines Forschungsteams in einem Pharmaunternehmen in Basel am gleichen Projekt beteiligt. Er teilte Kunderts Meinung darüber.

Sie hatten sich bei der Arbeit kennengelernt und angefreundet. Bei einem Glas hatten sie sich ihre Zweifel gestanden. O'Neill erzählte Kundert zu später Stunde von einer anderen Verbindung, POM 55, der er unvergleichlich größere Chancen gab. Nicht nur deshalb, weil er viel maßgeblicher daran beteiligt war.

Kundert machte am nächsten Tag den Fehler, seinem Chef davon zu erzählen. Dieser faßte das als Kritik an seinem eigenen Projekt auf. Damit war es mit der Möglichkeit, daß O'Neills Projekt am Magdalenaspital eine Chance erhielt, natürlich vorbei.

Inzwischen waren die vorklinischen Tests von POM 55 abgeschlossen und so befriedigend verlaufen, daß die Zeit für die klinischen gekommen war, welche O'Neill koordinieren sollte. Das würde das Ende der Zusammenarbeit von Kundert und O'Neill bedeuten. Deswegen waren beide sofort interessiert, als sie von Dr. Steiner gehört hatten, es gebe einen Alzheimerpatienten in exklusiver Privatpflege, für den großes Interesse an einem experimentellen Medikament im Rahmen eines klinischen Tests bestehe. Das könnte eine Chance sein, Kundert außerhalb seiner Tätigkeit im Magdalenaspital trotzdem am Projekt zu beteiligen. Wenn auch vielleicht nicht ganz so offiziell.

Kundert und O'Neill waren beide etwas euphorisch über den Zustand des Patienten. Der Verlust oder eine große Beeinträchtigung des Sprachvermögens wäre ein Zeichen dafür gewesen, daß die Krankheit zu weit fortgeschritten, die Schäden irreversibel waren. Keine Ethik-Kommission hätte ihnen in diesem Fall die Einwilligung zum Test gegeben.

Sie saßen in Simones Zimmer wie zwei kleine Buben, die gleich ein neues Spielzeug bekommen sollten, wenn sie es nur richtig anstellten.

Kundert war großgewachsen und leicht gebeugt, wie wenn er sich kleiner machen wollte. Sein Gesicht schien immer zu lächeln, und er trug eine Brille, die er zum Sprechen abnahm und in der Hand hielt. Sein Haar war schwarz und dicht und schon von weißen Strähnen durchsetzt. Es ringelte sich im Nacken zu festen kleinen Löckchen.

O'Neill war klein und kompakt, sein braunes Haar war stumpf von all dem Lack, den er brauchte, um es daran zu hindern, wie ein Trockengesteck in alle Himmelsrichtungen abzustehen. Er hatte ein Gesicht wie ein Straßenköter, der keiner Rauferei aus dem Wege geht.

Es war Kundert, der sprach.

»Herr Lang ist zwar verwirrt und desorientiert, aber überraschend präsent, auch wenn sich nicht klar erschließt, an welchem Ort und in welcher Zeit. Er hat uns de Rivière und Court genannt.«

»Seine Zimmergenossen im ›St. Pierre‹, in den Vierzigerjahren«, erklärte Simone.

»Er spricht überraschend flüssig und verfügt über einen erstaunlichen Wortschatz. Sogar Französisch und Englisch hat er gesprochen. Das heißt, das, was wir Aphasie nennen, die Störung des Sprachvermögens, ist noch nicht eingetroffen oder noch nicht sehr weit fortgeschritten.«

»Das war nicht immer so, es gab Phasen, da sprach er kein Wort. Erst seit ich Fotos aus seiner Jugend gefunden habe, ist er wieder so interessiert und eloquent.«

»Es ist wichtig, daß Sie solche Fotos weiterhin mit ihm anschauen während einer eventuellen Behandlung.«

»Glauben Sie, daß eine Chance besteht, ihn zu heilen?« fragte Simone.

Die beiden sahen sich an. Dr. O'Neill übernahm. Er sprach ein druckreifes Hochdeutsch, aber mit englischem Akzent und dem seltsamen Tonfall der Iren, der jeden Satz in einer Frage enden läßt.

»Es gibt drei wichtige Charakteristiken im Gehirn eines Alzheimerpatienten: erstens die Plaques, die sich zwischen den Hirnzellen ablagern und die hauptsächlich aus giftigem fibrillärem Amyloid bestehen; zweitens die entzündlichen Nervenzellen in deren Umgebung; drittens die Neurofibrillen, die Zellenskelette, die überphosphorisiert sind und dadurch aufhören zu funktionieren. In welchem Zusammenhang diese drei Faktoren zueinander stehen, wissen wir nicht.«

Simone mußte O'Neill etwas hilflos angeschaut haben. Er fühlte sich veranlaßt hinzuzufügen: »Drei wichtige krankhafte Veränderungen, und wir wissen nicht, ob die eine die andere bedingt und, wenn ja, welche welche. Das heißt, wir können versuchen, das Amyloid ungiftig zu machen oder die Entzündung der Zellen zu stoppen oder die Überphosphorisierung der Neurofibrillen.«

»Sag ihr doch, wovon wir ausgehen«, drängte Kundert.

»Unsere Hypothese ist: Das giftige Amyloid ist schuld an der Entzündung der umliegenden Nerven und an der Hyperphosphorisierung.« O'Neill wartete auf den Effekt, den seine These auf Simone haben würde. Aber sie nickte nur und wartete, daß er weitersprach.

»Wir wissen, daß das Amyloid giftig wird, wenn es fibrillär wird. Also müssen wir das verhindern.«

»Und das können Sie?«

Dr. Kundert und Dr. O'Neill wechselten einen Blick. O'Neill antwortete: »Ich behaupte: Ja, wir können es.«

Dr. Kundert fügte enthusiastisch hinzu: »Die bisherigen Ergebnisse sind beeindruckend. Es funktioniert in der Zellkultur, es funktioniert bei Ratten, und die vorklinischen

Tests bei gesunden Freiwilligen haben keine Nebenwirkungen gezeigt.«

»Aber bei einem Alzheimerpatienten haben Sie es noch nie ausprobiert?«

»Herr Lang würde zu den ersten gehören.«

»Was riskiert er?«

»Daß die Krankheit fortschreitet.«

»Das riskiert er auch so«, antwortete Simone.

Ein Nachmittag im Oktober. Koni stand vor dem Treibhaus neben dem Komposthaufen. Es roch modrig nach den feuchten, bemoosten Backsteinen, die das Fundament und den Boden des Gebäudes bildeten. Von hier aus konnte er den mit rutschigem Laub bedeckten Weg zum Gärtnerhaus und zum Hauptgebäude überblicken.

Die Abmachung war, daß er zweimal gegen die Glasscheibe hinter sich klopfte, wenn Gefahr drohte. Und daß er mit dem Rücken zum Treibhaus stehen mußte und den Kopf nie und unter keinen Umständen drehen durfte.

An diesen Teil der Abmachung hielt sich Koni nur bedingt. Er verbarg in der rechten Hand einen kleinen runden Taschenspiegel, mit dem er unter der linken Achsel hindurch ins Treibhaus spähte.

Viel war nicht zu sehen. Im Treibhaus war es duster, und die Blumentöpfe und die Fächer der schon eingewinterten Kübelpalmen versperrten die Sicht. Aber aus einem bestimmten Winkel konnte er manchmal im Grünschwarz des Gewächshauses undeutlich das weiße Fleisch von Geneviève, der fügsamen Tochter des Hausgärtners, schimmern sehen, vielleicht eine Brust, vielleicht eine Hinterbacke.

Es hieß von Geneviève, sie ließe alles mit sich machen. Diese Vorstellung allein verwandelte die Rendezvous mit ihr in hektische, kurze Begegnungen, bei denen sich die unerfahrenen Liebhaber hoffnungslos verzettelten.

Koni gehörte nicht zu den Liebhabern, seine Rolle war die Absicherung der Treffs. Es war allen als die natürliche Aufgabenteilung erschienen, anfangs auch Koni.

Aber in letzter Zeit, seit er auf den Trick mit dem Taschenspiegel gekommen war, hatte er sich nach und nach in die andere Rolle versetzt und stellte sich vor, er sei es, der dieses rosa Höschen herunterzerrte – oder war es ein Büstenhalter? – und diesen Hintern – oder war es ein Busen? – freilegte.

Koni stand vor dem Treibhaus neben dem Komposthaufen. Im Spiegelchen rang Tomi mit den widerstandslosen Gliedmaßen von Geneviève. Koni versuchte in dem ständig wechselnden Bild etwas Genaues auszumachen.

Plötzlich roch es nach kaltem Stumpen. Er blickte auf und sah in das mißtrauische Gesicht des Hauptgärtners. Koni verlor die Nerven und klopfte zweimal an die Scheibe.

Jetzt saß er in seinem Zimmer in seinem Sessel und wartete auf die Folgen.

Plötzlich ging die Tür auf, und Geneviève kam mit einem Staubsauger herein. Sie lächelte ihn an, steckte den Stecker ein und fing an zu saugen. Er schaute ihr zu, wie sie die Kehrdüse zwischen den Tisch- und Stuhlbeinen durchmanövrierte und dabei langsam näher kam. Sie schob das Klubtischchen, das zwischen seinem Sessel und dem Sofa stand, beiseite und saugte den Teppich vor seinen Füßen.

Jetzt schob sie die Düse unter das Sofa. Als das Rohr an

dessen unteren Rand anstieß, bückte sie sich. Ihr Hintern war jetzt genau auf Konrads Augenhöhe. Sie trug eine lindengrüne Arbeitsschürze, die ihr bis knapp über die Kniekehle reichte.

Konrad wußte, daß Geneviève nichts dagegen haben würde, wenn er den Saum der Schürze mit beiden Händen packen und hochheben würde.

Er tat es. Für einen Sekundenbruchteil schaute er in ein enttäuschendes Geknäuel von in milchige Strumpfhosen gestopften Wäscheteilen, dann hörte er einen Schrei, dann brannte ihm eine Ohrfeige auf der Backe.

Sofort kamen ihm die Tränen.

»'tschuldigung, 'tschuldigung, aber nicht machen Rock hoch, Herr Lang«, jammerte Svaja Romanescu, als Schwester Irma hereinkam, die den Vorfall am Monitor beobachtet hatte.

»Wir schlagen Patienten nicht, auch wenn sie schmutzige alte Männer werden.«

Eine der Neuerungen, die Dr. Kundert eingeführt hatte, war die Aufzeichnung der Monitorüberwachung. Es gab zwei Sätze Bänder für jeweils vierundzwanzig Stunden, die alternierend überspielt wurden, falls nichts Besonderes vorgefallen war. So hatte er die Möglichkeit, Beobachtungen, die das Pflegepersonal während seiner Abwesenheit gemacht hatte, zu studieren. Etwas, das vor allem im Hinblick auf die bevorstehende Behandlung mit POM 55 nützlich war, mit der sie alle fest rechneten. Seine Besuchszeiten waren sehr unterschiedlich, weil er unverändert im Magdalenaspital Dienst tat. Er wollte die Entscheidung des Pharmaunternehmens abwarten, ob sie dem Test unter diesen Umständen und in dieser Besetzung zustimmten. Erst dann wollte er seinen Professor informieren und die Kündigung einreichen.

Dr. Wirth war auch nicht eingeweiht, aber da seine Besuche sich nach einem genauen Stundenplan richteten, war es einfach, eine Begegnung der beiden Neurologen zu vermeiden.

Auch Dr. Stäubli ging Kundert auf Simones Wunsch vorläufig noch aus dem Weg. Auf die Diskretion des Hausarztes seiner alten Patientin Elvira gegenüber wollte sie sich nicht verlassen. Aus diesem Grund achtete sie auch darauf, daß er nichts von ihren Fotositzungen mit Konrad erfuhr.

Simone und Dr. Kundert schauten sich mit Schwester Ranjah die Aufzeichnung der Szene am Monitor an. Konrad Lang, wie er bewegungslos im Sessel saß, den Kopf hob und lächelte. Svaja Romanescu, wie sie mit dem Staubsauger am linken Bildrand sichtbar wurde. Wie sie das Klubtischchen wegschob, wie sie unter dem Sofa saugte, wie sie sich bückte und wie ihr Koni mit großer Selbstverständlichkeit den Rock hochhob und dafür eine Ohrfeige fing.

»Es entspricht einfach nicht seinem Charakter«, wunderte sich Simone.

»Daß sich der Charakter eines Patienten ändert, ist nicht ungewöhnlich bei Alzheimer.«

»Es sind die Fotos«, ließ sich Schwester Ranjah vernehmen. »Die Fotos, die Sie mit ihm anschauen, da war er in einem Alter, wo Buben so sind.«

»Wäre das eine Erklärung?« fragte Simone.

»Die Patienten leben oft sehr intensiv in der Vergangenheit. Wenn Konrad Lang in dem Zeitabschnitt lebt, in dem er sich in der Pubertät befand, ist die Theorie nicht abwegig. Darf ich die Fotos einmal sehen?« bat Dr. Kundert.

Schwester Ranjah schaute Simone fragend an. Als diese nickte, ging sie aus dem Zimmer und kam mit dem Stapel Kopien aus dem Album zurück, das aus der Zeit des »St. Pierre« stammte. Die anderen bewahrte Simone in ihrem Zimmer auf.

Kundert schaute sich die Bilder an. »Nicht die schlechteste Zeit im Leben eines Mannes«, bemerkte er schließlich. »Wenn alles gutgeht, haben wir Erfolg, bevor er auch daran die Erinnerung verliert.«

Simone war sich nicht so sicher, ob das gelingen würde. Schon in den nächsten Tagen glaubte sie Anzeichen dafür zu entdecken, daß Konrads Interesse an diesen Bildern nachließ. Auch die Namen seiner Mitschüler und die Umstände, unter denen die Fotos gemacht worden waren, waren ihm nicht mehr so geläufig. Viele von Konrads Reaktionen, die Art, wie er mitten in einem seiner Lieblingsthemen den Faden verlor oder wie er abschweifte, wenn sie seine Aufmerksamkeit auf ein bestimmtes Bild lenken wollte, kamen ihr bekannt vor. Genauso war es gewesen, als er begonnen hatte, das Interesse an Thomas' Fotos aus den Fünfziger- und Sechzigerjahren zu verlieren.

Wie wenn sie nicht schon genug Probleme mit anderen Leuten hätte, stellten sich jetzt auch noch bei ihr welche ein: Die ersten drei Monate ihrer Schwangerschaft waren ohne die Nebenerscheinungen abgelaufen, über die andere Frauen häufig klagten: Übelkeit und Erbrechen am Morgen, plötzliche Schwindelanfälle den Tag über. Aber jetzt, im vierten Monat, wo diese Symptome normalerweise verschwanden, fingen sie bei Simone erst an.

»Machen Sie sich darüber keine Sorgen«, hatte ihr Frauenarzt gesagt.

»Sagen Sie das meinem Mann«, hatte sie geantwortet.

Urs Koch hatte sie anfänglich durch seine übertriebene Fürsorge gerührt, aber jetzt ging er ihr damit auf die Nerven. Jedesmal, wenn sie nachts aufstand, fragte er: »Bist du okay, Schatz?«, und wenn sie länger auf der Toilette war, klopfte er an die Tür und raunte: »Brauchst du etwas, Schatz?« »Schatz« hatte er sie bisher nie genannt.

Das Erbrechen am Morgen konnte sie schlecht vor ihm verheimlichen, und es dauerte nicht lange, bis er es als Druckmittel gegen Konrad Lang benutzte.

»Ich bewundere ja dein Engagement, aber jetzt ist die Zeit gekommen, wo du auch auf dich achten mußt. Überlaß ihn den Fachleuten!«

In diese Situation fiel auch die Rückkehr von Elvira.

Simone hatte sich während deren Abwesenheit immer wieder gefragt, ob sie im »Stöckli« wohl alles so zurückgelassen hatte, wie sie es angetroffen hatte. Ob vielleicht die Alben im Geheimfach des Sekretärs in einer bestimmten Reihenfolge gelegen oder ob die Leute vom Kopierdienst verräterische Buchzeichen oder Notizen zwischen den Seiten vergessen hatten.

Sie war nervös, als der Abend kam, an dem Urs und sie Elvira zu einem kleinen Begrüßungsessen empfingen.

Als Simone Elviras zwei abweisende Küsse entgegennahm, ließ sich diese jedenfalls nichts anmerken. Sie sah erholt aus. Ihr Gesicht war diskret und gleichmäßig gebräunt, und ihr Haar brachte das mit einer dezent helleren Tönung schmeichelhaft zur Geltung.

Sie erzählte ein wenig von gemeinsamen Bekannten, die sie oben getroffen hatte, hielt sich kurz über Thomas' Entschluß auf, die Weihnachtskreuzfahrt mit drei Wochen Acapulco abzurunden, wie er sich am Telefon ausgedrückt hatte, und kam dann zur Sache:

»Wie geht es unserem Patienten?«

»Den Umständen entsprechend.«

»Sitzt da und starrt vor sich hin?«

»Nein, redet.«

»Worüber?«

»Von früher.«

»Was?«

»Im Moment aus seinen Tagen im ›St. Pierre‹.«

»Das muß über fünfzig Jahre her sein.«

»Er geht rückwärts. Immer tiefer in seine Erinnerungen zurück.«

»Sie macht sich kaputt mit diesem Koni. Dabei sollte sie sich schonen.« Urs lächelte Simone an: »Sollen wir es ihr sagen?«

Simone stand auf und verließ den Raum.

Urs blieb verdattert sitzen.

»Mach schon, geh ihr nach!«

»Entschuldige, es ist... Simone...«

»Ich habe schon verstanden. Ich freue mich für euch.«

Kaum war Urs draußen, stand auch Elvira auf.

Dr. Stäubli hatte spät noch einen Anruf bekommen. Kurz nach zehn Uhr kam er ans Tor der »Villa Rhododendron« und traf dort einen hochgewachsenen jüngeren Mann, der gerade auf Nummer vier der anonymen Klingelknöpfe drückte, die Nummer des Gästehauses. Die beiden Männer nickten sich zu. Aus der Gegensprechanlage kam Simones Stimme. »Dr. Kundert?«

»Ja, ich bin's.«

Der Türöffner surrte.

»Darf ich mit hinein?« fragte Dr. Stäubli.

Kundert zögerte. »Ich weiß nicht, man nimmt es hier sehr genau mit den Sicherheitsvorschriften. Werden Sie in der Villa erwartet?«

»Nein, heute im ›Stöckli‹. Aber ich bin auch oft im Gästehaus bei unserem Patienten Konrad Lang. Ich bin Dr. Stäubli.«

Auf dem Weg fragte er Kundert: »Sind Sie ganz neu zu uns gestoßen?«

»Ja, ganz neu.«

»Psychiatrie?«

»Neuropsychologie.«

»Und Dr. Wirth?«

Sie hatten die Abzweigung zum Gästehaus erreicht. Stäubli blieb stehen und wartete auf eine Antwort.

»Hat mich sehr gefreut«, sagte Kundert etwas hastig und ließ Stäubli stehen.

Im »Stöckli« wurde er von einer unruhigen Elvira erwartet.

»Sie sehen aber nicht aus wie ein Notfall«, lächelte Stäubli.

»Die Bräune verdeckt die Blässe. Mein Zucker ist zu hoch. Und manchmal schwankt der Boden.«

»Sie sind achtzig und soeben von fünfzehnhundert Metern heruntergekommen.«

»Ich bin noch nicht achtzig.«

Er folgte ihr ins Schlafzimmer. Schon als er ihren Blutdruck maß, wollte sie wissen: »Wie geht es ihm?«

»Nicht anders als vorgestern, bei unserem letzten Telefongespräch.«

»Da hatten Sie nichts von seinen detaillierten Erinnerungen an die Zeit vor fünfzig Jahren erwähnt.«

»Das hab ich nicht getan, weil es nicht stimmt. Um Ihren Blutdruck würde Sie mancher beneiden. Ich zum Beispiel.«

»Simone sagt, er erzähle detailliert aus der Zeit vom ›St. Pierre‹.«

»Er redet zwar momentan wieder, aber wirres Zeug. Wenn sie das versteht, ist mit ihr etwas nicht in Ordnung.«

»Sie ist schwanger.«

»Dann sollte sie nicht mitten in der Nacht mit jungen Ärzten Krankenschwester spielen.«

»Tut sie das?«

»Gerade jetzt. Bin mit ihm hereingekommen. Ein Dr. Kundert, Neuropsychologe.«

»Und was ist mit Dr. Wirth?«

»Habe ich auch gefragt.«

»Und?«

Stäubli zuckte die Schultern. »Und die Zuckerwerte?«

Elvira zeigte auf den Schminktisch. Dort lagen die Tabellen für ihre Blutzucker-, Urinzucker- und Ketonkörperwerte. Stäubli studierte sie.

»Die Schwankungen sind innerhalb der Toleranzgrenzen.«

»Ich kann nur sagen, wie ich mich fühle«, gab Elvira kühl zurück. »Sie sagen immer, die selbstgemessenen Werte seien ungenau.«

Dr. Stäubli begann, in seinem Arztkoffer zu kramen.

»Was ist mit Dr. Wirth?«

»Ich werde ihn selbst fragen.«

»Halten Sie mich auf dem laufenden.« Elvira wandte das Gesicht ab, als Dr. Stäubli sie in die Fingerkuppe stach und einen Blutstropfen auf den Teststreifen strich.

Zwei Tage später stand Dr. Kundert auf der Straße.

Stäubli hatte sich bei Wirth erkundigt, was genau Kunderts Aufgabe bei Konrad Lang sei. Wirth hatte von Kundert schon gehört. Er galt als großes Talent im Team von Professor Klein, dem Chefarzt für Geriatrie im Magdalenaspital.

Dieser reagierte auf Wirths Anfrage überrascht und zitierte Kundert.

Kundert stand ihm einigermaßen tapfer und relativ ehrlich Rede und Antwort. Das Gespräch dauerte zehn Minuten. Dann hatte Kundert die fristlose Entlassung in der Tasche. Grund: grobe Verletzung des Anstellungsvertrags. Wogegen juristisch nichts einzuwenden war.

Jetzt saß er, noch gebeugter als sonst, bei Simone. »Es bleibt mir nichts anderes übrig, als eine Stelle zu suchen, und zwar möglichst weit weg. Der Arm des Professors ist lang.«

»Könnten Sie sich vorstellen, sich als Mitglied des Pflegeteams fest anstellen zu lassen?« erkundigte sich Simone. »Wenigstens vorübergehend. Bis Sie eine Lösung gefunden haben.«

»O'Neills Chef wird mir den Test nicht geben. Wahrscheinlich hat er genau in diesem Moment den tobenden Professor Klein am Draht und muß es ihm schwören.«

»Trotzdem.«

»Was haben Sie davon, wenn wir den Test doch nicht machen können?«

»Ich muß das Gesicht von Wirth nicht mehr sehen.«

Kundert lächelte. »Das ist allerdings ein Grund.«

Ein Spitalarzt verdient zwar kein Vermögen, aber zuviel für das Budget, über das Simone für Konrad Lang verfügte. Es blieb ihr nichts anderes übrig, als mit Urs zu sprechen.

»Du bist sicher, daß es dich entlasten würde?«

»Ganz sicher. Der Mann stünde vollamtlich zur Verfügung.«

»Was meint Elvira dazu? Die Sache läuft schließlich über ihr Konto.«

»Ich wäre froh, wenn wir nicht jedes Problem meiner Schwangerschaft mit ihr besprechen müßten.«

Der überraschende Aspekt, daß es sich bei der Festanstellung eines Neuropsychologen für einen ungeliebten Hausfreund um die Lösung eines Schwangerschaftsproblems seiner Frau handelte, überzeugte Urs Koch. Dr. Peter Kundert wurde mit sofortiger Wirkung eingestellt. Aus buchhalterischen Gründen als Werksarzt der Koch-Werke, aber intern hundertprozentig freigestellt für die Betreuung des Patienten Konrad Lang.

Genau dieser buchhalterische Kunstgriff war es, der der Forschungsleitung des Pharmaunternehmens, bei dem Ian O'Neill tätig war, die Legitimation gab, Dr. Kundert, den Werksneuropsychologen eines Schweizer Mischkonzerns, in die klinischen Tests von POM 55 mit einzubeziehen.

Die Argumente des kämpferischen Dr. O'Neill und eine in den letzten Jahren immer heftiger gewordene Abneigung des Forschungsleiters gegenüber dem großspurigen, eingebildeten Professor Klein vom Magdalenaspital taten ihr übriges.

9

Wie uns das hier so hinüberzieht«, sagte Konrad Lang.
Simone Koch versuchte ihn zu verstehen. Sie saßen im Fond von Dr. Kunderts Wagen und fuhren in einer Kolonne die Waldstraße hinauf zur Klinik.

Konrad erklärte es ihr. »Wenn das fährt, fahren wir auch. Und wenn es steht, stehen wir auch.« Er zeigte auf die Autos vor ihnen.

Jetzt verstand Simone. »Du meinst, wie ein Zug.«

Konrad schüttelte den Kopf. »Das hier, meine ich. Wie uns das hier hinüberzieht.«

Simone hatte sich daran gewöhnt, daß Konrad Dinge sah, die ihr verborgen blieben. Oder Dinge ganz anders sah als sie. Er konnte zum Fenster blicken und sagen: »Da hing früher ein anderes.« Das hieß dann, daß er das Fenster als Bild an der Wand betrachtete.

Es konnte aber auch passieren, wenn er ein Foto erklärte, daß er mit Händen und Füßen beschrieb, was darauf oben, unten, Vorder- und Hintergrund war. Weil er glaubte, sie würde die drei Dimensionen nicht begreifen. In letzter Zeit geschah dies öfter, und es beunruhigte sie alle. Das Foto auf dem Raddampfer, bei dem er früher die Namen aller Abgebildeten herunterbetete, hatte er ihr jetzt schon zweimal auf diese Weise erklärt. »Das da ist hier, und das da ist dort.«

Sie waren auf dem Weg in die Universitätsklinik, wo mit Konrad in den letzten Tagen verschiedene klinische Untersuchungen gemacht worden waren. Es ging um eine diagnostische Bestandsaufnahme. Als Entscheidungsgrundlage für die Ethik-Kommission und um zu Vergleichswerten für die Behandlung zu kommen.

Die psychologischen Tests, die sie im Gästehaus durchgeführt hatten, waren abgeschlossen. Die Elektroenzephalographie hatte er hinter sich, ebenso die Durchblutungsmessungen aller Hirnareale.

Heute fuhren sie zur letzten Untersuchung, der Computertomographie.

Konrad hatte alle Untersuchungen entweder gleichgültig oder amüsiert über sich ergehen lassen. Auch jetzt ließ er sich brav auf die Liege helfen, zudecken und in den Zylinder des Tomographen schieben.

Als dieser sich drehte, erst langsam, dann schneller, immer schneller, schlief Konrad ein.

Er schlief auch noch, als man die Liege aus dem Tomographen herauszog.

»Herr Lang?« rief die Assistentin.

»Herr Lang?« rief Dr. Kundert.

Konrad reagierte nicht. Kundert schüttelte ihn sanft. Dann etwas heftiger.

»Guten Morgen, Herr Lang«, sagte er jetzt ziemlich laut.

Konrad schlug die Augen auf. Dann riß er die Decke weg und schaute seine nackten Füße an. »Das habe ich genau gewußt«, stieß er hervor. »Drei Zehen.«

Er sprang von der Liege und landete so unglücklich, daß er sich das linke Schien- und Wadenbein brach.

»Das ist wirklich Pech. Der Ärmste!« sagte Elvira Senn, als ihr Dr. Stäubli während seiner Untersuchung von Konrad Langs Unfall berichtete. Es klang nicht sehr teilnahmsvoll, eher interessiert. »Ist es schlimm?«

»Der Bruch an sich ist nicht kompliziert. Aber es ist ein schwerer Rückschlag für einen Alzheimerpatienten, wenn er bettlägerig wird. Er muß auf die Gymnastik verzichten, seine Beweglichkeit und Koordinationsfähigkeit leiden, die Gefahr von Komplikationen wie Kreislaufschwächen, Embolien, Muskelschwund, Knochenentkalkung steigt.«

»Es beschleunigt den Verlauf der Krankheit?«

»Die Gefahr ist groß.« Er schrieb in ihrem Krankenblatt.

»Für ihn ist es wohl besser so.«

Dr. Stäubli schaute auf. »Warum glauben Sie das?«

»Das ist doch kein Leben.«

Er überlegte einen Moment. »Ich weiß es nicht. Vielleicht kommt das nur uns so vor. Vielleicht lebt er in einer Welt, von der wir alle keine Ahnung haben. Vielleicht ist das das eigentliche Leben.«

»Das glauben Sie nicht im Ernst.«

Dr. Stäubli zuckte die Schultern. »Ich möchte es jedenfalls nicht entscheiden müssen.«

Kundert und O'Neill beschlossen, vorsichtshalber den Unfall gegenüber der Ethik-Kommission nicht zu erwähnen, die in zwei Tagen unter anderem über den »Antrag Dr. Kundert« entscheiden sollte.

Der Zwischenfall in der Tomographie hatte auch seinen positiven Aspekt: Die Krankengeschichte von Konrad Lang, mit der Dr. Wirth widerwillig und in drei Etappen herausgerückt war, erwähnte einen ähnlichen Vorfall während der ersten Computertomographie vor etwas über einem Jahr. Auch damals hatte der Patient den Vorgang mit dem Verlust seiner drei Zehen in Zusammenhang gebracht.

»Das heißt erstens, daß er noch vor einem Jahr etwas Neues gelernt hat«, erklärte Dr. Kundert Simone Koch, »und zweitens, daß es im episodischen Gedächtnis gespeichert ist und durch die gleiche Episode abgerufen werden konnte.«

»Und ist das ein gutes Zeichen?«

»Möglicherweise ist dieser Bereich des Gehirns also noch nicht so weit zerstört, daß er sich nicht mehr stimulieren ließe.«

Diesen Aspekt des Zwischenfalls beschlossen Kundert und O'Neill gegenüber der Ethik-Kommission herauszustreichen.

Als Simone Konrad am Tag vor der Entscheidung der Kommission besuchte, brachte sie neue Fotos mit.

Er lag in seinem Spitalbett und starrte auf sein eingegipstes Bein, das an einer Art Flaschenzug von einem Gestänge über dem Bett hing. Als sie ihm die Bilder zeigte, auf denen die beiden Buben mit Elvira auf Reisen abgebildet waren, schien er nicht sonderlich interessiert.

Er sah sich als Kind auf dem menschenleeren Markusplatz in Venedig neben Thomas und Elvira stehen, um sie herum ein paar Dutzend Tauben. Den kurzen Schatten nach mußte es Mittag sein. Im Hintergrund die leeren Tische vor den Arkaden der Cafés, deren Markisen alle herabgelassen waren, damit dahinter die vernünftigeren Menschen von der Mittagssonne unbehelligt speisen konnten.

Bei einigen Bildern wußte Konrad, wo sie aufgenommen waren. »Venedig«, sagte er, oder: »Mailand.« Und bei allen erkannte er: »Tomi, Koni und Mama Vira.«

»Mama Vira?«

»Mama Vira.«

Er sah sich an einem menschenleeren Sandstrand mit Tomi im Schatten eines gestreiften Sonnensegels eine Sandburg bauen. Im Hintergrund eine Reihe ebenfalls gestreifter Strandkabinen. Genau an der Stelle, wo der Schatten des Segels endete, saß in einem Liegestuhl Elvira in einem züchtigen Badeanzug. Neben ihr ein zweiter, leerer Stuhl.

»Tomi, Koni und Mama Vira.«

»Wo?«

»Am Meer.«

Auf der letzten Seite waren drei Fotos. Das eine zeigte den Ausschnitt eines dunklen Schiffsbauches, zwei Reihen Bullaugen und das Muster der groben Nieten der Außenhaut. Eine weiße Gangway mit der Aufschrift »Dover« ragte in das Innere des Schiffes, wo im Halbdunkel die weiße Hemdbrust eines wahrscheinlich uniformierten Mannes auszumachen war.

Das zweite Foto zeigte noch einmal die gleiche Gangway von näher. Im Hintergrund der Uniformierte, im Vordergrund, mit dem Rücken zum Schiff, Elvira und Thomas, die in die Kamera winkten.

Das dritte Foto war es, das Konrad aufwühlte. Es zeigte die Gangway in umgekehrter Richtung. Im Hintergrund ein Teil eines Hafengebäudes, ein paar winkende Menschen in Hüten und Mänteln, im Vordergrund, auf der Gangway, eine Frau und ein Mann. Man sah seinen lächelnden schmalen Mund, seine Augen waren von der Krempe eines weichen Filzhutes mit breitem Band umschattet. Er trug einen offenen Tweedmantel über einem dreiteiligen Flanellanzug, ein helles Hemd und eine gestreifte Krawatte. Sein Mantelkragen war hochgeschlagen, seine linke Hand steckte in der Tasche, die so hoch angesetzt war, daß er den Arm abwinkeln mußte.

Es war nicht zu erkennen, ob er den rechten Arm herunterhängen oder um die Taille der Frau neben ihm gelegt hatte. Sie war gleich groß wie er und lächelte herausfordernd in die Kamera. Eine kleine Pelzmütze saß verwegen auf ihrem Pagenschnitt. Sie trug ein grobes Tweedkostüm mit zur Mütze passendem Pelzkragen, einen Pullover mit feinen Querstreifen und einen langen Schal mit Kaschmirmuster. Über der rechten Schulter hing eine Tasche an einem langen Riemen.

»Mama Anna«, stieß Konrad verächtlich hervor und wischte mit einer heftigen Bewegung die Laserkopien vom Bett.

Als Simone das Bild später genauer studierte, glaubte sie eine gewisse Ähnlichkeit zwischen der Frau und Sophie Berger, der entlassenen rothaarigen Aushilfsschwester, festzustellen.

Koni mußte im Dunkeln im Bett liegen, obwohl er Angst im Dunkeln hatte. Er durfte nicht rufen, und er durfte auch nicht aufstehen.

Sonst holten ihn die schwarzen lauten Männer mit den

weißen Augen, die die Kohle brachten. Die kamen mit vollen schwarzen Säcken in den Keller des Hotels und gingen mit leeren schwarzen Säcken wieder hinaus. Einmal sah er, wie einer von ihnen mit einem Sack wieder hinausging, der noch halb voll war. Er fragte Mama Anna, was in dem Sack sei. »Solche wie du, die nicht gehorchen.«

»Was machen die mit denen?«

»Was denkst du, was die mit denen machen?«

Koni wußte es nicht, aber er malte sich das Schlimmste aus.

Das Schlimmste wäre, wenn er immer in dem schwarzen Sack bleiben müßte. Immer im Dunkeln.

Koni hatte früher nie Angst gehabt vor der Dunkelheit. Erst, seit sie in London waren. In London ertönten manchmal plötzlich Sirenen, und dann wurde es dunkel. Sie übten für den Krieg, hieß es, und er sah den Leuten an, daß sie auch Angst hatten.

Eigentlich hatte er Angst vor den Sirenen, aber weil die Dunkelheit mit den Sirenen zusammenhing, hatte er auch Angst vor der Dunkelheit.

Koni konnte sich also entscheiden zwischen der Angst vor der Dunkelheit und der Angst, daß er mit brennendem Licht erwischt wurde. Es war vorgekommen, daß er sich für letzteres entschieden und Licht gemacht hatte. Deswegen hatte ihn Mama Anna jetzt mit dem Bein ans Bett gefesselt.

Er konnte sie nebenan hören mit dem Mann, der ihn nicht sehen durfte. Wenn der Mann ihn sah, kam Koni in den Sack.

Früher waren auch Männer gekommen und geblieben. Aber die durften ihn sehen. Denen durfte er gute Nacht sagen, und dann ab ins Bett. Die brachten ihm manchmal etwas mit. Aber dieser durfte ihn nicht sehen.

Deswegen war er im Dunkeln angebunden.

Schwester Ranjah saß im Stationszimmer und beobachtete den Monitor von Konrads Schlafzimmer. Das Zimmer war verdunkelt, und Konrad Lang war nur als Umriß auf dem helleren Hintergrund des Bettes zu erkennen. Er rührte sich nicht, aber sie wußte, daß er wach war. Wenn Konrad Lang auf dem Rücken schlief, wie jetzt, wo das mit dem Gips nicht anders möglich war, dann schnarchte er. Aber über den Lautsprecher war kein Schnarchen zu hören. Nur der flache Atem und das tiefe Luftholen eines, der wach lag in der Nacht.

Schwester Ranjah stand von ihrem Stuhl auf und ging leise die Treppe hinunter. Vorsichtig drückte sie die Klinke seiner Schlafzimmertür runter. Als sie im Raum stand, merkte sie, wie er den Atem anhielt.

»Herr Lang?« flüsterte sie. Keine Reaktion. Sie ging an sein Bett.

»Herr Lang?«

Konrad Lang rührte sich nicht. Jetzt war Schwester Ranjah beunruhigt. Sie suchte nach dem Schalter, der neben der Klingel am Haltegriff hing, und machte Licht.

Konrad Lang preßte die Hände vor die Augen.

»Ich habe kein Licht gemacht, Mama Anna«, flehte er.

»Mama Anna isn't here«, sagte Schwester Ranjah und nahm ihn in die Arme.

Beim Übergabegespräch am nächsten Morgen berichtete Schwester Ranjah Schwester Irma vom Zwischenfall. »Sagen Sie dem Doktor, die Teufel der Vergangenheit lassen ihn nicht schlafen.«

Später schauten sich Dr. Kundert und Simone die Aufzeichnung des Zwischenfalls an.

»Warum hatte er wohl Angst vor dem Licht?« fragte Simone.

»Er hatte keine Angst vor dem Licht. Nur davor, Licht zu machen. Weil Mama Anna es ihm verboten hat. Er fürchtet sich nicht vor dem Licht. Er fürchtet sich vor Mama Anna.« Dr. Kundert spulte das Video zurück. Bis zur Stelle, wo Konrad Lang sich die Augen zuhielt und flehte: »Ich habe kein Licht gemacht, Mama Anna.«

»Mama Anna«, wiederholte Simone. »Haben Sie eine Ahnung, weshalb er sie Mama Anna und Mama Vira nennt?«

»Kindersprache«, vermutete Kundert.

»Oder vielleicht: Zwei gleichaltrige Kinder, und beide nennen ihre Mütter Mama. Das gibt doch ständig Verwechslungen. Deshalb Mama Anna und Mama Vira.«

Eine Woche später kam die Zusage der Ethik-Kommission für die Aufnahme des Patienten Konrad Lang, siebenundsechzig, in die Testanlage POM 55 für eine einmalige Anwendung. Dr. Kundert konnte es kaum erwarten, es Simone mitzuteilen.

Aber Simone hatte eine schlechte Nacht hinter sich. Urs hatte darauf bestanden, Dr. Spörri zu rufen. Dieser war noch vor Öffnung seiner Praxis vorbeigekommen und hatte ihr Bettruhe verordnet. Sie war in der achtzehnten Woche, und die Übelkeit am Morgen war schlimmer denn je. Es begann jetzt mitten in der Nacht, das Bett fing an, sich zu drehen. Manchmal mußte sie schon um drei Uhr aufstehen und sich übergeben.

»Da ist doch etwas nicht in Ordnung«, sagte Urs immer wieder. Er war es gewohnt, daß man seine Einwände ernst nahm.

Dr. Spörri beruhigte ihn: »Erbrechen und Schwindel gehören zu einer gesunden Schwangerschaft. Aus Studien wissen wir, daß die Babys von Frauen, die darunter gelitten haben, in der Regel mehr wiegen und pünktlicher zur Welt kommen.«

Trotzdem verordnete er Simone Bettruhe. Mehr zur Beruhigung des Ehemannes als aus medizinischer Notwendigkeit.

Candelaria, die Haushälterin, hatte strikte Anweisung, Telefongespräche und Besucher von seiner Frau fernzuhalten.

»Aber es ist sehr wichtig«, insistierte Dr. Kundert.

»Wenn Doktor sagt nein, ist nein«, antwortete Candelaria. »Sie sind doch auch Doktor.«

So mußte er sich bis zum Nachmittag gedulden, als Simone sich besser fühlte und trotz des Protestes von Candelaria ins Gästehaus hinüberging.

»Es kann losgehen«, bemerkte Kundert beiläufig, als sie das Stationszimmer betrat, das mehr und mehr zu einem Überwachungsraum umfunktioniert worden war.

Simone dachte zuerst, er beziehe sich auf den Bildschirm, auf dem zu sehen war, wie sich der Physiotherapeut mit dem apathischen Konrad im Bett abmühte. Erst als sie bemerkte, wie er schmunzelnd auf ihre Reaktion wartete, begriff sie.

»Sie haben grünes Licht gegeben?«

»Morgen kommt O'Neill mit dem POM 55. Übermorgen kann es losgehen.«

»So rasch geht das?«

»Mit jedem Tag, den wir warten, gehen mehr Zellen verloren.«

Simone setzte sich an den Tisch, auf dem Kaffeetassen und ein Thermoskrug standen. Sie hatte sich verändert in den letzten Monaten. Sie benützte weniger Schminke und kleidete sich nicht mehr so adrett. Ihr Stil war etwas praktischer, ihre Mode etwas klassischer geworden. Ihre Züge hatten an Fraulichkeit gewonnen. Die Schwangerschaft sah man ihrer Figur noch kaum an. Aber sie war etwas bleich, und das Make-up hatte die Schatten unter den Augen nicht ganz zum Verschwinden gebracht.

»Geht es Ihnen besser?« fragte Dr. Kundert.

Simone nickte.

»Können wir mit Ihnen rechnen?«

Für den Fall, daß sie die Bewilligung erhielten, waren eine ganze Reihe von Tests vorgesehen, mit denen sie die Wirkung der Behandlung messen wollten. Neben den apparativen, labordiagnostischen und psychologischen Untersuchungen wollten sie auch Konrads Erinnerungsvermögen anhand der Fotos aus seiner Vergangenheit kontrollieren. Simone hatte sich damit einverstanden erklärt, bei diesem Teil des Programms mitzuarbeiten. Sie sollte weiterhin mit ihm die Fotos anschauen und sich dabei an ein bestimmtes Fragemuster halten, in der Hoffnung, daß man aufgrund seiner Antworten feststellen konnte, ob sich sein Erinnerungsvermögen weiter verschlechtert hatte oder gleich geblieben war.

»Natürlich können Sie mit mir rechnen. Aber vielleicht planen Sie mich doch besser für die Nachmittage ein.«

Konrads Lieblingsfoto zeigte ein Mercedes Kabriolett auf einer Wiese an einem Waldrand. An der verchromten Verschalung des Reserverades, die sich an den elegant geschweiften vorderen Kotflügel schmiegte, lehnte Elvira, ganz in Weiß: enger, wadenlanger Rock; kurzes, zweireihiges Jackett mit ausladendem Revers; Handschuhe; Baskenmütze vom linken Scheitel über das rechte Ohr. Nur Schuhe und Strümpfe waren schwarz.

Unter dem linken Arm hatte sie eine henkellose Krokotasche geklemmt, der rechte Ellbogen war nonchalant ins offene Fenster gestützt. Auf den ersten Blick sah es aus, als ob sie allein sei auf dem Bild. Aber schon als Konrad das Foto zum ersten Mal sah, hatte er Simone auf ein Haarbüschel hinter dem hinteren linken Kotflügel aufmerksam gemacht: »Koni.« Bei näherer Betrachtung konnte man eine halbverdeckte Stirn erkennen und ein Auge, das hervorspähte.

Dann zeigte Konrad auf den vorderen linken Kotflügel: »Tomi.« Auch dort konnte man in der Lücke zwischen Scheinwerfer und Kühler einen versteckten Buben hervorlinsen sehen. »Der Mercedes macht hundertzehn.«

Von da an wartete er jedesmal, wenn das Foto an die Reihe kam, amüsiert ab, ob ihr etwas daran auffiel. Wenn sie ihm dann den Gefallen tat, nichts Besonderes an dem Bild zu finden, zeigte er ihr mit kindlicher Freude die beiden versteckten Buben. »Koni. – Tomi.« Und fügte geschäftsmäßig hinzu: »Der Mercedes macht hundertzehn.«

Wenn er apathisch und deprimiert war und die Fotos wegschob, konnte sie ihn jedesmal mit diesem Vexierbild aus seiner Stimmung herausholen. Wenn nötig, auch mehrmals kurz hintereinander.

Dieses Spielchen spielte Simone mit Konrad, als Schwester Irma hereinkam und ausrichtete, Dr. O'Neill sei nebenan und möchte sie kurz sprechen.

Im Wohnzimmer standen O'Neill und Kundert am Tisch um einen kleinen eckigen Apparat mit einem Aufsatz, an dem eine Maske steckte. Sie sah aus wie die Sauerstoffmaske, deren Anwendung das Kabinenpersonal den Passagieren vor jedem Flug demonstriert.

O'Neill hielt sich nicht lange mit der Begrüßung auf. »Wir sollten ausprobieren, wie er darauf reagiert.«

»Was ist das?«

»Ein Aerosolapparat. Damit werden wir POM 55 verabreichen. Es wird inhaliert.«

»Inhaliert? Ich hatte gedacht, gespritzt oder geschluckt.«

»Das wäre besser. Aber so weit sind wir noch nicht. Er muß es inhalieren. Der beste Weg, um die Blut-Hirn-Schranke zu überwinden.«

Simone nickte. »Was soll ich tun?«

Dr. Kundert schaltete sich ein. »Der Zerstäuber ist jetzt mit Wasser und ein paar Tropfen ätherischem Öl gefüllt. Ich möchte nur, daß Sie jetzt wieder zurückgehen und weiter mit ihm Bilder anschauen. Dann kommen wir, und Sie bitten ihn, kurz zu inhalieren, und wir schauen, ob es Probleme gibt und ob die Maske paßt und so weiter. Er sollte möglichst entspannt sein.«

Als Simone in Konrads Zimmer zurückkam, döste er vor sich hin. Sie hatte einige Mühe, seine Konzentration auf die Fotos zu lenken. Erst als der Mercedes kam, erwachte sein Interesse.

»Ach, und hier, das ist Elvira vor einem Auto?«

Er schmunzelte einen Moment und sagte nichts. Dann zeigte er auf den hinteren Kotflügel. »Koni.« Und dann auf den vorderen. »Tomi.«

Dann lachte er und fügte hinzu. »Der Mercedes macht hundertzehn.«

Er beachtete Dr. Kundert und Schwester Irma kaum, als sie mit dem Apparat ins Zimmer kamen und diesen auf der schwenk- und fahrbaren Tischplatte aufbauten, auf der jetzt Konrads Mahlzeiten serviert wurden.

Erst als sie sie über sein Bett manövrierten und Simone die Fotokopien von seiner Bettdecke nahm und sagte: »Ach ja, machen wir das schnell zwischendurch«, wurde er auf den Apparat aufmerksam. »Was ist das?« fragte er Schwester Irma.

»Ein Inhalationsapparat. Zum Inhalieren.«

»Ach so«, nickte er. Aber man sah ihm an, daß er nicht wußte, was er damit anfangen sollte.

»Wir ziehen Ihnen die Maske an, und dann atmen Sie ein paarmal tief ein. Das ist alles.«

»Ach so«, nickte er. Dann schaute er Simone an, grinste und zuckte die Schultern.

»Das wird dir guttun«, sagte sie. Konrad ließ sich widerstandslos die Maske umschnallen.

Dr. Kundert befahl: »Einatmen – ausatmen – einatmen – ausatmen.« Konrad Lang gehorchte. Beim fünften Einatmen drückte Kundert den Ventilknopf am Vernebler und ließ ihn beim Ausatmen wieder los. Konrad atmete ruhig weiter.

Nach sieben Inhalationen drückte Kundert nicht mehr auf den Knopf, ließ Konrad noch ein paarmal durchatmen und schnallte ihm dann die Maske ab.

»Schon passiert«, lächelte er. »Wie fühlen Sie sich?«

Wieder schmunzelte Konrad Simone an und zuckte die Schultern.

Die Schwester fuhr die Tischplatte weg, Simone legte die Fotos wieder auf die Bettdecke. Als Kundert und die Schwester das Zimmer verließen, hörten sie Konrad Lang sagen: »Der Mercedes macht hundertzehn.«

Langsam glitt das Boot den Fluß hinunter. An beiden Ufern wuchs der Dschungel ins Wasser. Koni tauchte das Paddel ein, schlug, nahm es hoch, brachte es nach vorn, tauchte es ein, schlug, nahm es hoch, brachte es nach vorn, tauchte es ein. Immer schneller glitt das Boot, floß der Fluß, glitt das Boot, floß der Fluß.

Jetzt hörte Koni eine Stimme. Sie sagte: »Rudern, rudern.«

Koni tauchte das Paddel ein, schlug, nahm es hoch, brachte es nach vorn, tauchte es ein, schlug.

»Rudern, rudern«, sagte die Stimme.

Ich rudere ja, dachte Koni.

»Atmen, atmen«, sagte die Stimme.

Koni schlug die Augen auf. Ein Gesicht schaute auf ihn herab. Mund, Nase und Haare waren mit einem weißen Tuch bedeckt. Er sah nur die Augen.

»Atmen, atmen«, sagte das Gesicht.

Koni atmete. Plötzlich durchzuckte ihn ein entsetzlicher Schmerz. Er wollte sich an den Bauch fassen, aber er konnte nicht. Seine Hände waren angebunden.

Er schrie. Jemand drückte ihm eine Maske vor Mund und Nase.

Koni versuchte den Kopf wegzudrehen.

Jemand hielt seinen Kopf fest. Sein Bauch tat weh.

»Atmen, atmen«, sagte die Stimme.

Koni hielt den Atem an.

»Atmen, atmen.«

Koni atmete.

Der Schmerz ging weg.

»Rudern, rudern«, sagte die Stimme.

Koni tauchte das Paddel ein, schlug, nahm es hoch, brachte es nach vorn, tauchte es ein, schlug. Immer schneller glitt das Boot, floß der Fluß, glitt das Boot.

»Rudern, rudern.«

»Atmen, atmen.«

»Atmen.«

»Atmen!«

Koni schlug die Augen auf. Es war dunkel. Er schrie. Und schrie. Und schrie.

Die Tür flog auf, und das Licht ging an. Schwester Ranjah rannte zu Konis Bett.

Er hatte die Bettdecke zurückgeschlagen und hielt sich den Bauch, den er freigelegt hatte.

»Now then, now then«, sagte Schwester Ranjah und streichelte sein Gesicht.

»It hurts«, wimmerte Koni.

»Let's see.« Ranjah zog sanft seine Hand weg. Darunter kam Konrads alte Blinddarmnarbe zum Vorschein.

Simone hatte eine schlechte Nacht. Sie schlief unruhig und erwachte kurz nach zwei. Lange versuchte sie, gleichmäßig weiterzuatmen, damit Urs, der einen leichten Schlaf hatte, nicht merkte, daß sie wach lag, und wieder anfing, sie zu bedrängen. »Was ist? Ist dir nicht gut? Soll ich dir etwas bringen? Soll ich den Arzt rufen? Da stimmt doch etwas nicht. Das ist doch nicht normal. Vielleicht sollten wir den Arzt wechseln. Du schonst dich zuwenig. Das ist dieser Unfug mit Koni. Du hast gesagt, das werde besser mit dem neuen Arzt. Du trägst jetzt Verantwortung für zwei. Das ist nicht nur dein Kind, es ist auch meins. Soll ich dir etwas bringen? Mußt du ins Bad, Schatz?«

Erst als sie den Lichtstreifen unter der Tür sah, die zum »Boudoir« führte, merkte sie, daß sie allein im Bett lag. Sie machte Licht.

Langsam begann sich das Zimmer zu drehen, und der Speichel lief ihr im Mund zusammen. Sie setzte sich auf den Bettrand und versuchte sich auf etwas anderes zu konzentrieren. Plötzlich schien ihr, als hörte sie Urs' Stimme im Boudoir. Sie stand langsam auf, ging zur Tür und öffnete sie.

Urs saß halb auf dem kleinen Schreibtisch, lächelte und hatte den Telefonhörer ganz eng an sein Gesicht gepreßt. Er reagierte so ertappt auf Simones Eintreten, daß es sinnlos war, ihr etwas vorzumachen. Er blieb einfach sitzen, ließ den Hörer sinken und schaute zu, wie sie angewidert die Tür hinter sich schloß.

Simone schaffte es gerade noch bis zur Toilette. Dann übergab sie sich wie noch nie zuvor in ihrem Leben.

Sie wußte nicht, wie lange sie vor der Kloschüssel gekniet hatte. Aber als sie bleich und erschöpft aus der Toilette kam, wurde sie von Dr. Spörri erwartet. Sie führte ihn in ihr Laura-Ashley-Zimmer und würdigte Urs, der neben ihm stand, keines Blickes. Sie schloß die Tür und legte sich auf die Recamière. Der Arzt maß ihren Puls und Blutdruck.

»Sie müssen ins Spital, bis es besser wird.«

»Das wird nicht besser im Spital.«

»Aber dort können wir Sie künstlich ernähren. Sie nehmen nicht zu, Sie dehydrieren. Das ist sehr schlecht für Ihr Baby.«

»Künstlich ernährt werden kann ich auch hier.«

»Sie brauchen Pflege und Kontrolle, das geht nur im Spital.«

»Ein Spital habe ich auch hier.«

Kurz nach Sonnenaufgang hing Simone bereits an der Infusionsflasche in einem der beiden Personalschlafzimmer im ersten Stock des Gästehauses. Urs hatte einen schwachen, vergeblichen Versuch gemacht zu protestieren.

»Sei du ruhig«, sagte sie nur, und er kuschte sofort.

Dr. Spörri zeigte sich nach anfänglicher Skepsis beeindruckt vom Standard des Gästehauses, von dessen Belegschaft und Ausrüstung.

Schwester Ranjah bereitete routiniert die Infusion vor, und als Dr. Spörri sie angelegt hatte, fixierte sie mit leichter Hand die Kanüle und den Infusionsschlauch.

Kurz darauf schlief Simone ein.

Simone erwachte durch ein etwas gekünsteltes Hüsteln. Sie öffnete die Augen und sah Schwester Irma neben ihrem Bett stehen. Sie war dabei, die Infusionsflasche auszuwechseln.

»Ihr Mann war hier«, lächelte sie. »Ich habe gesagt, Sie dürften nicht gestört werden.«

»Gut. Sagen Sie ihm das auch in Zukunft. Wie spät ist es?«

»Kurz nach zwei.«

Simone erschrak. Acht Stunden hatte sie geschlafen. »Und Herr Lang?«

»Alles startbereit.«

»Warum hat man mich nicht geweckt?« Simone schlug die Decke zurück und wollte aufstehen. Schwester Irma legte ihr die Hand auf die Schulter. »Dr. Kundert hat gesagt, ich darf Sie nicht wecken. Aber wenn Sie wach seien, solle ich ihn rufen. Das tue ich jetzt. Und Sie warten.«

Kurz darauf kam Kundert herein.

»Ich dachte, ich werde dabei gebraucht?« fragte Simone.

»Wir wollten abwarten, ob Sie beim Auswechseln der Infusion aufwachen.«

»Und wenn ich nicht aufgewacht wäre, hätten Sie ohne mich angefangen?«

Kundert schmunzelte. »Sie sind ja aufgewacht.«

»Also, nehmen Sie mir das ab.« Sie hielt ihm den Arm hin.

»Fühlen Sie sich wirklich dazu in der Lage? Ich glaube nicht, daß es Probleme geben wird. Schwester Ranjah ist auch da. Sie wirkt beruhigend auf den Patienten.«

»Ist er denn unruhig?«

»Er hatte eine unruhige Nacht. Deswegen ist Schwester Ranjah gekommen. Für alle Fälle, sagt sie.«

»Nehmen Sie mir das bitte ab.«

Kundert stand auf, holte Desinfektionsmittel und ein Pflaster, klemmte das Infusionsbesteck ab, entfernte die Kanüle, desinfizierte und verband die Punktionsstelle. Dann ging er hinaus. »Wir erwarten Sie unten.«

In Konrads Schlafzimmer war der Aerosolapparat auf der fahrbaren Tischplatte aufgebaut, die außerhalb seines Gesichtsfeldes schräg hinter dem Bett stand. Kundert, O'Neill und Schwester Irma standen daneben und nickten Simone zu, als sie ins Zimmer trat.

O'Neills Frisur ließ auf eine unruhige Nacht schließen.

An Konrads Bett saß Schwester Ranjah und schaute mit ihm Fotos an. Als Simone herantrat, blickte er kurz auf und begrüßte sie mit einem verwunderten Lächeln, das hieß: Wer bist du, schöne Fremde?

»Laßt euch nicht stören, ich wollte nur ein wenig mitschauen.«

Konrad war erfreut über soviel Publikum. Er fuhr fort, die Bilder zu erklären. Er war präsenter als am Vortag und hielt sich auch mit Bildern auf, die ihn sonst nicht sonderlich interessierten: Venedig, Sandstrand, Mailänder Dom.

Im Hintergrund öffnete Dr. O'Neill einen Kühlbehälter und entnahm ihm eine kleine Ampulle, desinfizierte ihren Gummipfropfen, stach eine Aufziehkanüle hinein und zog ihren Inhalt auf. Er injizierte ihn in den Vernebler des Aerosolapparates und nickte Simone zu.

Schwester Ranjah blätterte zu Konrads Lieblingsfoto. »Das hier würde uns noch interessieren. Kannst du uns dazu etwas erzählen?« bat Simone. Sie nickte O'Neill zu.

Der Kompressor des Aerosolapparates begann zu summen. Schwester Irma schob die fahrbare Tischplatte zum Bett.

Konrad Lang freute sich auf das Spiel. Gerade als er damit beginnen wollte, sagte Simone: »Ach, machen wir doch vorher noch schnell die Inhalation.«

Sie nahm die Fotos von der Bettdecke, und Schwester Irma schob Konrad den Apparat unter die Nase.

»Was ist das?«

»Es ist wieder Zeit zum Inhalieren.«

Konrad gab sich keine Blöße. »Natürlich«, nickte er und ließ sich widerstandslos die Maske umschnallen. Simone und Schwester Ranjah lächelten ihm zu. Dann machten sie Platz für Dr. Kundert.

»Einatmen – ausatmen – einatmen – ausatmen«, befahl er. Konrad gehorchte. Kundert stellte sich auf seinen Rhythmus ein. Dann drückte er den Ventilknopf, ließ ihn los, drückte ihn, ließ ihn los. Bei jedem Einatmen inhalierte Konrad jetzt fein zerstäubte Tröpfchen POM 55.

»Einatmen – ausatmen – einatmen.«

»Atmen, atmen.«

Konrad Lang schloß die Augen.

»Atmen, atmen.«

Der Pegel im Vernebler sank.

»Atmen, atmen.«

»Rudern, rudern.«

Konrad riß die Augen auf, griff nach der Inhalationsmaske und zerrte sie sich vom Gesicht.

Niemand war darauf gefaßt gewesen, niemand hatte die Geistesgegenwart besessen, ihn daran zu hindern. Kundert gelang es gerade noch, den Apparat vor dem wild um sich schlagenden Konrad Lang in Sicherheit zu bringen.

Konrad Lang war nicht dazu zu bewegen, die Maske noch einmal anzuziehen. So beschlossen denn O'Neill und Kundert widerstrebend, es dabei bewenden zu lassen. O'Neills Messung des Restes POM 55 hatte ergeben, daß sie bis zum Zwischenfall etwa achtzig Prozent der Dosis verabreicht hatten.

»Das sollte genügen«, sagte er. Es klang nicht sehr überzeugt.

Konrad hatte eine Weile gebraucht, bis er sich beruhigt hatte. Simone versuchte vergeblich, ihn mit den Fotos abzulenken. Erst als alle den Raum verlassen hatten und Schwester Ranjah mit ihren Honigmandeln kam und in ihrem zärtlichen Kauderwelsch auf ihn einplapperte, entspannte er sich allmählich.

Nun saßen Kundert, O'Neill und Simone im Stationszimmer.

»Wenn es nicht funktioniert, werden wir nie wissen, ob nicht einfach die Dosis zu klein war«, ärgerte sich Kundert.

»Die Dosierung von experimentellen Medikamenten ist sowieso Glückssache«, beruhigte ihn O'Neill.

»Was geschieht jetzt?« erkundigte sich Simone.

»Jetzt warten wir ab«, antwortete Kundert.

»Wie lange?«

»Bis sich etwas tut.«

10

Sie haben *was* probiert?« fragte Elvira Senn entgeistert.

»Konrad Lang ist im Rahmen eines klinischen Tests ein Medikament verabreicht worden, das noch in der Forschung steckt«, erklärte Dr. Stäubli.

»Das dürfen die?«

»Wenn ein Arzt den Antrag stellt und alle Beteiligten einverstanden sind.«

»Ich wurde nicht gefragt.«

»Sie sind nicht beteiligt in diesem Sinn. Beteiligt sind der Arzt, das Pharmaunternehmen, eine Ethik-Kommission und der Patient. In diesem Fall die Vormundschaftsbehörde.«

»Und alle waren einverstanden?«

»Offenbar.«

Elvira Senn schüttelte den Kopf. »Ich dachte, das sei unheilbar.«

»Ist es auch. Bis jetzt.«

»Und Koni wird vielleicht der erste, den sie heilen?«

»Bestenfalls leistet er einen wissenschaftlichen Beitrag zur Alzheimerforschung.«

»Ohne es zu wissen?«

»Ohne den Hauch einer Ahnung.«

Die nächsten Tage konzentrierte man sich im Gästehaus darauf, die beiden Patienten wieder auf die Beine zu bekommen.

Konrad Lang wurde ein Gehgips angepaßt. Der Therapeut und Schwester Irma bemühten sich, ihn täglich zu ein paar Schritten zu bewegen.

Simone Koch verbrachte den größten Teil der Tage an der Infusion. Aber an Nachmittagen schaute sie mit Konrad ungefähr eine Stunde lang Fotos an, falls sie sein Interesse so lange fesseln konnte. Sie stellte ihm ihre genau vorgegebenen Fragen, Dr. Kundert wertete die Antworten am Bildschirm aus.

Bisher war, abgesehen von den üblichen Schwankungen, keine Verschlechterung festzustellen. Was nach so kurzer Zeit allerdings noch kein Grund zum Optimismus war.

Die einzige Überraschung im Gästehaus in diesen Tagen war ein Besuch von Thomas Koch.

Er stand plötzlich braungebrannt und energiegeladen vor der Tür und forderte Einlaß. Schwester Irma, die ihn noch nie zuvor gesehen hatte, machte den Fehler, ihn zu fragen, wer er sei und was er wolle. Und er machte den Fehler, ihr zu antworten: »Das geht Sie einen Dreck an! Lassen Sie mich rein!«

Dr. Kundert hörte die laute Diskussion im Windfang, sah nach, was los war, und rettete die Situation.

Kurz darauf stand Thomas gereizt im Zimmer, in dem seine Schwiegertochter an der Infusion hing und die Tropfen zählte.

Ihr Anblick – die hübsche Frau und werdende Mutter seines ersten Enkels – besänftigte ihn sofort. Anstatt sich über den Empfang durch Schwester Irma zu beklagen, was er sich fest vorgenommen hatte, sagte er: »Ich hoffe, es geht dir bald wieder gut.«

»Das hoffe ich auch«, seufzte Simone. »Wie war es?«

»Wo?«

»Ich weiß nicht. Da, wo du gerade warst.«

Thomas Koch überlegte einen Moment. »Jamaika.«

»Vielleicht reist du zuviel.«

»Wieso?«

»Wenn du so lange überlegen mußt, wo du gerade warst.«

»Das ist das Alter.« Er lachte etwas zu laut und setzte sich auf den Stuhl neben dem Bett. Dann wurde er ernst. Er nahm väterlich ihre Hand.

»Urs hat mir gestanden, daß du nicht nur wegen deinen Schwangerschaftsproblemen hier schläfst.«

Simone antwortete nichts darauf.

»Ich habe ihm den Kopf gewaschen.«

Sie wünschte, er würde ihre Hand loslassen.

»Ich fürchte, das hat er von mir. Die Katze läßt das Mausen nicht. Aber auf eines kannst du dich bei den Kochs verlassen: Wenn es hart auf hart geht, dann halten wir zu unseren Frauen. Was bedeutet schon alles andere? Nichts.«

Sie zog ihre Hand weg.

»Ich verstehe dich ja. Das tut man nicht, vor allem nicht, wenn die Frau in Erwartung ist. Dafür gibt es keine Entschuldigung.« Er kam zur Sache. »Trotzdem: Ich finde, du solltest hier raus. Ärzte, Krankenschwestern und ein alter Mann, der vor sich hin stirbt, sind eine bedrückende Umgebung für eine werdende Mutter. Wir richten dir drüben ein Zimmer ein und engagieren eine Pflegerin. Du wirst staunen, wie schnell du wieder auf den Beinen bist.«

»Ich habe hier alles, was ich brauche, und werde ausgezeichnet gepflegt. Ein untreuer Ehemann ist auch nicht gerade die ideale Umgebung für eine werdende Mutter.«

»Es wird nicht mehr vorkommen.«

»Es ist einmal zu oft vorgekommen.«

»Das renkt sich wieder ein.«

»Nein.«

Das klang, als ob Simone lange über alles nachgedacht hätte. Dabei war es ihr erst jetzt, in dieser Sekunde, klargeworden. Nein, es würde sich nicht mehr einrenken. Nie mehr. Es wurde Zeit, daß sie sich Gedanken darüber machte, wie es weitergehen sollte.

»Was heißt das?«

»Ich weiß es noch nicht.«

»Mach keine Dummheiten.«

»Bestimmt nicht.«

Thomas stand auf. »Kann ich Urs etwas ausrichten?«

Simone schüttelte den Kopf.

»Werd bald gesund«, sagte Thomas, drückte ihren Arm und stand auf.

»Warst du bei Konrad?«

»Nein.«

»Warum nicht?«

»Ich wüßte nicht, was mit ihm reden.«

»Über alte Zeiten.«

»Alte Zeiten machen alt«, grinste Thomas und ging aus dem Zimmer.

Von diesem Augenblick an ging es Simone besser. Noch am gleichen Abend lösten die Gerüche, die aus der Diätküche heraufdrangen, bei ihr Hunger aus statt Übelkeit. Sie bat die erstaunte Schwester Ranjah, ihr etwas zu essen zu bringen, und verschlang mit Appetit zwei große Salamisandwiches. In der Nacht schlief sie wunderbar. Der Schwindel und das Erbrechen am Morgen blieben aus. Sie machte sich über ein großes Frühstück her.

Die plötzliche Gewißheit, daß sie Urs nicht liebte und ihr Leben nicht mit ihm verbringen wollte, hatte Simone gesund gemacht.

Sie brauchte von nun an keine Infusionen mehr, nahm sich aber vor, das vor der Familie Koch zu verheimlichen, bis sie sich die weiteren Schritte überlegt hatte. Vorläufig wollte sie noch im Gästehaus bleiben.

So plötzlich sich Simones Zustand verbesserte, so abrupt verschlechterte sich der von Konrad Lang.

Er hatte in der Nacht mehrmals versucht aufzustehen. Jedesmal war Schwester Ranjah, die den Monitor nicht aus den Augen ließ, rechtzeitig in seinem Zimmer erschienen und hatte das Schlimmste verhindert.

Jedesmal bestand er darauf, sich anzuziehen. Ranjah, die in der Tradition geboren und erzogen war, alte Menschen und ihren Willen zu respektieren, stützte ihn jedesmal zum Schrank und half ihm dabei.

Wenn Konrad dann in einem bizarren Aufzug – auch darin ließ Ranjah ihm seinen Willen – im Zimmer stand, wußte er nicht mehr, was er vorgehabt hatte.

Ranjah half ihm dann geduldig, sich wieder auszukleiden

und ins Bett zu legen, brachte ihm Tee, blieb bei ihm, bis er wieder eingeschlafen war, und ging ins Stationszimmer an den Monitor zurück. Bis zum nächsten Mal.

Was Dr. Kundert bei der Auswertung der Aufzeichnungen dieser Nacht beunruhigte, war die Tatsache, daß Konrads Englisch schlechter geworden war. Er suchte lange nach den Wörtern und vermischte es mit Französisch und etwas Spanisch.

Auch daß er ins Bett gemacht hatte, war kein gutes Zeichen. Konrad Langs gelegentliche Inkontinenzprobleme hatten bisher mit seiner Apraxie zusammengehangen, der Unfähigkeit von Alzheimerpatienten in einem fortgeschrittenen Stadium, komplexe Handlungsabläufe durchzuführen. Aber mit der Unterstützung des Pflegepersonals hatte ihm das bisher keine größeren Schwierigkeiten bereitet.

Jetzt stand zu befürchten, daß sein Gehirn die Kontrolle über seine Körperfunktionen zu verlieren begann.

Dr. Kundert rechnete damit, daß sich der Zustand des Patienten verschlechterte. Als an diesem Nachmittag zur gewohnten Zeit Simone ihre Fotositzung mit Konrad hatte, sah er besonders gespannt am Monitor dabei zu.

Nach ein paar Minuten wußte er, daß sich seine Befürchtungen bestätigt hatten. Konrad Lang interessierte sich zwar für die Fotos, die ihm Simone zeigte, aber wie jemand, der sie zum ersten Mal sah. Kaum eine der Standardfragen konnte er beantworten, und kaum eine seiner Standarderklärungen kam vor. Immer wieder mußte Simone die für diesen Fall vereinbarten Hilfestellungen bieten. Und immer häufiger schickte Simone einen ratlosen Blick zum versteckten Objektiv hinauf.

Als sie zu dem Foto mit dem Kabriolett kam, hielt es Kundert nicht mehr auf seinem Stuhl aus. Er stand auf und stellte sich so dicht wie möglich vor den Monitor.

Sie stellte ihre gewohnte Frage: »Und das hier ist Elvira?«

Konrad zögerte wie jedes Mal. Aber diesmal offensichtlich nicht, um Simone zappeln zu lassen, sondern weil er es sich tatsächlich überlegen mußte.

Doch dann nickte er und schmunzelte. Simone schmunzelte erleichtert mit und Kundert vor dem Monitor auch.

Konrad Lang zeigte auf Konis Haarbüschel hinter dem linken Kotflügel und sagte: »Tomikoni.«

Dann zeigte er auf Tomi in der Lücke zwischen dem linken Scheinwerfer am vorderen Kotflügel und dem Kühler und grinste. »Konitomi.«

Simone improvisierte. Sie zeigte auf den versteckten Buben, den ihr Konrad bisher immer als »Koni« erklärt hatte, und fragte: »Koni?«

Konrad schüttelte amüsiert den Kopf und prägte ihr ein: »Tomi.«

»Und wie schnell fährt der Mercedes?« fragte sie.

»Keine Ahnung.«

Kundert und Simone schauten sich zusammen die Fotos an. »Als Sie auf Koni zeigten, sagte er ›Tomikoni‹?«

»Und als ich auf Tomi zeigte, ›Konitomi‹«, ergänzte Simone.

»Er wollte vertuschen, daß er nicht mehr wußte, welcher der beiden sich wo versteckt.«

»Und weshalb hat er dann die Namen vertauscht, als ich nachhakte?«

»Da hatte er den Trick mit Tomikoni und Konitomi bereits vergessen.«

Simone war entmutigt. »Heißt das, die Behandlung wirkt nicht?«

»Sie kann noch nicht gewirkt haben. Es bedeutet nur, daß die Krankheit ihren Lauf nimmt. Aber über POM 55 sagt es nichts aus. Es bedeutet, daß eine weitere Verbindung von Nervenzelle zu Nervenzelle gekappt worden ist, bevor das Mittel wirken konnte. Wir haben einfach Pech gehabt.«

»Vor allem Konrad.«

»Vor allem er.«

Beide schwiegen. Dann sagte Simone: »Stellen Sie sich vor, es wirkt und es ist nichts mehr da.«

Die Vorstellung war Kundert nicht fremd.

Koni sah alle Gesichter im Zimmer. Sie schauten ihn von der Tapete aus an und von den Vorhängen. Die meisten waren böse. Einige waren lieb und böse. Ganz wenige waren nur lieb.

Wenn er sich nicht bewegte, sahen sie ihn nicht und konnten ihm nichts tun.

Das Licht löschen nützte nichts. Dann kamen andere Gesichter. Solche, die Grimassen schnitten mit dem Wind. Und auch Tiere kamen dann, die auf dem Stuhl lauerten. Deswegen war es besser, das Licht nicht zu löschen. So konnte man die Gesichter im Auge behalten. Und so lagen auf dem Stuhl nur seine Kleider.

Die Hoffnung, daß es sich bei Konrads Veränderung nur um ein vorübergehendes Tief gehandelt hatte, zerschlug sich in den nächsten Tagen.

Dr. Kunderts Tests ergaben eine deutliche Verschlechterung praktisch aller gemessenen Hirnwerte. Und auch physiologisch hatte ein Rückschritt stattgefunden. Eine Diagnose, die ihm auch der Physiotherapeut bestätigte.

Der Bericht von Joseline Jobert, der Beschäftigungstherapeutin, war etwas weniger ernüchternd. Konrad aquarellierte immer noch hingebungsvoll. Die Resultate wurden immer abstrakter, und die Orthographie der Legenden, mit denen er seine Bilder stets versah, hatte gelitten. Fast in jedem zweiten Wort kamen Wiederholungen von Buchstaben oder Silben vor, weil er vergaß, daß er sie schon geschrieben hatte. »EuEuropa«, schrieb er oder »Apfelelbaumaum«.

Nach wie vor summte er mit zu den Wander-, Weihnachts- und Studentenliedern, die sie ihm in gebrochenem Deutsch vorsang.

Aber auf die Fotos, die ihm Simone zeigte, reagierte er nur noch passiv. Er sagte nicht mehr: »Venedig«, »Mailand« oder: »Am Meer«, wenn sie ihn fragte, wo das gewesen sei. Er nickte höchstens, wenn sie vorschlug: »Ist das am Meer?« oder: »Ist das in Venedig?«

Sie konnte ihm aber auch das Foto vom Markusplatz zeigen und fragen: »Ist das in Paris?« Auch dann nickte er.

Thomas und sich konnte er nicht mehr unterscheiden. Er verwechselte sich und ihn oder nannte beide »Tomikoni« und »Konitomi«. Elvira Senn hingegen identifizierte er auf jedem Bild als »Mama Vira«.

Simone war deprimiert, als sie nach der letzten Fotositzung in ihr Zimmer kam und die Kopien auf den Tisch legte.

»Ich bin froh, daß es dir bessergeht«, sagte eine Stimme hinter ihr.

Es war Thomas Koch. Er hatte auf dem Bettrand gesessen und stand jetzt auf. Simone sah ihn an und wartete.

»Die Schwester hat mich hereingelassen. Hat sich wohl erinnert, daß das mein Haus ist.«

»Ich komme nicht in die Villa zurück, wenn es das ist, was dich herführt.«

»Das ist eine Sache zwischen dir und Urs.«

Simone wartete.

»Wie geht es Koni?«

Simone hob die Schultern. »Heute nicht sehr gut.«

»Und das Wundermittel?«

»Kein Resultat«, sagte sie. »Noch«, fügte sie rasch hinzu.

Simone hatte Thomas Koch noch nie so erlebt. Seine Selbstsicherheit war weg. Er stand verlegen in ihrem kleinen schlichten Zimmer, wußte nicht, wohin mit seinen Händen, und schien sich ernsthaft Sorgen zu machen.

»Setz dich doch.«

»Ich habe nicht viel Zeit.« Er nahm die Fotos vom Tisch und blätterte abwesend darin. Simone erschrak. Aber Thomas schien sich über deren Herkunft keine Gedanken zu machen.

»So viele Erinnerungen«, murmelte er nachdenklich.

»Für ihn werden es jeden Tag weniger.« Simone zeigte auf einen der Buben unter dem Sonnensegel am Strand. Quadratischer Schädel, eng beisammenliegende Augen.

»Nicht wahr, das bist doch du?«

»Das siehst du doch.«

»Koni kann euch beide nicht mehr unterscheiden. Manchmal nennt er dich Koni, manchmal sich Tomi, und manchmal nennt er euch Tomikoni und Konitomi.«

»Eine schreckliche Krankheit.« Thomas blätterte weiter in den Fotos. »Wie hat es angefangen?«

»Wie bei allen: Kleine Vergeßlichkeiten, unbedeutende Zerstreutheiten, Dinge gehen verloren, Namen werden vergessen, man tut sich schwer mit Speisekarten, man verliert die Orientierung, dann erkennt man gute Bekannte nicht mehr, vergißt die Namen von Gegenständen, weiß nicht mehr, wofür sie benützt werden, kann sich nichts mehr merken und erinnert sich nur noch an Dinge, die weit zurückliegen.«

»Wie war das mit den Speisekarten?«

»Leute, die früher nie länger als eine Minute eine Speisekarte studiert haben, sitzen da und blättern und können sich nicht entscheiden.«

Thomas nickte. Wie wenn er wüßte, wovon sie sprach.

»Möchtest du ihn sehen?«

»Nein«, sagte er schnell. »Nein, vielleicht ein andermal. Du mußt das verstehen.«

Simone verstand. Thomas Koch machte sich aufrichtige Sorgen. Aber um sich, nicht um Konrad Lang.

Konitomi könnte schon schlafen. Er war müde. Aber er wollte nicht. Wenn er einschlief, kamen sie und stachen ihn.

Er durfte auch nicht die Arme hinter dem Kopf verschränken, wenn er auf dem Rücken lag. Dann stachen sie ihn in die Achselhöhlen. Mit langen Nadeln.

Tomikoni wußte nicht, was besser war: Wenn er kein Licht machte, würden sie ihn nicht sehen. Aber wenn er Licht machte, würde er sie rechtzeitig kommen sehen.

Wenn er jedoch einschlief, würde er es nicht merken, wenn sie Licht machten. Dann würde er zu spät merken, daß sie da sind.

Wenn er sich versteckte, würden sie vielleicht wieder gehen.

Konitomi schlug leise die Decke zurück und zog die Beine an. Das war nicht so einfach. Am linken Bein hatten sie ihm etwas Schweres befestigt, damit er nicht weglaufen konnte.

Jetzt die Füße vom Bett herunterhängen lassen. Zuerst den rechten, dann den schweren.

Er ließ sich vom Bettrand hinunter. Er stand neben dem Bett.

Wo sollte er sich verstecken?

Zu spät. Das Licht ging an.

»Nicht stechen«, flehte Tomikoni.

»Now there, now there«, beruhigte ihn Schwester Ranjah.

Seit dem Tag, an dem er an der Tür des Gästehauses mit der Auskunft abgespeist worden war, Simone dürfe nicht gestört werden, hatte Urs Koch fast vier Wochen verstreichen lassen. In dieser Zeit mußten ihn Dritte über das Befinden seiner Frau auf dem laufenden halten. Er hatte bisher mit der Taktik »den Frauen nicht hinterherrennen, denn dann kommen sie von selbst zurück« gute Erfahrungen gemacht.

Bei Simone, die er trotz ihres wohl schwangerschaftsbedingten Aufbegehrens als nachgiebig kennen- und schätzengelernt hatte, war er sich sicher, daß es funktionieren würde.

Als sein Vater meinte: »Du mußt da einmal nach dem Rechten sehen, sonst kommt die noch auf dumme Gedanken«, fragte er: »Selbstmord?«

Als der »Scheidung« antwortete, grinste Urs und machte sich weiter keine Sorgen. Er wartete noch etwas zu. Dann, als sie immer noch nichts von sich hören ließ, änderte er die Taktik.

Er ging mit einem großen Strauß Kamelien, Simones Lieblingsblumen, zum Gästehaus, läutete und ließ ihr über Schwester Irma ausrichten, er gehe nicht weg, bis er eingelassen werde. Und wenn es die ganze Nacht dauere.

Das funktionierte. Kurz darauf wurde er in Simones Zimmer geführt.

»Ich möchte mich entschuldigen und dich bitten, wieder zu mir rüberzukommen«, eröffnete er das Gespräch. Ebenfalls Teil seiner neuen Taktik.

Sogar als Simone erwiderte: »Nein, Urs, es hat keinen Sinn«, fiel er nicht aus der für ihn weiß Gott nicht einfachen Rolle. »Ich bin mir dessen bewußt: Was ich getan habe, ist nicht wiedergutzumachen.«

Erst als Simone darauf antwortete: »Nein, darum ist es besser, du versuchst es gar nicht«, wich er von seinem Text ab und brauste auf.

»Soll ich mich erschießen?«

Simone blieb ruhig. »Es ist mir egal, was du tust. Ich lasse mich scheiden.«

Einen Moment lang glaubte sie, er werde losbrüllen. Aber dann lachte er auf.

»Du spinnst. Schau dich doch an. Du bist bald im sechsten Monat.«

»Um das zu wissen, brauche ich mich nicht anzuschauen.«

»Wie stellst du dir das vor? Wir bekommen ein Kind und lassen uns scheiden, alles auf einmal?«

»Du hättest es lieber eins nach dem andern, wie sich das gehört?«

»Weder-noch. Ich will überhaupt keine Scheidung. Es kommt nicht in Frage. Ich diskutiere gar nicht darüber.«

»Prima. Ich nämlich auch nicht.« Simone ging zur Tür und legte die Hand auf die Klinke.

»Du wirfst mich nicht aus meinem eigenen Gästehaus.«

»Bitte geh!«

Urs setzte sich aufs Bett. »Ich werde nie in eine Scheidung einwilligen.«

»Ich werde klagen.«

»Auf was?«

»Ehebruch. Siebenfach, wenn du willst.«

Urs zog die Brauen hoch. »Beweise?«

»Ich werde alle Hebel in Bewegung setzen, um Zeugen und Beweise zu finden.«

Simone stand immer noch an der Tür mit der Hand auf der Klinke. Sie wirkte sehr entschlossen.

Urs stand auf und trat nahe an sie heran. »Mir passiert das nicht, daß sich meine schwangere Frau nach zwei Jahren von mir scheiden läßt, verstehst du? So einfach ist das. Es passiert mir nicht, und es passiert uns nicht. Es passiert den Kochs nicht.«

»Es ist mir egal, was den Kochs passiert«, sagte Simone und öffnete die Tür.

»Weil es geschah, als du schwanger warst, nicht wahr?«
Simone schüttelte den Kopf.
»Warum denn?«
»Weil ich mein Leben nicht mit dir verbringen will.«

An einem falschen Frühlingstag – der Föhn hatte den Himmel blau gefegt und ließ die Gärtner die Stirn runzeln – malte Koni »Haus für SchneeSchneebälle im Mai«.

Simone war ein wenig zu früh zur Fotositzung erschienen. Die Beschäftigungstherapeutin war noch bei Konrad, der ganz vertieft am Tisch saß und malte.

Als Simone ihn begrüßte, nickte er nur kurz und wandte sich wieder seinem Blatt zu. Er tauchte den Pinsel in das Glas mit trübem Wasser und bearbeitete damit ein Blatt Aquarellpapier.

Simone setzte sich und wartete. Als die Therapeutin sagte: »Schön, Herr Lang, wunderbar, das gefällt mir ausgezeichnet. Darf ich es Frau Koch zeigen?«, stand sie auf und ging zum Tisch.

Das Blatt war noch feucht und gewellt. Wäßriges, wolkiges Blaugrau auf weißem Grund. Darin ein breiter Pinselstrich, den bräunliche und gelbliche gleich dicke Pinselstriche strahlenförmig umgaben. Darunter hatte er in großen steifen Druckbuchstaben geschrieben: »KoniTomi Lang – Haus für SchneeSchneebälle im Mai.«

»Wirklich sehr schön«, sagte auch Simone. Sie setzte sich neben Konrad und legte die Fotos vor ihm auf den Tisch, während die Beschäftigungstherapeutin ihre Utensilien zusammenräumte. In der Geschäftigkeit, die dadurch entstand, hatte sie Dr. Stäubli nicht hereinkommen hören.

Erst als sie beim dritten »Tomikoni, Konitomi« entmutigt den Blick zur Kamera hob, sah sie ihn neben dem Tisch stehen.

In Elviras Frühstückszimmer waren die Fenster offen. Die Nachmittagssonne schien tief hinein bis zum kleinen Sofa, wo sie mit Dr. Stäubli saß.

Er war gerade vom Gästehaus gekommen und hatte von einer weiteren Verschlechterung von Konrads Zustand berichtet.

»Also noch keine medizinische Sensation«, stellte sie fest.

»Sieht nicht so aus. Als ich kam, erkannte er nicht einmal sich selbst auf alten Fotos. Konitomi und Tomikoni war alles, was er sagte.«

»Was für alte Fotos?«

»Simone zeigte ihm Fotos, auf denen Sie und Thomas und Konrad offenbar auf Europareise sind. Die Buben sind wohl etwa sechs.«

Elvira stand wortlos auf und verschwand durch die Tür zum Ankleidezimmer. Dr. Stäubli blieb sitzen und fragte sich, was er wohl Falsches gesagt hatte.

Nach kurzer Zeit kam Elvira mit einem Fotoalbum zurück. »Diese Fotos?«

Stäubli nahm das Album, blätterte darin und nickte. »Fotokopien von genau diesen Fotos.«

Elvira mußte sich setzen. Sie sah plötzlich beinahe so alt aus, wie sie wirklich war. Dr. Stäubli nahm ihr Handgelenk, schaute auf die Uhr und begann ihren Puls zu zählen.

Elvira zog unwirsch die Hand zurück.

Dr. O'Neill, Dr. Kundert und Simone saßen im Stationszimmer und tranken Kaffee. Über den Monitor des Wohnzimmers sah man Konrad Lang in seinem Sessel sitzen. Das eingegipste Bein war hochgelagert, und er döste. Er hatte weder gefrühstückt noch zu Mittag gegessen.

Simone stellte die Frage, die sie schon lange beschäftigte: »Daß die Behandlung den Prozeß beschleunigt hat, ist völlig ausgeschlossen?«

Kundert und O'Neill wechselten einen Blick. »Soweit ein Wissenschaftler etwas völlig ausschließen kann, ja«, antwortete O'Neill.

»Es ist also nicht völlig ausgeschlossen?«

»In Zellkulturen und im Tierversuch wurde der Prozeß nach zwei bis drei Wochen gestoppt und in keinem Fall nur verlangsamt und in keinem Fall beschleunigt. Das heißt, daß ich zwar persönlich nicht sicher bin, ob es das beim Menschen auch tut, aber ich bin hundertprozentig davon überzeugt, daß es nicht das Gegenteil bewirkt. Wissenschaftlich beweisen kann ich es Ihnen nicht.«

O'Neill schenkte sich Kaffee nach. Simone und Kundert wurden den Eindruck nicht los, daß seine kurze Ansprache auch dazu gedient hatte, sich selbst zu überzeugen.

»Bei Herrn Lang sind es jetzt dann fünf Wochen«, bemerkte Simone.

»Danke, daß Sie mich daran erinnern«, brummte O'Neill.

»Vielleicht sind es die fehlenden zwanzig Prozent der Verbindung. Vielleicht sollte man eine zweite Anwendung machen.«

»Wir haben die Erlaubnis für eine einmalige Anwendung.«

Sie starrten auf den Monitor. Konrad Lang bewegte sich. Er öffnete die Augen, schaute sich erstaunt im Zimmer um, schloß sie wieder und döste weiter.

»Ich glaube immer noch daran, daß es funktioniert«, beteuerte O'Neill.

»Wenn es dann nicht zu spät ist«, zweifelte Simone.

»Der Mensch kann noch mit Bruchteilen seines Gehirns funktionieren«, sagte Dr. Kundert.

»Es müssen allerdings die richtigen Bruchteile sein«, schränkte O'Neill ein.

»Und wenn die falschen überleben?« wollte Simone wissen.

»Ein Forscherteam hat bewiesen, daß sich unter gewissen Voraussetzungen Nervenzellen regenerieren können. Und wir wissen auch, daß man in Zellkulturen Zellen mit einer Anzahl Faktoren behandeln kann, mit dem Resultat, daß neue Kontakte sprießen. Wir wissen nur nicht, ob das gut ist oder schlecht, denn normalerweise entstehen neue Kontakte, wenn die Zellen etwas lernen. Das ist ein sehr kontrollierter Prozeß. Wenn wir den unkontrolliert auslösen, kann es sein, daß Kontakte sprießen, die man gar nicht will.«

»Das heißt, bis dieses Problem gelöst ist, bleiben die Zellen kaputt.«

O'Neill wollte sich nicht festlegen. Kundert fuhr fort. »Die Neurologie kennt viele Fälle, in denen Patienten nach einem Schädeltrauma oder einer Operation große Teile des Gehirns verloren hatten. Manchmal mußten sie vieles wieder von Grund auf lernen, manchmal vergaßen sie ganze Bereiche ihres Lebens. Aber meistens gewannen sie die Funktionen wieder, die ihnen erlaubten, wieder ein normales Leben zu führen.«

»Sie glauben, das wäre auch bei Konrad Lang möglich?«

»Wenn es gelingt, den Prozeß zu stoppen, solange er noch sprechen und Sprache verstehen kann, besteht die Chance, daß die verbliebenen Zellen stimuliert werden und neue Kontakte knüpfen können. Wahrscheinlich hätte er große Gedächtnislücken, und man müßte die Organisation seines Wissens in mühsamer Kleinarbeit wieder in Ordnung bringen. Aber es ist möglich. Wir gehen davon aus, daß es möglich ist, sonst wären wir nicht hier.«

»Sie wollen mir Mut machen«, lächelte Simone.

»Ist es mir gelungen?«

»Ein bißchen.«

Elvira hatte Thomas und Urs in ihr Arbeitszimmer zitiert, in dem sonst die informellen Verwaltungsratssitzungen der Koch-Werke stattfanden. Sie kam gleich zur Sache.

»Urs, deine Frau hat mich bestohlen.«

Urs fiel aus allen Wolken. Er hatte angenommen, es ginge um etwas Geschäftliches.

»Ich weiß nicht, wie und mit wessen Hilfe, ich weiß nur, daß sie im Besitz von Fotos ist, die ich hier an einem sicheren Ort aufbewahre.« Sie zeigte auf die Alben, die auf dem Tisch lagen. Urs nahm eines und begann darin zu blättern.

»Sie muß hier eingedrungen sein und sich Kopien gemacht haben. Dr. Stäubli hat gesehen, wie sie sie mit Koni anschaute.«

Thomas nahm sich ebenfalls ein Album und begann darin zu blättern.

»Weshalb sollte sie so etwas tun?«

»Sie will ihn damit stimulieren, was weiß ich. Es soll helfen, den Bezug zur Realität wiederherzustellen. Zur Realität!«

»Vermutest du das, oder weißt du es?«

»Ständig lag sie mir in den Ohren, daß ich ihr Fotos von früher gebe. Und Thomas auch. Nicht wahr, Thomas?«

Thomas war in das Fotoalbum vertieft. Jetzt schaute er auf. »Was?«

Elvira winkte ab und wandte sich wieder an Urs. »Ich will die Fotos zurück, und zwar sofort.«

»Aber du hast sie ja, sie hat doch nur Kopien gemacht, sagst du.«

»Ich will nicht, daß sie mit Konrad in unserer Vergangenheit wühlt.«

Urs schüttelte den Kopf und blätterte in einem Album. »Warum sind hier so viele Fotos herausgerissen?«

Elvira nahm ihm das Album weg. »Bring mir die Fotos zurück!«

Thomas lachte auf und hielt Urs sein Album vor die Nase. »Was siehst du hier?«

»Elvira vor einem Kabrio.«

»Und mich und Koni siehst du nicht?« grinste er.

Elvira riß ihm das Album aus der Hand.

Thomas schaute sie verdattert an. Dann beugte er sich zu seinem Sohn. »Der Mercedes machte hundertzehn.«

»Bring mir die Fotos!« befahl Elvira und stand auf.

»Gibt es etwas in der Vergangenheit, das man nicht wissen darf?« fragte Urs mißtrauisch.

»Bring mir die Fotos!«

Urs stand verärgert auf. »Und ich dachte, es gehe um die Firma.«

»Um die geht es auch.« Elvira verließ das Zimmer.

»Sie wird langsam alt«, erklärte Thomas seinem Sohn.

Konrad Lang streikte immer noch. Er aß nichts, er war zu keinem Pinselstrich zu bewegen, und er hatte dem Therapeuten eine gelangt, als der ihn mit sanfter Gewalt zu einer harmlosen Übung drängen wollte. Dr. Kundert hatte angeordnet, daß Konrad nachts künstlich ernährt werden müsse, wenn er auch das Abendessen verweigerte.

Sie hatten beschlossen, daß Simone ihm heute die Fotos aus dem ältesten Album zeigen sollte. Sie hofften, ihn damit aus seiner Apathie zu reißen.

Koni saß im Morgenrock in seinem Sessel im Wohnzimmer. Es war nicht möglich gewesen, ihn anzukleiden. Als Simone das Zimmer betrat, reagierte er nicht. Auch nicht, als sie einen Stuhl heranzog und sich neben ihn setzte.

»Koni«, fing sie an, »ich habe hier ein paar neue Bilder, bei denen ich deine Hilfe brauche.« Sie schlug das Album auf.

Das erste Foto zeigte die junge Elvira im Wintergarten der »Villa Rhododendron«. Sie trug einen wadenlangen Rock und einen ärmellosen, hochgeschlossenen Pullover, an dessen Halsausschnitt ein weißes rundes Kräglein hervorschaute. Sie saß in einem Liegestuhl und strickte. Im Vordergrund sah man die Lehne des Biedermeiersessels, der jetzt, anders bezogen, im Boudoir in der Villa stand.

»Diese Frau, zum Beispiel, wer ist das?«

Konrad schaute gar nicht hin.

Simone hielt ihm das Album vors Gesicht. »Diese Frau?«

Koni seufzte. »Fräulein Berg«, antwortete er, wie zu einem schwierigen Kind.

»Ach, und ich dachte, es sei Elvira.«

Koni schüttelte den Kopf über so viel Begriffsstutzigkeit.

Neben dem Bild von Elvira war ein weißer Fetzen, wo früher einmal ein Foto geklebt hatte. Simone blätterte.

Das nächste war von der Südseite der Villa her aufgenommen. Es zeigte die Treppe zur großen Terrasse, und darauf Wilhelm Koch. Er trug eine helle Hose, ein weißes Hemd mit Krawatte und eine dunkle Weste, aber kein Jakkett. Er hatte einen runden, kahlen Schädel und lächelte steif in die Kamera.

»Und dieser Mann?«

Koni hatte sich damit abgefunden, daß er seiner Befragerin selbst die offensichtlichsten Dinge erklären mußte. »Papa Direktor«, antwortete er geduldig.

»Wessen Papa ist er?«

»Tomitomis.«

Auf der gegenüberliegenden Seite, neben einem weggerissenen Bild, war der Pavillon zu sehen. Die Rhododendren waren noch kleine Pflänzchen, und die Fichten im Hintergrund gab es heute nicht mehr. Am gußeisernen Geländer standen zwei alte Frauen mit breitkrempigen Hüten und formlosen, weiten, fast bodenlangen Kleidern.

»Tante Sophie und Tante Klara«, erklärte Koni unaufgefordert. Sein Interesse war jetzt geweckt. Dr. Kundert registrierte es am Monitor mit Erleichterung.

Seite um Seite gingen Simone und Konrad zusammen das Album durch. Bilder vom Park, von »Papa Direktor«, von

»Fräulein Berg«, »Tante Sophie und Tante Klara«. Und Bilder, von denen nur noch ein weißer Fetzen übriggeblieben war.

Eines der letzten zeigte Elvira in einem geblümten, kurzärmeligen, zweiteiligen Sommerkleid an der Brüstung der Terrasse. Neben ihr stand Wilhelm Koch und hatte – was er auf keinem anderen Foto tat – besitzergreifend den Arm um sie gelegt. Im Hintergrund sah man den See in der Talsohle und die noch kaum verbauten Hügelzüge des anderen Ufers.

»Papa Direktor und Mama«, kommentierte Konrad.

»Wessen Mama?«

»Von Tomitomi«, seufzte Konrad Lang.

»Fräulein Berg ist die Mama von Tomitomi?«

»Jetzt schon.«

Beim letzten Foto, um das herum alle anderen weggerissen worden waren, geschah etwas Seltsames. Es zeigte eine Rabatte vor einer Hecke und einen Kübel mit einem blühenden Oleander, um den es dem Fotografen wohl gegangen war. Koni studierte das Bild lange und genau. Schließlich konstatierte er: »Papa Direktor und Tomitomi.«

Simone schickte einen Blick zum versteckten Objektiv.

»Papa Direktor« – Koni zeigte auf eine Stelle im Oleander – »und Tomitomi.« Er deutete auf eine Stelle dicht darunter.

Erst als Simone genauer hinschaute, merkte sie, daß der Fotograf den Film zu transportieren vergessen und das Foto zweimal belichtet hatte. In der Hecke konnte sie schemenhaft den kahlen Schädel von Wilhelm Koch erkennen. Und auf seinem Schoß die Umrisse eines Kindes.

Dr. Kundert und Simone saßen lange über den Fotos und versuchten aus den Antworten klug zu werden. Daß Elviras Mädchenname Berg gewesen war, war kein Geheimnis. Aber wenn Konrad dieser Name geläufig war, mußte er sie schon gekannt haben, bevor seine Mutter Anna Lang damals ihren Dienst in der »Villa Rhododendron« antrat. Zu der Zeit war Elvira schon Frau Direktor Koch gewesen.

Natürlich war es nicht unwahrscheinlich, daß die junge Elvira als Frau eines um so viele Jahre älteren Mannes jemanden zur Gesellschaft engagiert hatte, den sie von früher kannte.

Viel eigenartiger war dagegen die Doppelbelichtung. Je mehr sich ihre Augen darauf eingestellt hatten, das andere, schwächere Bild anzuschauen, desto deutlicher wurde es. Darüber, daß es sich bei dem Mann um Wilhelm Koch handelte, bestand kein Zweifel. Aber das Kind sah nicht aus wie Thomas. Weder die charakteristische Schädelform noch die eng zusammenliegenden Augen waren auszumachen. Wenn der Kleine jemandem glich, dann eher den Kinderfotos von Konrad Lang.

»Warum gibt es im ganzen Album kein einziges Foto von Thomas?« fragte Dr. Kundert.

»Vielleicht waren es die, die fehlen.«

»Warum sollte sie jemand herausreißen?«

Simone sprach aus, was sie beide dachten: »Weil das Kind auf den Fotos nicht Thomas Koch ist.«

In derselben Nacht rief Urs Simone von der Villa aus an. »Ich muß mit dir sprechen. Jetzt. Ich komme rüber.«

»Es gibt nichts zu besprechen.«

»Und was ist mit den Fotos, die du Elvira gestohlen hast?«

»Ich habe sie nur ausgeliehen und Kopien davon gemacht.«

»Du bist bei ihr eingebrochen.«

»Ich habe den Schlüssel benutzt.«

»Du bist in ihre Privatsphäre eingedrungen. Für das, was du getan hast, gibt es keine Entschuldigung.«

»Ich bitte nicht um Entschuldigung.«

»Du gibst jetzt ganz einfach die Fotos zurück.«

»Sie hat Angst vor diesen Fotos. Und langsam wird mir klar, warum.«

»Warum?«

»Irgend etwas stimmt nicht, was die Vergangenheit betrifft. Sie befürchtet, daß es Konrad an den Tag bringen könnte.«

»Was sollte ein kranker Mann mit einem kaputten Hirn schon an den Tag bringen?«

»Frag Elvira! Frag sie, wer auf den Fotos war, die sie herausgerissen hat!«

Tomi lag im Torf im Gärtnerschuppen, warm zugedeckt mit Jutesäcken, und war ganz still. Draußen lag Schnee, und es schneite Fazonetli. Sie suchte ihn.

Wenn sie ihn fand, würde sie ihn stechen. Wie Papa Direktor.

Er hatte es gesehen.

Er war erwacht, weil Papa Direktor so sprach, wie er spricht, wenn er Schnaps getrunken hat. Laut und anders als sonst. Er hörte, wie er die Treppe heraufkam und in das Zimmer polterte, wo er und Mama schliefen.

Tomi stand auf und schaute durch den Türspalt, der immer offen war, bis sie ins Bett gingen. Seine und Konis Mama stützten Papa Direktor ins Zimmer und setzten ihn aufs Bett. Konis Mama gab ihm Schnaps. Sie zogen ihn aus und legten ihn aufs Bett.

Dann stach ihn Konis Mama mit einer Nadel. Sie deckten ihn zu, löschten das Licht und gingen aus dem Zimmer. Koni machte die Tür weiter auf und ging zu Papa Direktor. Der roch nach Schnaps.

Plötzlich ging das Licht an, und Konis Mama kam zurück. Sie nahm ihn an der Hand und brachte ihn ins Bett.

»Warum habt ihr Papa Direktor gestochen?« fragte er.

»Wenn du das noch einmal sagst, steche ich dich auch«, antwortete sie.

Früh am Morgen hörte er viele Stimmen im Nebenzimmer. Er stieg aus dem Bett und sah nach, was los war. Es waren viele Leute da, auch seine und Konis Mama. Papa Direktor lag ganz still im Bett.

Dann sah ihn Konis Mama und brachte ihn weg. »Was hat Papa Direktor?« fragte er.

»Er ist tot«, antwortete sie.

Draußen fiel der Schnee. Immer höher und höher. Bis übers Dach und die Bäume.

Tomi schloß die Augen. Hier würde sie ihn nicht finden.

Doch als er aufwachte, tat ihm der Arm weh, und als er hinschaute, war der Arm angebunden, und eine Nadel steckte darin. Sie hatte ihn also doch gefunden.

Er riß die Nadel heraus. Das Licht ging an. Er schloß die Augen. »Nicht stechen!«

Auch im »Stöckli« brannte noch Licht. Urs war spät zu Elvira gekommen. Sie saßen im Salon. Im Kamin glimmte der Rest eines Feuers.

»Sie sagt, du fürchtest dich vor den Fotos, weil etwas nicht stimme in der Vergangenheit. Du hättest Angst, Koni könnte sich daran erinnern.«

»Was soll nicht stimmen in der Vergangenheit?«

Urs hätte nicht sagen können, ob Elvira beunruhigt war.

»Ich soll dich fragen, wer auf den Fotos war, die herausgerissen worden sind.«

Doch, jetzt war sie beunruhigt. »Ich weiß nicht, was sie meint.«

»Ich schon. Ich habe das Album bei dir gesehen. Das mit den herausgerissenen Fotos.«

»Ich erinnere mich nicht. Wahrscheinlich habe ich mir darauf nicht gefallen.«

Elvira schaute Urs an. Er war anders als sein Vater. Er wich den Problemen nicht aus. Er wollte wissen, was auf ihn zukam, damit er die richtigen Maßnahmen treffen konnte. Urs Koch war der geeignete Mann für die Koch-Werke. Er würde sie so erhalten, wie Elvira sie gemacht hatte: groß, gesund und über alle Zweifel erhaben.

»Wenn es etwas gibt, das ich wissen muß, solltest du es mir sagen.«

Elvira nickte. Sie würde es nicht so weit kommen lassen, daß er es wissen mußte.

Am nächsten Morgen kam Elvira ins Gästehaus. Simone war mit Dr. Kundert bei Konrad. Sie versuchte gerade, ihn zum Frühstück zu überreden. Aber er starrte nur an die Decke.

Schwester Irma kam herein. »Da draußen steht Frau Senn und sagt, sie will Frau Koch sprechen.«

Simone und Kundert wechselten einen Blick. »Führen Sie sie herein«, sagte Simone.

Kurz darauf kam Schwester Irma wieder. »Sie will nicht hereinkommen, Sie sollen herauskommen, sagt sie. Sie ist ziemlich wütend.«

»Wenn sie mich sprechen will, muß sie hereinkommen.«

»Das soll ich ihr sagen? Die bringt mich um.«

»Sie sind stärker als sie.«

Schwester Irma ging hinaus und blieb eine ganze Weile draußen. Als sie zurückkam, war Elvira bei ihr. Sie war bleich und hatte Mühe, sich zu beherrschen. Sie ignorierte Konrad und Dr. Kundert und baute sich vor Simone auf. Sie mußte sich sammeln, bevor sie sprechen konnte.

»Gib mir die Fotos!«

Simone war ebenfalls bleich. »Nein. Sie werden zu therapeutischen Zwecken gebraucht.«

»Gib mir sofort die Fotos!«

Die beiden Frauen starrten sich an. Keine bereit nachzugeben.

Da ertönte vom Bett her Konrads Stimme. »Mama, warum habt ihr Papa Direktor gestochen?«

Elvira sah Konrad nicht an. Ihr Blick irrte von Schwester Irma zu Dr. Kundert und zu Simone.

Dann drehte sie sich um und verließ das Zimmer.

Simone ging zu Konrads Bett. »Wer hat Papa Direktor gestochen?«

Konrad legte seinen Zeigefinger an die Lippen. Psst.

Seit Simone nicht mehr künstlich ernährt wurde und Konrad Lang nichts mehr aß, konzentrierte sich Luciana Dotti auf Simone. Sie war zwar ausgebildete Diätköchin, aber bei schwangeren Frauen hielt sie nichts von Diät. Sie kochte ihr »fettuccine al prosciutto e asparagi«, »pizzoccheri della Valtellina«, »penne ai quattro formaggi«, und jedesmal, wenn Simone zwischen den Mahlzeiten in die Nähe der Küche kam, versuchte sie ihr ein Röllchen Parmaschinken oder ein Rädchen weiche Salami in den Mund zu stecken. »Per il bambino.«

Heute hatte es »conchiglie alla salsiccia e panna« gegeben, und Simone hatte sich zwei große Portionen aufdrängen lassen. Noch während sie den Tisch im Stationszimmer abräumte, kündigte Luciana an: »Heute abend mache ich ›maccheroni al forno alla rustica‹. Mit Auberginen und geräuchertem Mozzarella überbacken, ein Gedicht.«

Simone reagierte schnell. »Oh, habe ich das nicht gesagt? Heute abend bin ich zum Essen eingeladen.«

Luciana nahm es mit Würde. »Viel Vergnügen«, wünschte sie knapp und trug ab. Schwester Irma half ihr dabei.

Dr. Kundert betrachtete Simone. Als sie seinen Blick spürte, sah sie auf. »Auberginen mit geräuchertem Mozzarella. Ich wußte mir nicht anders zu helfen.«

»Sie sind gar nicht eingeladen?«

Sie schüttelte den Kopf.

»Und wie lösen Sie das?«

Sie zuckte die Schultern.

»Darf ich Ihnen meine Hilfe anbieten?«

Den ganzen Tag verbrachte Elvira Senn in ihrem Schlafzimmer und ließ niemanden zu sich. Am Abend, als es Zeit für ihr Insulin wurde, ging sie zu dem kleinen Kühlschrank im Bad, nahm ihre Insulin-Pen, hielt sie über das Lavabo und drückte auf den Knopf. Dann drehte sie beide Hähne auf und ließ lange das Wasser laufen.

Tomi lag im Bett und weinte. Aber nur leise. Wenn ihn Konis Mama hörte, würde sie kommen und ihn stechen. Das hatte sie selbst gesagt.

Konis Mama schlief jetzt nebenan. Deswegen war es gut möglich, daß sie ihn hörte. Sie hieß jetzt Mama Anna. Und Mama hieß jetzt Mama Elvira. Weil Konis Mama und seine Mama beide Mama hießen, wußte man sonst nämlich nie, welche Mama sie meinten.

Tomi weinte, weil er in Konis Bettchen schlafen mußte, in Konis Zimmer.

Das war ein Spiel. Manchmal spielte Tomi Koni und Koni Tomi. Dann durfte Koni in Tomis Bettchen schlafen und Tomi in Konis.

Aber Tomi mochte das Spiel nicht. Konis Zimmer war im Häuschen hinter der Villa, wo Konis Mama schlief. Mama Anna. Vor ihr hatte er Angst.

Er hörte Stimmen streiten im Treppenhaus. Die Tür ging auf, und das Licht ging an.

»Nicht stechen«, sagte Tomikoni.

»Niemand wird dich stechen, Kind«, sagte die Stimme. »Wir bringen dich jetzt in dein Bettchen.«

Tomi war froh. Es war nicht Mama Anna. Es waren Tante Sophie und Tante Klara.

Elvira saß hochgebettet in ihrem riesigen Bett. Der Föhn war zusammengebrochen, der März zeigte wieder sein wahres Gesicht. Die Vorhänge aus altrosa Crêpeseide waren zugezogen und ließen nur wenig vom Licht des grauen Nachmittags herein.

Auf dem Biedermeiersekretär neben dem Bett und der ausladenden Empire-Kommode brannten zwei Lampen mit seidenen Schirmen und tauchten den Raum in perlmuttfarbenes Licht.

Urs saß auf einem kleinen gepolsterten Sessel am Bettrand. Elvira hatte ihn zu sich gebeten, weil sie ihm wichtige Dinge zu sagen hatte.

»Du hast mich gestern gefragt, ob es Dinge in der Vergangenheit gibt, die du wissen solltest. Es gibt solche Dinge.«

Als Urs zwei Stunden später aus einem Fenster der Villa zum Gästehaus hinüberschaute, war er nicht so unbesorgt, wie er Elvira hatte glauben lassen. Er erwiderte den Gruß von Dr. Stäubli nur flüchtig, der ihm auf dem Weg zum »Stöckli« im Vorübergehen zuwinkte.

Elvira hatte Stäubli angerufen und ihm ihre Blutzuckerwerte genannt. »Da stimmt etwas nicht«, hatte er gesagt und sich sofort auf den Weg gemacht.

Als er ihre Werte maß, runzelte er die Stirn und nahm eine Stechampulle Alt-Insulin heraus. Ein rasch aber nur kurze Zeit wirkender Insulintyp, den man zur Ersteinstellung bei absolutem Insulinmangel verwendet.

Er zog eine Spritze auf und injizierte sie in ihren Oberschenkel. »Ein Kilo Pralinen haben Sie ja wohl nicht gegessen.«

Elvira winkte ab. Sie haßte Süßigkeiten.

»Und Sie sind sicher, daß Sie immer gespritzt haben?«

»Ich glaube schon. Aber vielleicht kontrollieren Sie es besser, ich bin eine alte Frau. Im Badezimmer im kleinen Kühlschrank.«

Dr. Stäubli ging ins Bad. Elvira beugte sich aus dem Bett und griff in seinen Koffer. Als er nach einer Weile zurückkam, war er ratlos. »Scheint alles korrekt. Die Aufzeichnungen und der effektive Verbrauch stimmen überein. Ich werde die angebrochene Patrone ins Labor schicken.«

Dr. Stäubli versprach, am nächsten Tag wieder nach ihr zu sehen.

Als sie allein war, griff Elvira unter die Bettdecke, holte die Stechampulle Insulin heraus und stellte sie auf den Sekretär.

Simone und Dr. Kundert hatten im Fresco reserviert, einer der vielen ehemaligen Quartierbeizen, die die neuen Besitzer auf die alte Substanz reduziert und mit weißer Farbe, Papiertischtüchern, gutgelauntem Personal und unprätentiöser, internationaler Küche in sympathische Trendlokale verwandelt hatten.

Sie bestellten griechischen Salat und als Hauptgang Tacos. Die Kellnerin duzte sie beide, und Simone bemerkte zu Dr. Kundert: »Ich glaube, wir sind die einzigen Menschen in diesem Raum, die einander siezen.« Von diesem Moment an duzten sie sich.

»Was ich dich schon lange fragen wollte: Warum tust du das für ihn? Du kennst ihn doch gar nicht.«

»Ich weiß es nicht.« Sie dachte nach. »Er tut mir einfach

leid. Wie ein ausgedienter Teddybär. Ab und zu noch einmal hervorgekramt aus Langeweile und irgendwann ganz weggeschmissen. Das kann doch nicht das Leben gewesen sein.«

Kundert nickte. Simones Augen füllten sich mit Tränen. Sie nahm ein Taschentuch aus der Handtasche und wischte sie ab. »Entschuldige, das passiert mir öfter, seit ich schwanger bin. Wer, glaubst du, ist auf den herausgerissenen Fotos?«

»Konrad Lang«, antwortete Kundert ohne Zögern.

»Das vermute ich auch.«

Kundert schenkte Wein nach. »Das würde auch erklären, warum er Koni und Tomi auf den alten Fotos verwechselt.«

»Man hat ihm gesagt, er sei Koni, dabei ist er Tomi.«

»Wie ist so etwas möglich?«

»Bei Vierjährigen ist das nicht ausgeschlossen: Tomikoni, Konitomi. Mama Vira, Mama Anna.« Kundert wurde aufgeregt. »Die beiden Frauen haben die Kleinen so durcheinandergebracht, haben mit ihren Identitäten so lange gespielt, bis diese nicht mehr wußten, wer sie waren. Und dann haben sie sie vertauscht.«

»Und jetzt, mit der Krankheit, taucht bei Koni die alte Identität wieder auf?«

»Es ist denkbar, daß bei ihm die Struktur des semantischen Wissens so durcheinandergeraten ist, daß diese Informationen eine höhere Priorität erhalten haben. Oder vielleicht sind durch die Krankheit Erinnerungskapazitäten frei geworden. So konnten alte Erinnerungen in den Vordergrund treten.«

»Aber warum sollten die beiden Frauen die Kinder tauschen?«

»Für Anna Langs Kind. Damit es die Koch-Werke erbt.«

Das Ganze ergab für Simone keinen Sinn. »Wie käme Elvira dazu, Anna Lang diesen Gefallen zu tun?«

Das Fresco hatte sich gefüllt. Das Gemurmel und Gelächter sorgloser Menschen und der Geräuschteppich aus Tangos, Belcantos und Rock-Klassikern verschluckten die Ungeheuerlichkeit, die Simone jetzt leise aussprach: »Demnach wäre Koni der wahre Erbe der Koch-Werke.«

Auch zur vorgerückten Apérostunde war die Bar des Des Alpes schwach besetzt. Ein paar Hotelgäste, ein paar Geschäftsleute, ein Pärchen, dessen Beziehung noch nicht so weit gefestigt war, daß es sich in besser frequentierten Lokalen blicken lassen wollte, und die Hurni-Schwestern, die die Pause des Pianisten dazu benutzten, umständlich ihre Rechnung zu signieren.

Charlotte, die Nachmittagsbarfrau, war von Evi abgelöst worden, auch sie nicht mehr fünfzig und offensichtlich eine der wenigen regelmäßigen Kundinnen im hoteleigenen Solarium.

Vom Pausenband sang Dean Martin *You're nobody till somebody loves you.*

Urs Koch saß in einer Nische mit Alfred Zeller. Beide hatten ein Glas Whisky vor sich, Urs mit Eis, Alfred mit Eis und Wasser. Die beiden kannten sich seit ihrer Jugend. Sie waren zusammen im »St. Pierre« gewesen, wie schon ihre Väter. Alfred hatte nach dem Internat Jura studiert, war in die renommierte Praxis seines Vaters eingetreten, deren wichtigster Klient die Koch-Werke waren. Er war, neben seiner Tätigkeit für die Werke, Urs' persönlicher Rechtsberater geworden und, soweit das in einer solchen Konstellation möglich war, auch sein Freund.

Urs hatte ihn angerufen und gefragt, ob er heute abend zufällig frei sei. »Zufällig ja«, hatte Alfred geantwortet und die Theaterpremiere sausenlassen.

Urs wußte nicht, wie er anfangen sollte.

»Schade um den alten Kasten«, bemerkte Alfred, um etwas zu sagen. Als Urs nicht verstand, was er meinte, erklärte er: »Das Des Alpes. Seit Jahren in den roten Zahlen. Die ›Nationalkredit‹ hat ihm die Hypotheken gekündigt. Es heißt, sie will es übernehmen und ein Ausbildungszentrum daraus machen. Die Bar wird mir fehlen. Ruhig genug, um etwas besprechen zu können. Laut genug, um dabei nicht belauscht zu werden. Man ist unter sich.«

Urs genügte das als Stichwort. »Was ich dich fragen will, soll auch unter uns bleiben. Es wird dir seltsam vorkommen, und es könnte dich zu falschen Schlüssen verleiten. Betrachte es als eine rein theoretische Erörterung. Mehr kann ich dir über die Hintergründe nicht sagen, außer: Es ist nicht so, wie du meinst.«

»Alles klar.«

»Folgendes Szenario: Eine junge Frau heiratet in den Dreißigerjahren einen wohlhabenden Fabrikanten, Witwer mit fünfjährigem Sohn. Ein Jahr später stirbt er. Einen Erbvertrag gibt es nicht, seine einzigen Erben sind seine Frau und sein Sohn. Sie tauscht diesen gegen den Sohn einer Freundin, was niemand merkt. Was geschieht, wenn die Sache heute auffliegt?«

»Weshalb sollte sie das tun?«

»Einfach so. Eine Hypothese. Was geschieht also?«

Alfred überlegte einen Moment. »Nichts.«

»Nichts?«

»Betrug verjährt nach zehn Jahren.«

»Da bist du sicher?«

»Ich kenne doch die Verjährungsfrist von Betrug.«

Urs rührte mit einer Giraffe aus Plastik im Glas. Die Eiswürfel klingelten. »Zusatzfrage, noch hypothetischer: Der Mann ist nicht eines natürlichen Todes gestorben, sondern die Frau hat etwas nachgeholfen, ohne daß es jemand gemerkt hat.«

»Mord verjährt nach zwanzig Jahren, Betrug nach zehn. Wenn in dieser Zeit nichts ans Licht gekommen ist, ist die Sache erledigt.«

»Und das Erbe?«

»Die Frau ist als Mörderin lebenslänglich erbunwürdig. Das heißt, wenn die Sache heute auffliegt, verliert sie automatisch alle Ansprüche auf das Erbe.«

»Und muß es dem rechtmäßigen Erben zurückgeben.«

»Von Rechts wegen schon.«

Urs nickte. »Das hab ich mir gedacht.«

»Aber wenn sie es nicht tut, kann er nichts machen. Die Erbschaftsklage verjährt nach dreißig Jahren.«

»Und der falsche Sohn?«

»Da ist noch weniger zu holen. Bei dem verjährt sie bereits nach zehn. Und weil er ja nichts dafür kann, daß er als Kind vertauscht wurde, ist er nicht einmal erbunwürdig.«

»Bist du sicher?« Urs winkte der Barfrau.

Alfred Zeller grinste. »Unser Erbrecht schützt die Vermögen besser als die Erben.«

»Noch einmal das gleiche?« fragte Evi.

Etwa zur selben Zeit stand Elvira Senn zum Ausgehen gekleidet im Badezimmer und zog den ganzen Inhalt der Stechampulle, die sie Dr. Stäubli entwendet hatte, auf drei Spritzen auf.

Sie schlug sie in einen trockenen Waschlappen ein und steckte ihn in die Handtasche. Dann trat sie ins Entrée, nahm aus der Vase neben der Garderobe den Frühlingsstrauß und ging hinaus. Die Laternen, die den Weg durch die Rhododendren säumten, hatten gelbe Höfe aus Nieselregen.

Konitomi lag im Bett. Im Bett über ihm lag Tomikoni. Die Mamas schliefen nebenan.

Die Betten rüttelten und wackelten. Sie fuhren in einem Zug durch die Nacht. Sie waren auf einer langen Reise.

Es war dunkel, das Rollo am Fenster runtergezogen. Wenn der Zug hielt, hörte man vor dem Fenster Lärm und Stimmen und vor der Tür Schritte und Leute, die aufgeregt in fremden Sprachen durcheinanderredeten.

Nach einer Weile ruckten die Betten, es ächzte und quietschte, und dann ratterte der Zug weiter. Langsam und dann immer schneller. Radada, radada, radada.

Er und Tomikoni hatten jetzt jeder zwei Mamas: Mama Anna und Mama Vira. Damit sie nicht so traurig waren, daß sie keinen Papa mehr hatten und keine Tanten.

Er war trotzdem traurig. Tomikoni nicht.

Schwester Ranjah war überrascht, als sie der älteren Dame mit dem großen Blumenstrauß die Tür öffnete.

»Ich bin Elvira Senn. Ich wollte Herrn Lang ein paar Blumen bringen. Ist er noch auf?«

»Er ist im Bett, aber ich glaube, er ist noch wach. Er freut sich bestimmt über Ihren Besuch.«

Sie ließ Elvira Senn herein, nahm ihr die Blumen ab und half ihr aus dem Regenmantel. Dann klopfte sie an Konrads Tür und öffnete sie: »Überraschung, Herr Lang.«

Konrad hatte die Augen geschlossen. Als er Ranjahs Stimme hörte, schlug er sie auf. Sobald er Elvira sah, schloß er sie wieder.

»Er ist sehr müde, weil er nichts ißt«, flüsterte Ranjah.

»Ich werde einfach ein Weilchen hier sitzen, wenn Sie nichts dagegen haben.«

Als Ranjah die Blumen in eine Vase gestellt hatte und damit zurück ins Zimmer kam, saß Elvira auf dem Stuhl am Bettrand und betrachtete den schlafenden Koni.

Das Bild berührte Ranjah. Sie freute sich, daß die alte Frau nun doch noch zu ihm gefunden hatte. Wieder draußen, widerstand sie dem Impuls, die beiden im Stationszimmer am Monitor zu beobachten. Sie beschloß, diskret im Wohnzimmer zu warten, bis Konis Besucherin sich verabschiedete.

Simone Koch und Peter Kundert waren beim dritten Kaffee. Das Papiertischtuch war vollgekritzelt mit Symbolen und Wörtern. Konitomi → Tomikoni stand da und Tomi → Koni und Mama Vira ↔ Mama Anna. Kundert konnte besser denken, wenn er sich Notizen machte.

Je länger sie darüber redeten, desto mehr Sinn ergab das Ganze.

»Darum die lange Reise. Damit sie die Kinder ungestört umprogrammieren konnten«, sagte Simone.

»Und Elvira konnte das Personal entlassen und nach der Rückkehr neues einstellen«, vermutete Kundert.

»Dann mußte sie die Buben wohl auch von den beiden alten Tanten fernhalten. Die hätten bestimmt etwas gemerkt.«

»Und warum haben sie nach der Rückkehr nichts gemerkt?«

»Vielleicht waren sie dann schon tot. Sie sehen sehr alt aus auf den Fotos.«

Kundert notierte sich »Tanten wann †?«, riß die Notiz aus dem Tischtuch und steckte sie zu den anderen in die Brusttasche seines Hemdes.

Das Fresco hatte sich geleert gehabt. Aber jetzt waren die Kinos aus, und das Lokal füllte sich wieder. Unter all den Menschen, die an den Tischen saßen und versuchten, sich über den gerade gesehenen Film klarzuwerden, fielen Simone Koch und Peter Kundert nicht auf.

»Nur etwas paßt nicht«, grübelte Kundert. »Anna Lang. Oder vielmehr: Was hat Elvira dazu bewogen, bei diesem Tausch mitzumachen?«

»Er nannte sie Mama. ›Mama, warum habt ihr Papa Direktor gestochen?‹«

Kundert zögerte einen Moment. »Vielleicht haben sie Wilhelm Koch etwas injiziert.«

»Sie haben ihn umgebracht«, stellte Simone fest.

»Können wir das ausschließen?« Er schrieb »Todesursache Koch??«, riß das Papier weg und steckte es zu den anderen.

»Ich glaube, es ist besser, wir gehen jetzt zurück«, sagte Simone.

Zwei Stunden nachdem Elvira Senn gegangen war, merkte Schwester Ranjah, daß mit Konrad Lang etwas nicht in Ordnung war.

Als sie routinemäßig nach dem Patienten schaute, war er schweißgebadet, leichenblaß, sein Herz klopfte wild, und er zitterte am ganzen Leib. Seine Lippen bewegten sich, als versuchte er etwas zu sagen.

Sie hielt ihr Ohr ganz dicht an seinen Mund, aber sein Gelalle und Gestammel ergab keinen Sinn.

»What's the matter, baby, tell me, tell me!« Sie versuchte, von seinen Lippen zu lesen.

»Angry? Why are you angry, baby?«

Konrad schüttelte den Kopf. Wieder versuchten seine Lippen das Wort zu formen.

»Hungry? You are hungry?«

Konrad Lang nickte.

Schwester Ranjah rannte hinaus und kam mit einem Einmachglas zurück. Sie schraubte es auf, fischte eine honigtriefende Mandel heraus und steckte sie ihm in den Mund. Und dann die nächste. Und dann die nächste.

Konrad verschlang die Mandeln mit einer Gier, wie sie es noch nie bei einem Kranken erlebt hatte. Außer vielleicht manchmal bei Diabetikern, denen der Blutzuckerspiegel plötzlich abgefallen war. Aber Konrad Lang war kein Diabetiker.

Seltsam war nur: Je mehr Honigmandeln er aß, desto besser ging es ihm. Sein Puls normalisierte sich, die Schweißausbrüche ließen nach, und er bekam wieder etwas Farbe.

Schwester Ranjah steckte Konrad gerade die letzte Mandel in den Mund, als die Tür aufging und Dr. Kundert und Simone eintraten. Beide waren erleichtert.

»Schwester Ranjahs Zauber hat wieder einmal gewirkt«, sagte Simone, »Konrad ißt wieder.«

Schwester Ranjah erzählte, was passiert war. Die Symptome sprachen für eine Hypoglykämie. Dr. Kundert maß Konrads Blutzuckerwerte und stellte fest, daß sie immer noch an der unteren Grenze lagen. Schwester Ranjah hatte ihm mit ihren Honigmandeln wohl das Leben gerettet. Als er Glukose in das Latexverbindungsstück von Konrads Infusionsbesteck spritzte, fand er dort Einstiche. Er selbst hatte in den letzten vierundzwanzig Stunden keine Medikamente zugespritzt.

»Als Herr Lang letzte Nacht die Infusion herausriß, habe ich das ganze Besteck ausgewechselt.«

Dr. Kundert suchte nach einer Erklärung. Ein Patient mit normalen Zuckerwerten bekommt nicht aus heiterem Himmel einen hypoglykämischen Schock. »Und Ihnen ist den ganzen Abend nichts Besonderes an ihm aufgefallen?«

»Nur daß er sehr müde war. Sogar, als Frau Senn kam, schlief er weiter.«

»Frau Senn war da?« fragte Simone.

»Ja. Sie war über eine Stunde bei ihm.«

»Ist Ihnen da etwas Besonderes aufgefallen?«

»Ich war nicht im Zimmer.«

»Und am Monitor?«

»Auch nicht. Es war ja jemand bei ihm.«

Kundert und Simone waren schon auf der Treppe.

Thomas war zerzaust und aufgedunsen, als er um zwei Uhr nachts ins Gästehaus kam. Simone hatte ihn aus dem Bett geholt.

»Wenn es nicht um Leben und Tod geht, wirst du mich kennenlernen«, hatte er gedroht, als sie darauf bestand, daß er seine Brille mitnehmen und auf der Stelle kommen solle.

»Genau darum geht es«, antwortete sie. »Um Leben und Tod.«

Auch Urs rief sie an. Er sei noch nicht zurückgekommen, versicherte ihr eine verschlafene Candelaria.

Sie führte Thomas ins Stationszimmer und stellte ihm Dr. Kundert und Schwester Ranjah vor, die er unwirsch begrüßte. Einen Stuhl lehnte er ab. Er habe nicht vor, lange zu bleiben. Kundert ließ das Überwachungsband von der Stelle an laufen, wo die Schwester mit dem Blumenstrauß hereinkam und dann Elvira mit Konrad allein ließ.

»Sie hat Koni besucht?« wunderte sich Thomas. »Wann war das?«

Simone schaute auf die Uhr. »Vor sieben Stunden.«

Das Bild blieb immer gleich. Konrad Lang lag auf dem Rücken und hatte die Augen geschlossen. Elvira Senn saß neben ihm.

Dr. Kundert spulte das Band vor bis zu einer Stelle, wo Elvira kurz aus dem Sessel hoch- und zurückschnellte. Er stoppte das Band, spulte es zurück und ließ es in normaler Geschwindigkeit laufen.

Jetzt sah man, wie Elvira vorsichtig aufstand, sich über Konrad beugte und wieder setzte. Noch zweimal wiederholte sich diese Szene.

Als Elvira im Schnellgang zum vierten Mal hochfederte, blieb sie stehen und zappelte ums Bett herum. Kundert spielte den Vorgang in normaler Geschwindigkeit.

Elvira stand auf. Sie beugte sich über Konrad. Sie richtete sich auf. Sie öffnete ihre Handtasche. Sie nahm ein helles Tuch heraus. Sie legte es auf den Nachttisch. Sie schlug es auseinander. Sie nahm etwas in die rechte Hand. Sie ging damit zum Infusionsschlauch. Sie hielt ihn mit der linken Hand. Was sie dann tat, wurde durch ihre rechte Schulter verborgen.

Sie ging wieder zurück zum Nachttisch. Sie legte den Gegenstand auf das helle Tuch. Sie nahm einen zweiten Gegenstand. Sie ging zurück zum Infusionsschlauch. Sie hielt den Gegenstand gegen das Licht. Einen Moment zeichnete er sich deutlich gegen die Bettdecke ab. Es war eine Spritze.

Was sie dann tat, wurde wieder durch ihre Schulter verdeckt.

Erst beim dritten Mal war es genau zu sehen: eine Spritze! Und: Sie stieß die Nadel in die Latexverbindung des Infusionsschlauchs.

Elvira packte das Tuch wieder in ihre Tasche und verließ den Raum, ohne sich ein einziges Mal nach Konrad umzusehen.

»Was war das?« fragte Thomas Koch verdattert.

»Ein Mordversuch. Insulin. Herr Lang sollte durch einen hypoglykämischen Schock umgebracht werden. Nicht nachweisbar. Nur dank Schwester Ranjah hat er überlebt.«

Thomas Koch setzte sich. Lange Zeit schien er wie benommen. Dann sah er Simone an. »Warum hat sie das getan?«

»Frag sie selbst.«

»Vielleicht ist sie verrückt geworden.«

»Hoffentlich kann sie das beweisen«, sagte Dr. Kundert.

Am nächsten Morgen fühlte sich Elvira Senn ausgezeichnet. Sie hatte herrlich geschlafen, erwachte in der frühen Morgendämmerung mit einem Gefühl großer Erleichterung, stand sofort auf und ließ ein Bad ein.

Als sie eine dreiviertel Stunde später ihr Frühstückszimmer betrat, merkte sie, daß etwas schiefgegangen sein mußte. Thomas lag angezogen auf dem kleinen Sofa und schlief mit offenem Mund. Sie rüttelte ihn wach. Er setzte sich auf und versuchte sich zurechtzufinden.

»Was machst du hier?«

Thomas überlegte. »Ich habe auf dich gewartet.«

»Warum?«

»Ich muß mit dir reden.«

»Worüber?«

Er hatte es vergessen.

Elvira half ihm. »Hat es etwas mit Koni zu tun?«

Thomas dachte nach. Plötzlich tauchten die Erinnerungen an die letzte Nacht wieder auf. »Du wolltest ihn umbringen.«

»Wer sagt das?«

»Ich habe es gesehen. Es ist auf Band aufgezeichnet.«

Elvira mußte sich setzen. »Konrads Zimmer wird mit Kameras überwacht?«

»Euch war ja nur das Beste gut genug.«

»Was sieht man?«

»Dich, wie du dreimal etwas in seinen Infusionsschlauch spritzt.«

»Und er lebt?«

»Die Nachtschwester hat ihn gerettet. Mit Honig, soviel ich verstanden habe.«

Elvira wurde still.

»Warum hast du das getan?«

Sie gab keine Antwort.

»Warum hast du das getan?«

»Er ist gefährlich.«

»Koni? Gefährlich? Für wen?«

»Für uns. Für dich und Urs und mich. Für die Koch-Werke.«

»Das verstehe ich nicht.«

»Sein kaputtes Hirn hat sich an Dinge erinnert, die niemand wissen darf.«

»Was für Dinge?«

Vor dem Fenster begann ein neuer Tag, verhangen wie der letzte. Elvira hatte nicht mehr die Kraft zu schweigen.

»Weißt du, wie alt ich war, als ich als Kindermädchen zu Wilhelm Koch kam? Neunzehn. Und er war sechsundfünfzig. In den Augen einer Neunzehnjährigen ein alter Mann. Aufdringlich, versoffen und sechsundfünfzig.«

»Aber du hast ihn geheiratet.«

»Mit neunzehn macht man Fehler. Vor allem, wenn man kein Geld hat und nichts gelernt.«

Es klopfte. Montserrat kam mit einem Tablett herein. Als

sie Thomas sah, nahm sie ein zweites Gedeck aus der Anrichte. Elvira und Thomas schwiegen, bis sie wieder allein waren.

»Ich holte Anna ins Haus, damit ich nicht allein war und ihm ganz ausgeliefert. Sie hatte dann die Idee« – Elvira machte eine Pause – »sie hatte dann die Idee, ihn umzubringen.«

Thomas streckte seine Hand nach der Kaffeetasse aus. Aber sie zitterte so, daß er es aufgab. Sie wartete, daß er etwas sagte. Thomas versuchte das Geständnis in seiner ganzen Tragweite zu erfassen.

»Anna hatte eine Ausbildung als Krankenschwester abgebrochen. Sie wußte, wie man das macht, ohne daß es jemand merkt: mit einer hohen Dosis Insulin. Man stirbt an einem Schock. Das Insulin läßt sich nicht nachweisen. Höchstens der Einstich. Wenn man danach sucht.«

Jetzt brachte Thomas Koch hervor: »Ihr habt meinen Vater umgebracht?«

Elvira griff nach ihrem Glas Orangensaft. Ihre Hand war ruhig. Sie hielt es einen Augenblick und setzte es dann ab, ohne daraus getrunken zu haben. »Wilhelm Koch wurde erst nach seinem Tod zu deinem Vater.«

Thomas verstand nicht.

»Nach seinem Tod haben wir euch vertauscht. Wilhelm Koch war Konrads Vater.«

Während sie Thomas Zeit gab, seine nächste Frage zu formulieren, griff sie wieder nach dem Glas. Doch jetzt zitterte auch ihre Hand. Sie stellte es wieder ab.

»Warum habt ihr das gemacht?« gelang es Thomas zu fragen.

»Wir wollten, daß du alles bekommst, nicht Konrad.«

Wieder brauchte Thomas eine Weile, um das zu verdauen. »Aber warum?« fragte er dann. »Warum ich?«

»Mit Konrad verband mich nichts. Er erinnerte mich nur an Wilhelm Koch.«

»Und mit mir? Was verband dich mit mir?«

»Anna und ich waren Halbschwestern.«

Thomas stand auf und ging ans Fenster. Ein eintöniger Dauerregen hatte eingesetzt. »Anna Lang ist meine Mutter«, murmelte Thomas. »Und du – meine Tante.«

Elvira sagte nichts.

Ein paar Minuten stand Thomas nur da und starrte in die regennassen Rhododendren. Dann schüttelte er den Kopf. »Wie kann eine Mutter ihr Kind einfach mir nichts, dir nichts ihrer Halbschwester überlassen?«

»Daß sie in London blieb, war nicht so geplant. Sie hatte sich verliebt. Und dann kam der Krieg.«

»Und wer ist mein Vater?« fragte er schließlich.

»Er ist nicht wichtig.«

Thomas wandte sich vom Fenster ab. »Und was passiert, wenn das herauskommt?«

»Es kommt nicht heraus.«

»Die schalten die Behörden ein.«

»Du und Urs, ihr sprecht mit Simone. Ihr versucht, ihr das auszureden. Um jeden Preis.«

Thomas nickte. »Und du?«

»Ich verreise besser für ein paar Tage.«

Er schüttelte den Kopf und wollte gehen, besann sich aber, umarmte sie und küßte sie auf beide Wangen.

»Geh jetzt«, antwortete sie und drückte ihn fest an sich.

Als er gegangen war, hatte sie Tränen in den Augen. »Dummkopf«, murmelte sie. Dann ging sie ins Bad.

Urs hatte einen Kater, als ihn sein Vater kurz nach sieben weckte. Es war letzte Nacht sehr spät geworden. Er hatte den günstigen Bescheid von Fredi Zeller etwas zu ausgiebig gefeiert, war gegen zwei Uhr in einem Lokal gelandet, das er sich eigentlich seit Eintritt in den Gesamtverwaltungsrat verboten hatte. Um vier Uhr morgens hatte er sich im Zimmer eines Altstadthotels wiedergefunden, mit einer hinreißenden Brasilianerin, die, wie sich im weiteren Verlauf herausstellte, einen Penis besaß. Was ihn in dem Moment überhaupt nicht gestört hatte. Im Gegenteil, wie er sich im nachhinein zu seinem blanken Entsetzen eingestehen mußte.

Er war erst vor zwei Stunden heimgekommen, hatte den Wecker auf zehn Uhr gestellt und wollte mit Elvira zu Mittag essen, um sie, was die Vergangenheit anging, zu beruhigen.

Dazu war es nun zu spät, wie er der stockenden Erklärung seines Vaters entnahm.

Alles, was er noch tun konnte, war, einen möglichst klaren Kopf zu bekommen und mit der Schadensbegrenzung zu beginnen.

Noch vom Bett aus rief er Fredi Zeller an. Hoffentlich hatte er nicht den gleichen Brummschädel wie er.

Im Gästehaus kümmerte man sich unterdessen um den Patienten. Dr. Kundert machte vor allem eines Sorgen: Die Nervenzellen des Gehirns sind zur Energiegewinnung ausschließlich auf Glukose angewiesen. Seine Zuckerreserven reichen höchstens für zehn bis fünfzehn Minuten. Je nach Länge und Schwere der Unterzuckerung kann es zu schlimmen Schädigungen kommen. Und zu Persönlichkeitsveränderungen, selbst bei einem gesunden Gehirn.

Bei einem Gehirn wie dem von Konrad Lang konnte es katastrophale Folgen haben.

Die psychologischen Tests, die Kundert bis zu Simones Rückkehr (sie war zu ihrem Anwalt gefahren, um dort das Videoband zu deponieren) durchführte, hatten ihn etwas beruhigt. Konrad Langs Werte hatten sich nicht verschlechtert. Er war in Anbetracht der Erlebnisse der letzten Nacht sogar von erstaunlicher Präsenz.

Aber nun, da Simone mit Konrad die Fotos durchging, sank ihm der Mut.

Er erkannte nichts und niemanden auf keinem einzigen der Bilder. Er reagierte auf kein Stichwort. »Papa Direktor« war für ihn ein Fremdwort, »Konitomi« und »Tomikoni« entlockten ihm ein höfliches Lächeln und »Mama Vira« ein Achselzucken.

Simone blieb hartnäckig. Dreimal fing sie wieder von vorn an, dreimal mit dem gleichen Resultat.

Beim vierten Mal, als sie wieder auf die junge Elvira im Wintergarten zeigte und fragte: »Und das, ist das nicht Fräulein Berg?«, antwortete er leicht gereizt:

»Wie gesagt, ich weiß es nicht.«

Wie gesagt?

Im Innern des schwarzen Daimlers war das Rauschen des Regenwassers kaum zu hören, das die Reifen des schweren Wagens aufwirbelten.

Elvira Senn starrte zum Fenster hinaus, auf die trostlosen Ostschweizer Ortschaften und die paar vermummten Leute, die man in den Schneeregen hinausgejagt hatte.

Schöller war zwar nicht Elviras Chauffeur, aber es war immer wieder vorgekommen, daß sie ihn kurzfristig zitierte für einen ihrer spontanen Ausflüge. Es gehörte zum Spiel, daß sie ihm nicht sagte, wohin die Reise führte. Manchmal, weil sie ihn überraschen wollte, manchmal, weil sie das Ziel selbst nicht kannte.

Aber diesmal schien sie es genau zu kennen. Die Ortschaften waren ihr geläufig, Aesch bei Neftenbach, Henggart, Andelfingen, Trüllikon. Elvira Senn dirigierte Schöller mit knappen Anweisungen. Hinter Basadingen, einem Kaff, dessen Name Schöller aus Zeckenwarnungen an Spaziergänger und Jogger kannte, ließ sie ihn in einen Feldweg abbiegen.

Ein paar Einfamilienhäuser und Bauernhöfe, dann hörte der Asphalt auf. Zweimal schrammte der Auspufftopf des Daimlers über die Kuppe des ausgefahrenen Weges. Ein Transformatorenhäuschen, eine eingezäunte Brunnenstube, dann Wald. Schöller blickte in den Rückspiegel. Elviras Hand winkte ihn weiter.

Stöße aus säuberlich beschriftetem, exakt auf Länge gesägtem Holz säumten den Weg. Bei einem Polter aus frischgeschlagenem Langholz ließ sie ihn halten. Schöller stellte den Motor ab. Von den Tannenästen fielen schwere Tropfen auf das Wagendach.

»Wo sind wir hier?« fragte Schöller.

»Am Anfang«, antwortete Elvira.

An einem schönen Sonntagmorgen im März 1932 spazierte ein ungleiches Paar durch den Geißwald. Der Mann war etwa vierzig, kräftig, hatte schütteres blondes Haar und einen gezwirbelten Schnurrbart. Sein Gesicht war gerötet vom Frühschoppen, den er mit den Kirchgängern in der Dorfbeiz genommen hatte. Er trug einen groben Sonntagsanzug, in dessen Hosensäcke er die Fäuste vergrub.

Die Frau war ein vierzehnjähriges Mädchen, blond, mit einem runden, hübschen Kindergesicht. Sie trug einen wadenlangen Rock, Wollstrümpfe, halbhohe Schnürstiefel und eine Strickjacke. Ihre Hände steckten in einem Muff aus abgewetztem Kaninchenfell.

Das Mädchen wohnte mit ihren Eltern und ihrer Halbschwester in einem gelb geschindelten Haus am Dorfrand von Basadingen. Die Mutter nähte in Heimarbeit Achselpolster für eine Kleiderfabrik in St. Gallen. Der Vater war Sägereiarbeiter. Einer der ganz wenigen mit zehn Fingern, wie er gern betonte.

Der Mann war ein Arbeitskollege des Vaters. Er ging bei ihnen ein und aus, und niemand hatte etwas dagegen, denn er war ein Witzbold, und sie hatten nicht viel zu lachen. An seiner rechten Hand befanden sich nur noch Daumen und Zeigefinger. Die andern drei hatte ihm die Bandsäge genommen. Als es passiert war, hatte ihm ein bleicher Lehrling die drei Finger gebracht. »Gib sie dem Hund«, hätte er gesagt; so ging die Anekdote.

Diese rechte Hand hatte etwas Obszönes, was das Mädchen faszinierte. Einmal, als er bemerkte, wie sie die Finger anstarrte, sagte er: »Damit kann ich alles machen, wozu man eine rechte Hand braucht.« Sie wurde rot. Von da an richtete er es immer wieder ein, daß er mit ihr allein war. Dann brachte er sie in Verlegenheit mit allerlei Anzüglichkeiten.

Sie war ein neugieriges Mädchen. Es brauchte nicht viel, um sie zu überreden, daß sie sich mit ihm an einem Sonntag nach der Kirche im Geißwald traf. Er wollte ihr etwas zeigen, das sie noch nie gesehen hätte. Sie war nicht so naiv, zu glauben, es handele sich dabei um einen seltenen Pilz.

Aber jetzt, als er sie in einen Holzweg zog, der vom Waldsträßchen wegführte, hatte sie Herzklopfen. Und als sie zu einem mit frischem Sägemehl gefleckten Holzeinschlag kamen und er sie aufforderte, sich neben ihn auf einen Tannenstamm zu setzen, sagte sie: »Ich will lieber wieder zurück.«

Aber sie wehrte sich nicht, als er begann, sie mit seiner schwieligen Krabbenzange abzutasten. Sie hielt auch still, als er über sie herfiel. Schloß die Augen und wartete, bis es vorbei war.

Als sie ihre Kleider in Ordnung gebracht und aufgehört hatte zu weinen, begleitete er sie bis zum Waldrand. Dort schickte er sie nach Hause. »Das erzählst du niemandem«, sagte er zum hundertsten Mal. Es wäre nicht nötig gewesen. Elvira Berg dachte nicht im Traum daran, es einer Menschenseele zu erzählen.

Ihre Periode hatte erst vor kurzem eingesetzt. Als sie jetzt wieder ausblieb, machte sie sich darüber keine Gedanken. Im Mai begann sie unter Schwindelanfällen zu leiden. Dann unter Übelkeit. Im Juni brachte sie ihre Mutter nach Konstanz zu einem Arzt, den sie aus der Zeit ihrer ersten Ehe kannte. Elvira war im vierten Monat schwanger.

Sie kam in ein Heim im Kanton Freiburg, das von Ordensschwestern geleitet wurde. Man besaß dort Erfahrung mit solchen Fällen. Im November brachte Elvira einen gesunden Jungen zur Welt. Die Schwestern tauften ihn auf den Namen Konrad. Nach dem heiligen Konrad, der im neunten Jahrhundert Bischof von Konstanz war.

Im Januar 1933 begann Elvira ihr Welschlandjahr. Sie kam zu einer Familie in Lausanne, der sie für ein Taschengeld den Haushalt führte. Konrad blieb in der Obhut von Elviras Mutter. Er wurde als das uneheliche Kind von Anna, Elviras älterer Halbschwester, ausgegeben. Der Dorfklatsch von Basadingen kannte keine Gnade.

Anna stammte aus Mutters erster Ehe mit einem Friseur aus Konstanz, der im Juli 1918 an der Marne gefallen war. Sie hieß Lang, wie ihr Vater, war neunzehn und besuchte die Schwesternschule in Zürich. Erst an Heiligabend 1933, ihrem ersten Besuch in Basadingen in diesem Jahr, erfuhr sie, daß der inzwischen über einjährige Konrad im Dorf als ihr uneheliches Kind galt. Sie reiste noch in der gleichen Nacht ab. Aber ihre Drohung, die ganze Welt über den wahren Sachverhalt aufzuklären, machte sie nicht wahr.

Zwei Jahre später war Elvira wieder schwanger. Diesmal von »monsieur«, dem Vater der Familie, bei der sie arbeitete. Sie kannte nun die Symptome und war fest entschlossen, es nicht so weit kommen zu lassen wie das erste Mal. Sie fuhr zu ihrer Schwester, die sich im letzten Jahr ihrer Ausbildung zur Krankenschwester befand. Als Anna klar wurde, worum Elvira sie bat, lehnte sie empört ab. Aber Elvira hatte in den letzten Jahren ihr Talent entdeckt und entwickelt, zu bekommen, was sie sich in den Kopf gesetzt hatte. Am zweiten Tag ihres Besuchs willigte ihre Schwester ein, ihr zu helfen.

Anna war während ihrer Ausbildung zweimal bei einem Schwangerschaftsabbruch dabeigewesen. Sie traute sich zu, den Eingriff selbst vorzunehmen. Sie schmuggelte die Instrumente, die nach ihrer Erinnerung dazu gebraucht wurden, aus der Klinik. Auf der Federkernmatratze ihres Mansardenzimmers machte sie sich an der mit einer halben Flasche Pflümli anästhesierten Elvira zu schaffen.

Es wurde ein Desaster. Elvira verlor eine Unmenge Blut und hätte nicht überlebt, wenn Anna nicht im letzten Moment einen Krankenwagen bestellt hätte.

Elvira Berg verbrachte vier Wochen im Spital. Als man ihr sagte, sie würde nie mehr Kinder bekommen können, seufzte sie: »Gott sei Dank!«

Anna Lang verlor ihre Ausbildungsstelle und wurde zu einer Gefängnisstrafe auf Bewährung verurteilt.

Weihnachten 1935 fanden sich die beiden Halbschwestern im kleinen zugigen Haus in Basadingen wieder. Sie wußten nicht, was trostloser aussah: ihre Gegenwart oder ihre Zukunft.

Doch kurz nach Neujahr wendete sich das Schicksal. Elvira meldete sich auf das Inserat einer Stellenvermittlung, die ein Kindermädchen für einen Witwer in »allerbesten Verhältnissen« suchte. Sie kam in die engere Wahl und durfte sich bei Wilhelm Koch, einem reichen Fabrikanten vorstellen. Als sie die Stelle bekam, machte sie sich keine Illusionen darüber, daß sie das nicht allein dem enthusiastischen Arbeitszeugnis zu verdanken hatte, das ihr »monsieur« ausgestellt hatte.

Thomas Koch war vier, ein einfaches, ruhiges Kind, das ihr nicht viel abverlangte. Ganz im Gegensatz zu seinem Vater. Aber diesmal diktierte Elvira die Bedingungen. Kein Jahr später war sie Wilhelm Kochs Frau. Und kurz darauf zog Anna Lang als Dienstmädchen ins Personalhaus. Sie brachte den kleinen Konrad mit, der immer noch als Annas Sohn galt.

Lange hatte Elvira tief in Gedanken im Fond des Daimlers gesessen. Die Scheiben hatten sich beschlagen, und der Regen tropfte immer noch in unregelmäßigem Takt aufs Dach. Als sie Anstalten machte, die Tür zu öffnen, stieg Schöller aus, spannte einen Schirm auf und half ihr aus dem Wagen.

»Lassen Sie mich einen Augenblick allein«, bat sie. Schöller reichte ihr den Schirm und blickte der zerbrechlichen Gestalt mit der großen Handtasche nach, die sich auf dem aufgeweichten Waldweg unsicher entfernte und schließlich in der Biegung hinter einem Dickicht junger Tannen verschwand. Er setzte sich wieder hinters Steuer und wartete.

Zwanzig Minuten später, gerade als er sich entschlossen hatte, ihr entgegenzufahren, und schon den Motor startete, tauchte sie wieder auf. Er fuhr langsam die paar Meter auf sie zu und half ihr in den Wagen. Sie sah aus, als hätte sie sich frisch zurechtgemacht. Nur ihre Pumps waren in einem erbärmlichen Zustand.

Als er darüber eine Bemerkung machte, lächelte sie und sagte: »Fahr mich in die Sonne!«

Schöller fuhr vorschriftsmäßig hundertdreißig. Es war nicht ungewöhnlich, daß Elvira nicht sprach. Nur daß sie einnickte, war neu.

Im Gotthardtunnel, knapp über zwei Stunden nachdem sie Basadingen in Richtung Süden verlassen hatten, bemerkte er im Rückspiegel, wie ihr immer wieder die Augen zufielen. »Wecken Sie mich in Rom«, sagte sie, als sie spürte, daß er sie beobachtete. Dann schlief sie ein.

Auch als er bei der Tunnelausfahrt den Wagen etwas brüsk abbremsen mußte, weil er von dem starken Regen auf der Südseite überrascht wurde, erwachte sie nicht aus ihrem sonst so leichten Schlaf.

Der Scheibenwischer kämpfte vergeblich gegen die Flut aus Regen und Spritzwasser, als er in einer dichten Kolonne fast im Schrittempo durch die Leventina fuhr. Elvira Senn schlief immer noch.

Kurz nach Biasca fiel ihm auf, wie bleich sie geworden war. Ihr Mund war leicht geöffnet.

»Frau Senn«, rief er leise. Dann etwas lauter: »Frau Senn!« Und schließlich ziemlich laut: »Elvira!«

Sie reagierte nicht. Bei der nächsten Raststelle bremste er und bog ein. Etwas überraschend für den folgenden Wagen, dessen langgezogenes Hupen noch nachklang, als Schöller schon im Regen stand und die Tür zum Fond aufriß.

Der Schweiß hatte Elviras Make-up aufgelöst. Sie war ohne Bewußtsein, aber Schöller spürte ihren Puls. Er schüttelte sie, zuerst behutsam, dann kräftig. Als sie kein Lebenszeichen von sich gab, setzte er sich wieder ans Steuer und fuhr los. Diesmal ohne auf die Geschwindigkeitsbegrenzungen zu achten. Kurz hinter Claro hatte er endlich die Auskunft erreicht, die Nummer des Spitals von Bellinzona erfahren und den diensthabenden Notfallarzt am Apparat. Gerade als er bei überhöhter Geschwindigkeit auf der Überholspur am Autotelefon die Details der Symptome durchgab und den Arzt über die Bedeutung der Patientin informierte, flog das letzte Schild der Ausfahrt nach Bellinzona Süd an ihm vorbei. Er trat auf die Bremsen, riß das Steuer nach rechts, merkte, daß er einem Lastwagen auf der rechten Spur den Weg abschnitt und gab Gegensteuer. Der Daimler brach aus, flog auf den Mittelstreifen, durchbrach beide Leitplanken, überschlug sich mehrmals, verfehlte einen entgegenkommenden Lieferwagen um Haaresbreite und kam auf dem Pannenstreifen der Gegenspur zum Stehen. Kühler in Fahrtrichtung, aber Räder in der Luft.

Zwei Stunden nach Eintreffen der Todesnachricht erklärte Urs Koch seiner Frau Simone die juristische Lage, wie sie ihm Fredi Zeller auseinandergesetzt hatte. Er hatte sich geweigert, die Besprechung im Gästehaus zu führen. Sie hatte schließlich eingewilligt, in die Villa zu kommen, aber auf ihrem »Laura-Ashley-Zimmer« bestanden.

Er war sehr bestimmt und dynamisch aufgetreten, aber sie kannte ihn gut genug, um zu wissen, daß die roten Augen nicht von den Tränen um Elvira herrührten.

Sie hörte seinen Ausführungen ruhig zu und ließ ihn geschäftsmäßig rekapitulieren. Erst als er sagte: »Du siehst: Juristisch ist der Fall erledigt«, fragte sie: »Und menschlich?«

»Menschlich ist er natürlich tragisch. Für alle Beteiligten.«

»Du weißt gar nicht, wie tragisch, wenn ich mit euch fertig bin.«

Urs kniff sich in den Nasenrücken. Sein Kopf tat weh. »Womit drohst du jetzt?«

»Veröffentlichung.« Simone stand auf. »Du wirst jedes Detail dieser schäbigen Geschichte in jedem Käsblatt und jedem Sender des Landes und der halben Welt so oft zu hören und zu lesen bekommen, bis du dich vor dir selbst ekelst.«

»Was willst du?«

Simone setzte sich wieder.

Erst eine Woche nach Elvira Senns Tod fand die Trauerfeier statt. So viel Zeit war, mit Rücksicht auf die Agenden der Crème aus Wirtschaft, Politik und Kultur erforderlich gewesen, um der Trauerfeier den angemessenen Rahmen zu verleihen.

Auf dem Platz vor dem Münster drängten sich ernste Menschen in feierlicher Kleidung. Die meisten kannten sich. Sie nickten sich stumm zu. Wenn sie sich die Hand gaben, taten sie es unerfreut, damit man nicht denken mochte, Elvira Senns Schicksal lasse sie kalt.

Man stand in kleinen Grüppchen beisammen und unterhielt sich mit gedämpfter Stimme. Ein paar Beamte der Stadtpolizei sorgten dafür, daß man unter sich blieb.

Mitten in die Betretenheit hinein hoben die schweren Münsterglocken an zu läuten. Langsam setzte sich die Trauergemeinde in Bewegung und trieb auf die Kirche zu. An der Pforte staute sie sich kurz und verteilte sich dann über die harten Bänke als tuschelnde, hüstelnde und schneuzende Gemeinde, die gefaßt den nächsten anderthalb Stunden entgegensah.

Von zwei Richtungen her füllten sich die Reihen: von vorn mit Angehörigen, Freunden, Bekannten; von hinten mit Geschäftsbeziehungen, Gesellschaft, Politik, Wirtschaft und Presse. Als beides sich in der Mitte des Schiffes vermischt hatte und zusammengewachsen war, begannen sich die Gänge mit den Eiligen zu füllen, die nahe bei den Ausgängen bleiben wollten, damit sie danach keine Zeit verloren.

Während man in aller Form und Würde der Verstorbenen gedachte und auch Schöller nicht unerwähnt ließ, der beim Versuch, Elvira zu retten, sein Leben geopfert hatte, starrten die, die weiter vorn saßen, ins Blumenmeer und versuchten die Inschriften der Seidenschleifen zu entziffern. Die anderen hingen ihren Gedanken nach.

Niemand außer Dr. Stäubli wußte von den sechs Insulinampullen ›U 100‹, die im Kühlschrank von Elvira Senn gefehlt hatten.

Zu den wuchtigen, ermutigenden Orgelklängen und unter den teilnehmenden Blicken der Gemeinde verließen die Hinterbliebenen das Münster durch den Mittelgang. Ungefähr eine Stunde dauerte es, bis sich der zähe Strom der Trauergäste an Thomas, Urs und Simone Koch vorbeikondoliert hatte.

Als Simone endlich den Münsterplatz verließ, brach die Sonne durch die Wolken. Der Frühling machte sich bemerkbar, die Welt ging daran, Elvira Senn zu vergessen.

Als Simone vom Leichenmahl zurückkam (ihre Anwesenheit dort war ebenfalls Teil der Vereinbarung mit den Kochs), hielt die Beschäftigungstherapeutin eine Überraschung für sie bereit.

»Kommen Sie, Herr Lang hat ein Geschenk für Sie.«

Simone legte den Mantel ab und ging ins Wohnzimmer, wo Konrad neuerdings wieder einen Teil seiner Zeit verbrachte und seit Schwester Ranjahs Lebensrettung mit den Honigmandeln auch seine Mahlzeiten einnahm. Jetzt saß er am Tisch und malte.

Die Therapeutin nahm ein Blatt vom Tisch und hielt es Simone hin.

Es war das graublaue Aquarell mit dem Titel »Haus für SchneeSchneebälle im Mai«. Aber jetzt stand darunter noch: »Für Simone«.

Simone war gerührt. Weniger über Konrad als über die Therapeutin, die ihm den Namen diktiert hatte, um sie nach der Trauerfeier etwas aufzumuntern.

»Danke vielmals, Koni, das ist wunderschön. Wer ist Simone?«

Koni schaute sie an mit seinem mitleidigen Blick. »Das bist doch du.«

Am nächsten Tag war O'Neill da. Drei Stunden lang studierte er mit Kundert das Videoband zu jener Therapiesitzung; dann war auch er überzeugt, daß die Beschäftigungstherapeutin nicht geschummelt hatte.

Das aber bedeutete: Konrad Lang hatte einen neuen Namen gelernt und sich daran erinnert.

Am Nachmittag, zur üblichen Zeit, machte Simone mit

Konrad eine Fotositzung. Diesmal mit allen vier Alben. Auch den dreien, auf die er schon lange nicht mehr reagiert hatte.

Jegliche Erinnerung an die dort abgebildeten Szenen seines Lebens war ausgelöscht.

Aber als sie zum letzten Album kam und auf das erste Bild – die junge Elvira im Wintergarten – zeigte, sagte er vorwurfsvoll: »Fräulein Berg. Gestern hast du es noch gewußt.«

An diesem Abend feierte die Belegschaft des Gästehauses eine Party. Luciana Dotti kochte sechs verschiedene Pastas, und Simone ging in den Weinkeller der Villa und kam mit acht Flaschen Brane-Cantenac 1961 zurück, einer Rarität, die noch Edgar Senn eingekellert hatte.

»Auf POM 55«, rief Ian O'Neill immer aus, wenn Luciana nachschenkte.

»Wenn es nicht das Insulin war«, grinste Peter Kundert jedesmal.

»Oder die Honigmandeln«, ergänzte Schwester Ranjah.

Peter Kundert ging als letzter. Als Simone ihn zur Tür brachte, küßten sie sich.

Konrad Lang fehlten zwar ganze Abschnitte seines Lebens, aber mit intensivem Training gelang es stückchenweise, sein altes Wissen neu zu organisieren und seinen Bezug zur Realität wiederherzustellen.

Er mußte wieder lernen, Bewegungsabläufe zu beherrschen, zuerst einfache, dann immer komplexere.

Nach einigen Monaten konnte er ohne Hilfe aufstehen

und sich waschen, rasieren und anziehen. Wenn auch letzteres nicht immer ganz passend.

Je mehr er lernte, desto mehr kam von selbst zurück. Es war, wie sich das O'Neill und Kundert in ihren kühnsten Träumen erhofft hatten: Allein dadurch, daß die Krankheit gestoppt war, wurden die Hirnzellen stimuliert und stimulierten sich gegenseitig, bildeten neue Kontakte zu längst stillgelegten Hirnteilen, die auf diese Weise plötzlich wiedererweckt wurden.

Vieles blieb verschüttet, aber immer wieder tauchten Erinnerungen an die Oberfläche, wie Korken, die tief unten im Tang seines Gedächtnisses verheddert gewesen waren.

Das Gästehaus der »Villa Rhododendron« wurde zum Zentrum des Interesses der internationalen Alzheimerforschung. Und Konrad Lang ihr unbestrittener Star.

Im Juni wurde die Ehe zwischen Simone und Urs Koch geschieden.

Im Juli brachte Simone ein gesundes Mädchen zur Welt, das sie Lisa taufte.

Im September, an einem der letzten schönen Sommerabende – es roch nach frisch gemähtem Rasen, und weit unten am See glitzerten unternehmungslustig die Lichter der Vororte –, setzte sich Konrad Lang im Wohnzimmer des Gästehauses aus einer Eingebung heraus ans Klavier. Er öffnete den Deckel und machte einen Anschlag mit der rechten Hand. Er spielte ein paar Akkorde und dann sachte die Stimme der rechten Hand der Nocturne Opus 15, Nummer zwei, in Fis-Dur, von Frédéric Chopin. Zuerst unsicher, dann immer beherzter und flüssiger.

Als Schwester Ranjah leise ins Zimmer trat, lächelte er sie an.

Dann nahm er die linke Hand zur Hilfe.

Und die Linke begleitete die Rechte. Blieb ein bißchen stehen, verschnaufte ein paar Takte, holte sie wieder ein, nahm ihr die Melodie ab, führte sie allein weiter, warf sie ihr wieder zu, kurz: benahm sich wie ein selbständiges Lebewesen mit einem eigenen Willen.

11

Zwei Jahre später war POM 55 zugelassen und unter dem Namen »Amildetox®« international auf dem Markt. Das Medikament war der erste Durchbruch in der Behandlung der Alzheimerkrankheit. Mit ihm gelang es in den meisten Fällen, ihr Fortschreiten zu stoppen oder, wie sich Dr. O'Neill ausdrückte, unendlich zu verlangsamen.

Das große Problem blieb die Früherkennung. Trotz intensiver Forschung auf der ganzen Welt war es bisher nicht gelungen, ein diagnostisches Instrument zu schaffen, mit welchem Alzheimer im Anfangsstadium zuverlässig diagnostiziert werden konnte. So blieb »Amildetox®« ein zwar wirksames Medikament, das aber immer zu spät angewendet wurde.

Die Forschung konzentrierte sich auf die Regeneration der verlorenen Nervenzellen.

Die Hoffnung von O'Neill und Kundert, allein die Tatsache, daß die Entzündung gestoppt war, stelle genügend Wachstumsstimulans für die Zellen dar, erfüllte sich nur zum Teil. Die beiden Ärzte hatten zwar im Rehabilitationszentrum ansprechende Erfolge vorzuweisen. Patienten gewannen nach der Behandlung mit »Amildetox®« viele der Funktionen zurück, die es ihnen erlaubten, ein einigermaßen selbständiges Leben zu führen. Aber ähnlich aufsehenerregende Resultate wie bei Konrad Lang waren bisher ausgeblieben.

Konrad Lang litt zwar unter einer totalen Amnesie, was den größten Teil seiner Vergangenheit betraf, aber er schien damit ganz gut zurechtzukommen. Einigermaßen lückenlos waren seine Erinnerungen nur in bezug auf die letzten zweieinhalb Jahre, also ab dem Zeitpunkt, wo der Erfolg seiner Therapie eingesetzt hatte. Das hatte den Vorteil, daß ihn auch keine unangenehmen Erinnerungen plagten, was ihn zu einem zufriedenen, ausgeglichenen alten Herrn machte.

Er beherrschte seine Körperfunktionen, war geistig und finanziell unabhängig und machte, staunend wie ein Kind, kleinere und größere Reisen an Orte, wo er in seinem früheren Leben schon oft gewesen war. Immer in Begleitung einer attraktiven Asiatin, einer früheren Krankenschwester aus Sri Lanka, die viele Jahre jünger sein mußte als er.

Sein Sprachzentrum war fast vollständig rehabilitiert, sein Orientierungssinn wieder intakt, und wer etwas über seine Koordinationsfähigkeit erfahren wollte, mußte ihn nur mit seinem zarten Anschlag Chopin spielen hören.

Dr. O'Neill und Dr. Kundert neigten zur Ansicht, daß das entscheidende Stimulans von Langs erstaunlicher Wiederherstellung die Hypoglykämie gewesen sein könnte, die Unterzuckerung der Hirnzellen, ausgelöst durch Elvira Senns Mordanschlag mit Insulin. Sie bedauerten es manchmal, daß sie dieses Experiment nicht wiederholen durften.

Elvira Senns Porträt hing an prominenter Stelle in der Lobby des Rehabilitationszentrums »Clinique des Alpes«, der »Elvira-Senn-Alzheimer-Stiftung«, dessen Turmsuite Konrad Lang bewohnte. Eine angenehme Bleibe, solange es ihm gelang, dem Patienten mit dem Quadratschädel und den eng zusammenliegenden Augen aus dem Zimmer unter ihm aus dem Weg zu gehen. Der redete ihn, was sonst niemand tat, mit »Koni« an und langweilte ihn mit frei erfundenen – angeblich gemeinsamen – Jugenderinnerungen.

Das Des Alpes war voll von seltsamen Gästen, die sich manchmal etwas extravagant kleideten oder mit Puppen in den Speisesaal kamen und mit ihnen sprachen. Aber in welchen großen Häusern gibt es das nicht: exzentrische Gäste?

Die Klinik stand unter der Leitung von Dr. Peter Kundert und seiner Frau Simone, mit deren Töchterchen Lisa Konrad ein sehr herzliches Verhältnis verband. Manchmal spielte er für sie die »Mückenhochzeit«, ein Scherzlied aus Böhmen, das ihm eines Tages aus dem Dickicht verschollener Erinnerungen zugeflogen war.

Wenn er bei Laune war, spielte er in der Bar der »Clinique des Alpes« für die sonderbaren Gäste zur Cocktailstunde ein paar alte Melodien aus einer Zeit, an die er sich nicht erinnern konnte.

»Seit dem neuen Pianisten ist hier viel mehr los«, fanden die Hurni-Schwestern.

Herzlichen Dank an die, die mich bei der Arbeit an diesem Buch unterstützten: Dr. Esteban Pombo, der mich anschaulich in die Alzheimerforschung einführte und bei der Plausibilität der wissenschaftlichen Aspekte beriet. Dr. Andreas U. Monsch, der mir bei den diagnostischen und therapeutischen Fragen beistand und mir half, die Individualität der Krankheit zu sehen. Stephan Haag, der so rasch, kompetent und gründlich meine juristischen Fragen recherchierte und beantwortete. Jean Willi, der sich die Mühe nahm, nicht alles gut zu finden. Peter Rüedi, der sich für das Buch auf die Äste wagte. Ursula Baumhauer-Weck, die die Geschichte sprachlich und logisch unter die Lupe nahm. Und meiner Frau Margrith Nay Suter, die es riskierte, mich nach der ersten Fassung zu bewegen, nochmals von vorne anzufangen.

Martin Suter

Martin Suter im Diogenes Verlag

Die dunkle Seite des Mondes

Roman

Starwirtschaftsanwalt Urs Blank, fünfundvierzig, Fachmann für Fusionsverhandlungen, hat seine Gefühle im Griff. Er hat es gelernt, sich keine Blöße zu geben, hingegen die der anderen zu nutzen. Doch dann gerät sein Leben aus den Fugen. Ein Trip mit halluzinogenen Pilzen führt zu einer gefährlichen Persönlichkeitsveränderung, aus der ihn niemand zurückzuholen vermag. Blank flieht in den Wald. Bis er endlich begreift: Es gibt nur einen Weg, um sich aus diesem Alptraum zu befreien.

»Selten habe ich in letzter Zeit einen Autor gefunden, bei dem ich so intensiv das Gefühl hatte, daß er wimperngenau sagen kann, was er sagen will.«
Annemarie Stoltenberg/Norddeutscher Rundfunk, Hamburg

Business Class

Geschichten aus der Welt des Managements

Wer kennt dies nicht: die unerreichbaren Götter der Unternehmensspitze, die gehetzten Führungskader dazwischen, ausgebrannte Workaholics bei den unteren Chargen. Die alltäglichen Rituale des Machterhalts: lustvolle Hackordnung und erfindungsreicher Kampf um Statussymbole, Anbiederung und Intrigen, Frust, der sich perpetuiert – bis ins häusliche Schlafzimmer.
Als ehemaliger Werbeprofi und langjähriger Präsident des Art Directors Club kennt Martin Suter das Milieu, das er beschreibt, wie kaum ein anderer. Seine *Business-Class*-Geschichten mit ihren scharfen, subtilen Be-

obachtungen sind nicht nur glänzend geschriebene Satire, sie lesen sich geradezu wie ein Knigge für Führungskräfte: Faktor Streß – für wen ist er ein Muß, für wen dagegen tabu? – Die Einrichtung eines Chefzimmers als Wille zur Macht. – Die Rituale des Grüßens und was man dabei alles falsch machen kann. – Eine gastgeberisch geschulte Ehefrau als möglicherweise entscheidende Waffe im Kampf gegen einen Konkurrenten. Und vieles mehr.

»Suters Kolumnen sind meisterhaft, von lakonischem Witz und – bei aller Distanz – nicht ohne Liebe zu den Objekten der Schilderung.«
Armin Thurner/Falter, Wien

»Woche für Woche ein Hieb in die nadelgestreifte Seite der Männerwelt.«
Jürg Ramspeck/Weltwoche, Zürich

Richtig leben mit Geri Weibel

Geschichten

Es gibt Leute, die werden das Gefühl nicht los, daß sie bei jedem neuen Trend hinterherhinken. Andere dagegen wissen erst gar nicht, was sie lifestylemäßig bisher alles falsch gemacht haben. Beides sind optimale Kandidaten für *Richtig leben mit Geri Weibel.* Denn Geri hat sich – nach Durchlaufen so ziemlich aller Fettnäpfchen – zu einer Art Trendseismograph in Fragen des derzeitigen Lifestyle herangebildet. Von A wie Alkohol, B wie Begrüßungsküßchen, F wie Fitness, K wie Kult, P wie Personality, S wie Szenelokal, W wie Wohnung oder Weihnachtsrummel – Geri hat sie alle durchbuchstabiert und sich seine Gedanken dazu gemacht.

»Wann gibt's den Geri endlich in Buchform?«
Samuel Glauser@freesurf.ch

»Eine Superkolumne, macht jedesmal viel Spaß.«
fabian@hotmail.com

Matthias Matussek im Diogenes Verlag

Matthias Matussek, geboren 1954, studierte Literaturwissenschaft und Amerikanistik in Berlin, arbeitete als Redakteur beim *Berliner Abend* und beim *Tip-Magazin*. 1982 ging er zum *Stern*, für den er fünf Jahre lang Reportagen aus aller Welt schrieb, meist aus dem Kulturbereich. Seit 1987 arbeitet Matussek für den *Spiegel*, leitete von 1992 bis Anfang 1996 das New Yorker *Spiegel*-Büro. Seither lebt er als *Spiegel*-Kolumnist in Berlin. Er ist Autor zahlreicher Funk- und Fernseh-Features. 1991 erhielt Matussek den Egon-Erwin-Kisch-Preis für eine Reportage aus der ehemaligen DDR.

»Matussek versucht sich an einem Genre, das es in Deutschland so nicht gibt: Gesellschaftsliteratur der Media-Society. Ein stimulierendes Vorausbild dessen, was eine metropolitane Literatur werden könnte.«
Erhard Schütz in Text und Kritik

»In seiner elektrisierten Sprache lebt etwas fort vom Leuchten des Broadway an einem Premierenabend. Frech, provokant, brillant.«
Walter Vogl/Die Presse, Wien

Showdown
Geschichten aus Amerika

Fifth Avenue
Zehn Stories und ein Dramolett

Rupert
oder die Kunst des Verlierens

Doris Dörrie im Diogenes Verlag

»Doris Dörrie ist als Erzählerin Spezialistin in diffizilen Angelegenheiten der kleinen Rache und gezielten Ohrfeigen zum Zwecke der Unterstützung des eigenen Selbstwertgefühles. Sie ist eine sehr gute Kurzgeschichten-Schreiberin mit der erforderlichen Prise Selbstironie und mit stilistischer Eleganz.«
Annemarie Stoltenberg/Die Zeit, Hamburg

»Es ist vollkommen gleichgültig, ob Sie Doris Dörrie in der Badewanne, im Intercity-Großraumwagen, im Lehnstuhl oder in der Straßenbahn lesen, nur: Lesen Sie sie!« *Deutschlandfunk, Köln*

Liebe, Schmerz und das ganze verdammte Zeug
Vier Geschichten

»Was wollen Sie von mir?«
Erzählungen
Mit Fotos von Helge Weindler

Der Mann meiner Träume
Erzählung

Für immer und ewig
Eine Art Reigen

Love in Germany
Deutsche Paare im Gespräch mit Doris Dörrie
Unter Mitarbeit von Volker Wach. Mit 13 Fotos

Bin ich schön?
Erzählungen

Samsara
Erzählungen

Was machen wir jetzt?
Roman

Jakob Arjouni im Diogenes Verlag

»Ein großer, phantastischer Schriftsteller, der genau und planvoll und lesbar schreibt.«
Maxim Biller/Tempo, Hamburg

»Seine Virtuosität, sein Humor, sein Gespür für Spannung sind ein Lichtblick in der Literatur jenseits des Rheins, die seit langem in den eisigen Sphären von Peter Handke gefangen ist.« *Actuel, Paris*

»Seine Texte haben Qualität. Sie sind ambitioniert, unaufdringlich-provokativ, höchst politisch.«
Barbara Müller-Vahl/General-Anzeiger, Bonn

»Arjouni weiß als Dramatiker genauso wie als Krimiautor, wie er Spannung erzielt, ohne platt zu wirken.«
Christian Peiseler/Rheinische Post, Düsseldorf

Magic Hoffmann
Roman

Edelmanns Tochter
Theaterstück

Ein Freund
Geschichten

Die Kayankaya-Romane:

Happy birthday, Türke!

Mehr Bier

Ein Mann, ein Mord

Kismet

Hugo Loetscher im Diogenes Verlag

»Hugo Loetscher ist zweifellos der kosmopolitischste, der weltoffenste Schriftsteller der Schweiz. Es weht ein Duft von Urbanität und weiter Welt in seinen Büchern, die sich dennoch keineswegs von den sozialen Realitäten abwenden, ganz im Gegenteil. Hugo Loetscher ist eine Ausnahmeerscheinung in der Schweizer Gegenwartsliteratur nach Frisch und Dürrenmatt. Eine Ausnahmeerscheinung ist er durchaus bezüglich der literarischen Qualität. Er ist es aber auch als Intellektueller: Eben weil es ihm gelungen ist, die kulturelle und politische Enge der Schweiz in ein dialektisches Verhältnis zu bringen. Und fruchtbar zu machen.«
Jürg Altwegg

Wunderwelt
Eine brasilianische Begegnung

Herbst in der Großen Orange

Noah
Roman einer Konjunktur

Der Waschküchenschlüssel oder Was – wenn Gott Schweizer wäre
Geschichten

Der Immune
Roman

Die Papiere des Immunen
Roman

Die Fliege und die Suppe
und 33 andere Tiere in 33 anderen Situationen. Fabeln

Die Kranzflechterin
Roman

Abwässer
Ein Gutachten

Der predigende Hahn
Das literarisch-moralische Nutztier
Mit Abbildungen, einem Nachwort, einem Register der Autoren und Tiere sowie einem Quellenverzeichnis

Saison
Roman

Die Augen des Mandarin
Roman

Vom Erzählen erzählen
Poetikvorlesungen
Mit Einführungen von Wolfgang Frühwald und Gonçalo Vilas-Boas

Hugo Loetscher & Alice Vollenweider
Kulinaritäten
Ein Briefwechsel über die Kunst und die Kultur in der Küche

Urs Widmer im Diogenes Verlag

»Wer kann heute noch glitzernde, glücksüberstrahlte Idyllen erzählen? Wer eine Geschichte über den Golfkrieg und die A-Bombe? Wer ein Märchen für Erwachsene von – sagen wir: fünfzehn an? Und wer eine Liebesgeschichte über Lebende und Tote, die uns traurigfroh ans Herz geht? Die Antwort: Urs Widmer. Er kann all dies aufs Mal und all das ist, eine Rarität in der deutschen Literatur, tiefsinnig und extrem unterhaltend zugleich.«
Andreas Isenschmid / Die Zeit, Hamburg

Alois / Die Amsel im Regen im Garten
Zwei Erzählungen

Das Normale und die Sehnsucht
Essays und Geschichten

Die Forschungsreise
Ein Abenteuerroman

Die gelben Männer
Roman

Vom Fenster meines Hauses aus
Prosa

Schweizer Geschichten

Shakespeare's Geschichten
Alle Stücke von William Shakespeare, nacherzählt von Walter E. Richartz und Urs Widmer. In zwei Bänden

Das enge Land
Roman

Liebesnacht
Eine Erzählung

Die gestohlene Schöpfung
Ein Märchen

Indianersommer
Erzählung

Das Verschwinden der Chinesen im neuen Jahr
Mit einem Nachwort von H.C. Artmann

Auf auf, ihr Hirten! Die Kuh haut ab!
Kolumnen

Der Kongreß der Paläolepidopterologen
Roman

Das Paradies des Vergessens
Erzählung

Der blaue Siphon
Erzählung

Liebesbrief für Mary
Erzählung

Die sechste Puppe im Bauch der fünften Puppe im Bauch der vierten
und andere Überlegungen zur Literatur. Grazer Vorlesungen 1991

Im Kongo
Roman

Vor uns die Sintflut
Geschichten

Der Geliebte der Mutter
Roman

Hans Werner Kettenbach im Diogenes Verlag

»Schon lange hat niemand mehr – zumindest in der deutschen Literatur – so erbarmungslos und so unterhaltsam zugleich den Zustand unserer Welt beschrieben.« *Die Zeit, Hamburg*

»Hans Werner Kettenbach erzählt in einer eigenartigen Mischung von Zartheit, Humor und Melancholie, aber immer auf erregende Art glaubwürdig.«
Neue Zürcher Zeitung

»Dieses Nie-zuviel-an Wörtern, diese unglaubliche Leichtigkeit und Selbstverständlichkeit … ja, das ist in der zeitgenössischen Literatur einzigartig!«
Visa Magazin, Wien

»Ein beweglicher ›Weiterschreiber‹ nicht nur der Nachkriegsgeschichte, sondern der Geschichte der Bundesrepublik ist Hans Werner Kettenbach. Seine sieben bis acht Romane aus dem bundesrepublikanischen Tiergarten sind viel unterhaltsamer und spitzer als alle Weiterschreibungen Bölls.«
Kommune, Frankfurt

Minnie oder Ein Fall von Geringfügigkeit
Roman

Hinter dem Horizont
Eine New Yorker Liebesgeschichte

Sterbetage
Roman

Schmatz oder Die Sackgasse
Roman

Der Pascha
Roman

Der Feigenblattpflücker
Roman

Davids Rache
Roman

Die Schatzgräber
Roman

Grand mit vieren
Roman

Glatteis
Roman

Viktorija Tokarjewa im Diogenes Verlag

Viktorija Tokarjewa, 1937 in Leningrad geboren, studierte nach kurzer Zeit als Musikpädagogin an der Moskauer Filmhochschule das Drehbuchfach. 15 Filme sind nach ihren Drehbüchern entstanden. 1964 veröffentlichte sie ihre erste Erzählung und widmete sich ab da ganz der Literatur. Sie lebt heute in Moskau.

»Ihre Geschichten sind seit jeher von großer Anmut, allesamt Kunst-Stückchen, die einem die Vorstellung von Leichthändigkeit suggerieren. Nicht jedoch von Leichtgewichtigkeit. Wenn sie uns ein Schmunzeln entlocken, dann liegt das daran, daß Viktorija Tokarjewa über einen ausgeprägten Humor verfügt und diese Gabe durchweg einsetzt. Es ist kein Humor der satirischen Art, eher eine sanfte Ironie, gewürzt mit einer Prise Traurigkeit und einem vollen Maß an mitmenschlichem Erbarmen.«
Frankfurter Allgemeine Zeitung

»Viktorija Tokarjewa erzählt ihre Liebesgeschichten mit einem solchen Witz und einer solchen Lebendigkeit, daß ich ganz entzückt davon bin.«
Elke Heidenreich

Zickzack der Liebe
Erzählungen. Aus dem Russischen von Monika Tantzscher

Mara
Erzählung
Deutsch von Angelika Schneider

Happy-End
Erzählung
Deutsch von Angelika Schneider

Lebenskünstler
und andere Erzählungen. Deutsch von Ingrid Gloede

Sag ich's oder sag ich's nicht?
Erzählungen. Deutsch von Angelika Schneider, Monika Tantzscher und Elsbeth Wolffheim

Sentimentale Reise
Erzählungen. Deutsch von Angelika Schneider

Die Diva
Zehn Geschichten über die Liebe. Deutsch von Angelika Schneider, Monika Tantzscher und Susanne Veselov

Der Pianist
Erzählungen. Deutsch von Angelika Schneider

Lampenfieber
Erzählungen. Deutsch von Angelika Schneider

Bernhard Schlink im Diogenes Verlag

»Wenn es eine Renaissance des Erzählens gibt, dann hier.« *Der Spiegel, Hamburg*

»Schwungvoll geschriebene, raffiniert gebaute Romane, in denen die politische Aktualität und die deutsche Vergangenheit präsent sind.«
Dorothee Nolte / Der Tagesspiegel, Berlin

»Bernhard Schlink gehört zu den Autoren, die sinnlich, intelligent und spannend erzählen können – eine Seltenheit in Deutschland.«
Dietmar Kanthak / General-Anzeiger, Bonn

»Bernhard Schlink gelingt das in der deutschen Literatur seltene Kunststück, so behutsam wie möglich, vor allem ohne moralische Bevormundung des Lesers, zu verfahren und dennoch durch die suggestive Präzision seiner Sprache ein Höchstmaß an Anschaulichkeit zu erreichen.« *Werner Fuld / Focus, München*

»Bernhard Schlink ist ein sehr intensiver Beobachter menschlicher Handlungen, seelischer Prozesse. Man liest. Und versteht.«
Wolfgang Kroener / Rhein-Zeitung, Koblenz

Die gordische Schleife
Roman

Selbs Betrug
Roman

Der Vorleser
Roman

Liebesfluchten
Geschichten

Bernhard Schlink & Walter Popp
Selbs Justiz
Roman